中华人民共和国
新法规汇编

2016
第10辑

国务院法制办公室　编

中国法制出版社

编辑说明

一、《中华人民共和国新法规汇编》是国家出版的法律、行政法规汇编正式版本，是刊登报国务院备案的部门规章的指定出版物。

二、本汇编收集的内容包括：上一个月内由全国人民代表大会及其常务委员会通过的法律和有关法律问题的决定，国务院公布的行政法规和法规性文件，报国务院备案的部门规章，最高人民法院和最高人民检察院公布的司法解释。另外，还收入了上一个月内报国务院备案的地方性法规和地方政府规章目录。

三、本汇编所收的内容，按下列分类顺序编排：法律，行政法规，法规性文件，国务院部门规章，司法解释。每类中按公布的时间顺序排列。报国务院备案的地方性法规和地方政府规章目录按1987年国务院批准的行政区划顺序排列；同一行政区域报备两件以上者，按公布时间顺序排列。

四、本汇编每年出版12辑，每月出版1辑。本辑为2016年度第10辑，收入2016年9月份内公布的法律2件，有关法律问题的决定1件，法规性文件5件，报国务院备案的部门规章20件，司法解释5件，补收2016年8月份内公布的行政法规1件，法规性文件1件，6月份至8月份内公布的司法解释4件，共计39件。

五、本汇编在编辑出版过程中，得到了国务院有关部门和有关方面以及广大读者的大力支持和协助，在此谨致谢意。

国务院法制办公室

2016年10月

目　　录

法　　律

有关法律问题的决定

行政法规

法规性文件

国务院部门规章

司法解释

附：

法　律

中华人民共和国国防交通法

（2016年9月3日第十二届全国人民代表大会常务委员会第二十二次会议通过　2016年9月3日中华人民共和国主席令第50号公布　自2017年1月1日起施行）

目　录

第一章　总　则

第一条　为了加强国防交通建设，促进交通领域军民融合发展，保障国防活动顺利进行，制定本法。

第二条　以满足国防需要为目的，在铁路、道路、水路、航空、管道以及邮政等交通领域进行的规划、建设、管理和资源使用活动，适用本法。

第三条　国家坚持军民融合发展战略，推动军地资源优化配置、合理共享，提高国防交通平时服务、急时应急、战时应战的能力，促进经济建设和国防建设协调发展。

国防交通工作遵循统一领导、分级负责、统筹规划、平战结合的原则。

第四条　国家国防交通主管机构负责规划、组织、指导和协调全国的国防交通工作。国家国防交通主管机构的设置和工作职责，由国务院、中央军事委员会规定。

县级以上地方人民政府国防交通主管机构负责本行政区域的国防交通工作。

县级以上人民政府有关部门和有关军事机关按照职责分工，负责有关的国防交通工作。

省级以上人民政府有关部门和军队有关部门建立国防交通军民融合发展会商机制，相互通报交通建设和国防需求等情况，研究解决国防交通重大问题。

第五条 公民和组织应当依法履行国防交通义务。

国家鼓励公民和组织依法参与国防交通建设，并按照有关规定给予政策和经费支持。

第六条 国防交通经费按照事权划分的原则，列入政府预算。

企业事业单位用于开展国防交通日常工作的合理支出，列入本单位预算，计入成本。

第七条 县级以上人民政府根据国防需要，可以依法征用民用运载工具、交通设施、交通物资等民用交通资源，有关组织和个人应当予以配合，履行相关义务。

民用交通资源征用的组织实施和补偿，依照有关法律、行政法规执行。

第八条 各级人民政府应当将国防交通教育纳入全民国防教育，通过多种形式开展国防交通宣传活动，普及国防交通知识，增强公民的国防交通观念。

各级铁路、道路、水路、航空、管道、邮政等行政管理部门（以下统称交通主管部门）和相关企业事业单位应当对本系统、本单位的人员进行国防交通教育。

设有交通相关专业的院校应当将国防交通知识纳入相关专业课程或者单独开设国防交通相关课程。

第九条 任何组织和个人对在国防交通工作中知悉的国家秘密和商业秘密负有保密义务。

第十条 对在国防交通工作中作出突出贡献的组织和个人，按照国家有关规定给予表彰和奖励。

第十一条 国家加强国防交通信息化建设，为提高国防交通保障能力提供支持。

第十二条 战时和平时特殊情况下，需要在交通领域采取行业管制、为武装力量优先提供交通保障等国防动员措施的，依照《中华人民共和国国防法》、《中华人民共和国国防动员法》等有关法律执行。

武装力量组织进行军事演习、训练，需要对交通采取临时性管制措施的，按照国务院、中央军事委员会的有关规定执行。

第十三条 战时和平时特殊情况下，国家根据需要，设立国防交通联合指挥机构，统筹全国或者局部地区的交通运输资源，统一组织指挥全国或者局部地区的交通运输以及交通设施设备的抢修、抢建与防护。相关组织和个人应当服从统一指挥。

第二章 国防交通规划

第十四条 国防交通规划包括国防交通工程设施建设规划、国防交通专业保障队伍建设规划、国防交通物资储备规划、国防交通科研规划等。

编制国防交通规划应当符合下列要求：

（一）满足国防需要，有利于平战快速转换，保障国防活动顺利进行；

（二）兼顾经济社会发展需要，突出重点，注重效益，促进资源融合共享；

（三）符合城乡规划和土地利用总体规划，与国家综合交通运输体系发展规划相协调；

（四）有利于加强边防、海防交通基础设施建设，扶持沿边、沿海经济欠发达地区交通运输发展；

（五）保护环境，节约土地、能源等资源。

第十五条 县级以上人民政府应当将国防交通建设纳入国民经济和社会发展规划。

国务院及其有关部门和省、自治区、直辖市人民政府制定交通行业以及相关领域的发展战略、产业政策和规划交通网络布局，应当兼顾国防需要，提高国家综合交通运输体系保障国防活动的能力。

国务院有关部门应当将有关国防要求纳入交通设施、设备的技术标准和规范。有关国防要求由国家国防交通主管机构征求军队有关部门意见后汇总提出。

第十六条 国防交通工程设施建设规划，由县级以上人民政府国防交通主管机构会同本级人民政府交通主管部门编制，经本级人民政府发展改革部门审核后，报本级人民政府批准。

下级国防交通工程设施建设规划应当依据上一级国防交通工程设施建设规划编制。

编制国防交通工程设施建设规划，应当征求有关军事机关和本级人民政府有关部门的意见。县级以上人民政府有关部门编制综合交通运输体系发展规划和交通工程设施建设规划，应当征求本级人民政府国防交通主管机构的意见，并纳入国防交通工程设施建设的相关内容。

第十七条 国防交通专业保障队伍建设规划，由国家国防交通主管机构会同国务院有关部门和军队有关部门编制。

第十八条 国防交通物资储备规划，由国防交通主管机构会同军地有关部门编制。

中央储备的国防交通物资，由国家国防交通主管机构会同国务院交通主管部门和军队有关部门编制储备规划。

地方储备的国防交通物资，由省、自治区、直辖市人民政府国防交通主管机构会同本级人民政府有关部门和有关军事机关编制储备规划。

第十九条 国防交通科研规划，由国家国防交通主管机构会同国务院有关部门和军队有关部门编制。

第三章 交通工程设施

第二十条 建设国防交通工程设施，应当以国防交通工程设施建设规划为依据，保障战时和平时特殊情况下国防交通畅通。

建设其他交通工程设施，应当依法贯彻国防要求，在建设中采用增强其国防功能的工程技术措施，提高国防交通保障能力。

第二十一条 国防交通工程设施应当按照基本建设程序、相关技术标准和规范以及国防要求进行设计、施工和竣工验收。相关人民政府国防交通主管机构组织军队有关部门参与项目的设计审定、竣工验收等工作。

交通工程设施建设中为增加国防功能修建的项目应当与主体工程同步设计、同步建设、同步验收。

第二十二条 国防交通工程设施在满足国防活动需要的前提下，应当为经济社会活动提供便利。

第二十三条 国防交通工程设施管理单位负责国防交通工程设施的维护和管理，保持其国防功能。

国防交通工程设施需要改变用途或者作报废处理的，由国防交通工程设施管理单位逐级上报国家国防交通主管机构或者其授权的国防交通主管机构批准。

县级以上人民政府应当加强对国防交通工程设施维护管理工作的监督检查。

第二十四条 任何组织和个人进行生产和其他活动，不得影响国防交通工程设施的正常使用，不得危及国防交通工程设施的安全。

第二十五条 县级以上人民政府国防交通主管机构负责向本级人民政府交通主管部门以及相关企业事业单位了解交通工程设施建设项目的立项、设计、施工等情况；有关人民政府交通主管部门以及相关企业事业单位应当予以配合。

第二十六条 县级以上人民政府国防交通主管机构应当及时向有关军事机关通报交通工程设施建设情况，并征求其贯彻国防要求的意见，汇总后提出需要贯彻国防要求的具体项目。

第二十七条 对需要贯彻国防要求的交通工程设施建设项目，由有关人民政府国防交通主管机构会同本级人民政府发展改革部门、财政部门、交通主管部门和有关军事机关，与建设单位协商确定贯彻国防要求的具体事宜。

交通工程设施新建、改建、扩建项目因贯彻国防要求增加的费用由国家承担。有关部门应当对项目的实施予以支持和保障。

第二十八条 各级人民政府对国防交通工程设施建设项目和贯彻国防要求的交通工程设施建设项目，在土地使用、城乡规划、财政、税费等方面，按照国家有关规定给予政策支持。

第四章　民用运载工具

第二十九条 国家国防交通主管机构应当根据国防需要，会同国务院有关部门和军队有关部门，确定需要贯彻国防要求的民用运载工具的类别和范围，及时向社会公布。

国家鼓励公民和组织建造、购置、经营前款规定的类别和范围内的民用运载工具及其相关设备。

第三十条 县级以上人民政府国防交通主管机构应当向民用运载工具登记管理部门和建造、购置人了解需要贯彻国防要求的民用运载工具的建造、购置、使用等情况，有关公民和组织应当予以配合。

第三十一条 县级以上人民政府国防交通主管机构应当及时将掌握的民用运载工具基本情况通报有关军事机关，并征求其贯彻国防要求的意见，汇总后提出需要贯彻国防要求的民用运载工具的具体项目。

第三十二条 对需要贯彻国防要求的民用运载工具的具体项目，由县级以上人民政府国防交通主管机构会同本级人民政府财政部门、交通主管部门和有关军事机关，与有关公民和组织协商确定贯彻国防要求的具体事宜，并签订相关协议。

第三十三条 民用运载工具因贯彻国防要求增加的费用由国家承担。有关部门应当对民用运载工具贯彻国防要求的实施予以支持和保障。

各级人民政府对贯彻国防要求的民用运载工具在服务采购、运营范围等方面，按照有关规定给予政策支持。

第三十四条 贯彻国防要求的民用运载工具所有权人、承租人、经营人负责民用运载工具的维护和管理，保障其使用效能。

第五章 国防运输

第三十五条 县级以上人民政府交通主管部门会同军队有关交通运输部门按照统一计划、集中指挥、迅速准确、安全保密的原则,组织国防运输。

承担国防运输任务的公民和组织应当优先安排国防运输任务。

第三十六条 国家以大中型运输企业为主要依托,组织建设战略投送支援力量,增强战略投送能力,为快速组织远距离、大规模国防运输提供有效支持。

承担战略投送支援任务的企业负责编组人员和装备,根据有关规定制定实施预案,进行必要的训练、演练,提高执行战略投送任务的能力。

第三十七条 各级人民政府和军事机关应当加强国防运输供应、装卸等保障设施建设。

县级以上地方人民政府和相关企业事业单位,应当根据国防运输的需要提供饮食饮水供应、装卸作业、医疗救护、通行与休整、安全警卫等方面的必要的服务或者保障。

第三十八条 国家驻外机构和我国从事国际运输业务的企业及其境外机构,应当为我国实施国际救援、海上护航和维护国家海外利益的军事行动的船舶、飞机、车辆和人员的补给、休整提供协助。

国家有关部门应当对前款规定的机构和企业为海外军事行动提供协助所需的人员和运输工具、货物等的出境入境提供相关便利。

第三十九条 公民和组织完成国防运输任务所发生的费用,由使用单位按照不低于市场价格的原则支付。具体办法由国务院财政部门、交通主管部门和中央军事委员会后勤保障部规定。

第四十条 军队根据需要,可以在相关交通企业或者交通企业较为集中的地区派驻军事代表,会同有关单位共同完成国防运输和交通保障任务。

军事代表驻在单位和驻在地人民政府有关部门,应当为军事代表开展工作提供便利。

军事代表的派驻和工作职责,按照国务院、中央军事委员会的有关规定执行。

第六章 国防交通保障

第四十一条 各级国防交通主管机构组织人民政府有关部门和有关军事机关制定国防交通保障方案,明确重点交通目标、线路以及保障原则、任务、技术措施和组织措施。

第四十二条 国务院有关部门和县级以上地方人民政府按照职责分工，组织有关企业事业单位实施交通工程设施抢修、抢建和运载工具抢修，保障国防活动顺利进行。有关军事机关应当给予支持和协助。

第四十三条 国防交通保障方案确定的重点交通目标的管理单位和预定承担保障任务的单位，应当根据有关规定编制重点交通目标保障预案，并做好相关准备。

第四十四条 重点交通目标的管理单位和预定承担保障任务的单位，在重点交通目标受到破坏威胁时，应当立即启动保障预案，做好相应准备；在重点交通目标遭受破坏时，应当按照任务分工，迅速组织实施工程加固和抢修、抢建，尽快恢复交通。

与国防运输有关的其他交通工程设施遭到破坏的，其管理单位应当及时按照管理关系向上级报告，同时组织修复。

第四十五条 县级以上人民政府国防交通主管机构会同本级人民政府国土资源、城乡规划等主管部门确定预定抢建重要国防交通工程设施的土地，作为国防交通控制范围，纳入土地利用总体规划和城乡规划。

未经县级以上人民政府国土资源主管部门、城乡规划主管部门和国防交通主管机构批准，任何组织和个人不得占用作为国防交通控制范围的土地。

第四十六条 重点交通目标的对空、对海防御，由军队有关部门纳入对空、对海防御计划，统一组织实施。

重点交通目标的地面防卫，由其所在地县级以上人民政府和有关军事机关共同组织实施。

重点交通目标的工程技术防护，由其所在地县级以上人民政府交通主管部门会同本级人民政府国防交通主管机构、人民防空主管部门，组织指导其管理单位和保障单位实施。

重点交通目标以外的其他交通设施的防护，由其所在地县级以上人民政府按照有关规定执行。

第四十七条 因重大军事行动和国防科研生产试验以及与国防相关的保密物资、危险品运输等特殊需要，县级以上人民政府有关部门应当按照规定的权限和程序，在相关地区的陆域、水域、空域采取必要的交通管理措施和安全防护措施。有关军事机关应当给予协助。

第四十八条 县级以上人民政府交通主管部门和有关军事机关、国防交通主管机构应当根据需要，组织相关企业事业单位开展国防交通专业保障队伍的训练、演练。

国防交通专业保障队伍由企业事业单位按照有关规定组建。

参加训练、演练的国防交通专业保障队伍人员的生活福利待遇，参照民兵参加军事训练的有关规定执行。

第四十九条 国防交通专业保障队伍执行国防交通工程设施抢修、抢建、防护和民用运载工具抢修以及人员物资抢运等任务，由县级以上人民政府国防交通主管机构会同本级人民政府交通主管部门统一调配。

国防交通专业保障队伍的车辆、船舶和其他机动设备，执行任务时按照国家国防交通主管机构的规定设置统一标志，可以优先通行。

第五十条 各级人民政府对承担国防交通保障任务的企业和个人，按照有关规定给予政策支持。

第七章 国防交通物资储备

第五十一条 国家建立国防交通物资储备制度，保证战时和平时特殊情况下国防交通顺畅的需要。

国防交通物资储备应当布局合理、规模适度，储备的物资应当符合国家规定的质量标准。

国防交通储备物资的品种由国家国防交通主管机构会同国务院有关部门和军队有关部门规定。

第五十二条 国务院交通主管部门和省、自治区、直辖市人民政府国防交通主管机构，应当按照有关规定确定国防交通储备物资储存管理单位，监督检查国防交通储备物资管理工作。

国防交通储备物资储存管理单位应当建立健全管理制度，按照国家有关规定和标准对储备物资进行保管、维护和更新，保证储备物资的使用效能和安全，不得挪用、损坏和丢失储备物资。

第五十三条 战时和平时特殊情况下执行交通防护和抢修、抢建任务，或者组织重大军事演习，抢险救灾以及国防交通专业保障队伍训练、演练等需要的，可以调用国防交通储备物资。

调用中央储备的国防交通物资，由国家国防交通主管机构批准；调用地方储备的国防交通物资，由省、自治区、直辖市人民政府国防交通主管机构批准。

国防交通储备物资储存管理单位，应当严格执行储备物资调用指令，不得拒绝或者拖延。

未经批准，任何组织和个人不得动用国防交通储备物资。

第五十四条 国防交通储备物资因产品技术升级、更新换代或者主要技术性能低于使用维护要求，丧失储备价值的，可以改变用途或者作报废处理。

中央储备的国防交通物资需要改变用途或者作报废处理的，由国家国防交通主管机构组织技术鉴定并审核后，报国务院财政部门审批。

地方储备的国防交通物资需要改变用途或者作报废处理的，由省、自治区、直辖市人民政府国防交通主管机构组织技术鉴定并审核后，报本级人民政府财政部门审批。

中央和地方储备的国防交通物资改变用途或者报废获得的收益，应当上缴本级国库，纳入财政预算管理。

第八章 法律责任

第五十五条 违反本法规定，有下列行为之一的，由县级以上人民政府交通主管部门或者国防交通主管机构责令限期改正，对负有直接责任的主管人员和其他直接责任人员依法给予处分；有违法所得的，予以没收，并处违法所得一倍以上五倍以下罚款：

（一）擅自改变国防交通工程设施用途或者作报废处理的；

（二）拒绝或者故意拖延执行国防运输任务的；

（三）拒绝或者故意拖延执行重点交通目标抢修、抢建任务的；

（四）拒绝或者故意拖延执行国防交通储备物资调用命令的；

（五）擅自改变国防交通储备物资用途或者作报废处理的；

（六）擅自动用国防交通储备物资的；

（七）未按照规定保管、维护国防交通储备物资，造成损坏、丢失的。

上述违法行为造成财产损失的，依法承担赔偿责任。

第五十六条 国防交通主管机构、有关军事机关以及交通主管部门和其他相关部门的工作人员违反本法规定，有下列情形之一的，对负有直接责任的主管人员和其他直接责任人员依法给予处分：

（一）滥用职权或者玩忽职守，给国防交通工作造成严重损失的；

（二）贪污、挪用国防交通经费、物资的；

（三）泄露在国防交通工作中知悉的国家秘密和商业秘密的；

（四）在国防交通工作中侵害公民或者组织合法权益的。

第五十七条 违反本法规定，构成违反治安管理行为的，依法给予治安管理处罚；构成犯罪的，依法追究刑事责任。

第九章 附则

第五十八条 本法所称国防交通工程设施，是指国家为国防目的修建的交通基础设施以及国防交通专用的指挥、检修、装卸、仓储等工程设施。

本法所称国防运输，是指政府和军队为国防目的运用军民交通运输资源，运送人员、装备、物资的活动。军队运用自身资源进行的运输活动，按照中央军事委员会有关规定执行。

第五十九条 与国防交通密切相关的信息设施、设备和专业保障队伍的建设、管理、使用活动，适用本法。

国家对信息动员另有规定的，从其规定。

第六十条 本法自2017年1月1日起施行。

全国人民代表大会常务委员会关于修改《中华人民共和国外资企业法》等四部法律的决定

（2016年9月3日第十二届全国人民代表大会常务委员会第二十二次会议通过　2016年9月3日中华人民共和国主席令第51号公布　自2016年10月1日起施行）

第十二届全国人民代表大会常务委员会第二十二次会议决定：

一、对《中华人民共和国外资企业法》作出修改

增加一条，作为第二十三条："举办外资企业不涉及国家规定实施准入特别管理措施的，对本法第六条、第十条、第二十条规定的审批事项，适用备案管理。国家规定的准入特别管理措施由国务院发布或者批准发布。"

二、对《中华人民共和国中外合资经营企业法》作出修改

增加一条，作为第十五条："举办合营企业不涉及国家规定实施准入特别管理措施的，对本法第三条、第十三条、第十四条规定的审批事项，适用备案管理。国家规定的准入特别管理措施由国务院发布或者批准发布。"

三、对《中华人民共和国中外合作经营企业法》作出修改

增加一条，作为第二十五条："举办合作企业不涉及国家规定实施准入特别管理措施的，对本法第五条、第七条、第十条、第十二条第二款、第二十四条规定的审批事项，适用备案管理。国家规定的准入特别管理措施由国务院发布或者批准发布。"

四、对《中华人民共和国台湾同胞投资保护法》作出修改

增加一条，作为第十四条："举办台湾同胞投资企业不涉及国家规定实施准入特别管理措施的，对本法第八条第一款规定的审批事项，适用备案管理。国家规定的准入特别管理措施由国务院发布或者批准发布。"

本决定自2016年10月1日起施行。自本决定施行之日起,2013年8月30日第十二届全国人民代表大会常务委员会第四次会议通过的《全国人民代表大会常务委员会关于授权国务院在中国(上海)自由贸易试验区暂时调整有关法律规定的行政审批的决定》、2014年12月28日第十二届全国人民代表大会常务委员会第十二次会议通过的《全国人民代表大会常务委员会关于授权国务院在中国(广东)自由贸易试验区、中国(天津)自由贸易试验区、中国(福建)自由贸易试验区以及中国(上海)自由贸易试验区扩展区域暂时调整有关法律规定的行政审批的决定》的效力相应终止。

《中华人民共和国外资企业法》、《中华人民共和国中外合资经营企业法》、《中华人民共和国中外合作经营企业法》、《中华人民共和国台湾同胞投资保护法》根据本决定作相应修改,重新公布。

中华人民共和国外资企业法

(1986年4月12日第六届全国人民代表大会第四次会议通过 根据2000年10月31日第九届全国人民代表大会常务委员会第十八次会议《关于修改〈中华人民共和国外资企业法〉的决定》第一次修正 根据2016年9月3日第十二届全国人民代表大会常务委员会第二十二次会议《关于修改〈中华人民共和国外资企业法〉等四部法律的决定》第二次修正)

第一条 为了扩大对外经济合作和技术交流,促进中国国民经济的发展,中华人民共和国允许外国的企业和其他经济组织或者个人(以下简称外国投资者)在中国境内举办外资企业,保护外资企业的合法权益。

第二条 本法所称的外资企业是指依照中国有关法律在中国境内设立的全部资本由外国投资者投资的企业,不包括外国的企业和其他经济组织在中国境内的分支机构。

第三条 设立外资企业,必须有利于中国国民经济的发展。国家鼓励举办产品出口或者技术先进的外资企业。

国家禁止或者限制设立外资企业的行业由国务院规定。

第四条 外国投资者在中国境内的投资、获得的利润和其他合法权益,受中国法律保护。

外资企业必须遵守中国的法律、法规,不得损害中国的社会公共利益。

第五条 国家对外资企业不实行国有化和征收;在特殊情况下,根据社会公共利益的需要，对外资企业可以依照法律程序实行征收，并给予相应的补偿。

第六条 设立外资企业的申请，由国务院对外经济贸易主管部门或者国务院授权的机关审查批准。审查批准机关应当在接到申请之日起九十天内决定批准或者不批准。

第七条 设立外资企业的申请经批准后，外国投资者应当在接到批准证书之日起三十天内向工商行政管理机关申请登记，领取营业执照。外资企业的营业执照签发日期，为该企业成立日期。

第八条 外资企业符合中国法律关于法人条件的规定的，依法取得中国法人资格。

第九条 外资企业应当在审查批准机关核准的期限内在中国境内投资；逾期不投资的，工商行政管理机关有权吊销营业执照。

工商行政管理机关对外资企业的投资情况进行检查和监督。

第十条 外资企业分立、合并或者其他重要事项变更，应当报审查批准机关批准，并向工商行政管理机关办理变更登记手续。

第十一条 外资企业依照经批准的章程进行经营管理活动，不受干涉。

第十二条 外资企业雇用中国职工应当依法签定合同，并在合同中订明雇用、解雇、报酬、福利、劳动保护、劳动保险等事项。

第十三条 外资企业的职工依法建立工会组织，开展工会活动，维护职工的合法权益。

外资企业应当为本企业工会提供必要的活动条件。

第十四条 外资企业必须在中国境内设置会计账簿，进行独立核算，按照规定报送会计报表，并接受财政税务机关的监督。

外资企业拒绝在中国境内设置会计账簿的，财政税务机关可以处以罚款，工商行政管理机关可以责令停止营业或者吊销营业执照。

第十五条 外资企业在批准的经营范围内所需的原材料、燃料等物资，按照公平、合理的原则，可以在国内市场或者在国际市场购买。

第十六条 外资企业的各项保险应当向中国境内的保险公司投保。

第十七条 外资企业依照国家有关税收的规定纳税并可以享受减税、免税的优惠待遇。

外资企业将缴纳所得税后的利润在中国境内再投资的，可以依照国家规定申请退还再投资部分已缴纳的部分所得税税款。

第十八条 外资企业的外汇事宜，依照国家外汇管理规定办理。

外资企业应当在中国银行或者国家外汇管理机关指定的银行开户。

第十九条 外国投资者从外资企业获得的合法利润、其他合法收入和清算后的资金，可以汇往国外。

外资企业的外籍职工的工资收入和其他正当收入，依法缴纳个人所得税后，可以汇往国外。

第二十条 外资企业的经营期限由外国投资者申报，由审查批准机关批准。期满需要延长的，应当在期满一百八十天以前向审查批准机关提出申请。审查批准机关应当在接到申请之日起三十天内决定批准或者不批准。

第二十一条 外资企业终止，应当及时公告，按照法定程序进行清算。

在清算完结前，除为了执行清算外，外国投资者对企业财产不得处理。

第二十二条 外资企业终止，应当向工商行政管理机关办理注销登记手续，缴销营业执照。

第二十三条 举办外资企业不涉及国家规定实施准入特别管理措施的，对本法第六条、第十条、第二十条规定的审批事项，适用备案管理。国家规定的准入特别管理措施由国务院发布或者批准发布。

第二十四条 国务院对外经济贸易主管部门根据本法制定实施细则，报国务院批准后施行。

第二十五条 本法自公布之日起施行。

中华人民共和国
中外合资经营企业法

（1979年7月1日第五届全国人民代表大会第二次会议通过　根据1990年4月4日第七届全国人民代表大会第三次会议《关于修改〈中华人民共和国中外合资经营企业法〉的决定》第一次修正　根据2001年3月15日第九届全国人民代表大会第四次会议《关于修改〈中华人民共和国中外合资经营企业法〉的决定》第二次修正　根据2016年9月3日第十二届全国人民代表大会常务委员会第二十二次会议《关于修改〈中华人民共和国外资企业法〉等四部法律的决定》第三次修正）

第一条 中华人民共和国为了扩大国际经济合作和技术交流，允许外国公司、企业和其他经济组织或个人（以下简称外国合营者），按照平等互利的原则，经中国政府批准，在中华人民共和国境内，同中国的公司、企业或其他经济组织（以下简称中国合营者）共同举办合营企业。

第二条 中国政府依法保护外国合营者按照经中国政府批准的协议、合同、章程在合营企业的投资、应分得的利润和其他合法权益。

合营企业的一切活动应遵守中华人民共和国法律、法规的规定。

国家对合营企业不实行国有化和征收；在特殊情况下，根据社会公共利益的需要，对合营企业可以依照法律程序实行征收，并给予相应的补偿。

第三条 合营各方签订的合营协议、合同、章程，应报国家对外经济贸易主管部门（以下称审查批准机关）审查批准。审查批准机关应在三个月内决定批准或不批准。合营企业经批准后，向国家工商行政管理主管部门登记，领取营业执照，开始营业。

第四条 合营企业的形式为有限责任公司。

在合营企业的注册资本中，外国合营者的投资比例一般不低于百分之二十五。

合营各方按注册资本比例分享利润和分担风险及亏损。

合营者的注册资本如果转让必须经合营各方同意。

第五条 合营企业各方可以现金、实物、工业产权等进行投资。

外国合营者作为投资的技术和设备，必须确实是适合我国需要的先进技术和设备。如果有意以落后的技术和设备进行欺骗，造成损失的，应赔偿损失。

中国合营者的投资可包括为合营企业经营期间提供的场地使用权。如果场地使用权未作为中国合营者投资的一部分，合营企业应向中国政府缴纳使用费。

上述各项投资应在合营企业的合同和章程中加以规定，其价格（场地除外）由合营各方评议商定。

第六条 合营企业设董事会，其人数组成由合营各方协商，在合同、章程中确定，并由合营各方委派和撤换。董事长和副董事长由合营各方协商确定或由董事会选举产生。中外合营者的一方担任董事长的，由他方担任副董事长。董事会根据平等互利的原则，决定合营企业的重大问题。

董事会的职权是按合营企业章程规定，讨论决定合营企业的一切重大问题：企业发展规划、生产经营活动方案、收支预算、利润分配、劳动工资计划、停业，以及总经理、副总经理、总工程师、总会计师、审计师的任命或聘请及其职权和待遇等。

正副总经理（或正副厂长）由合营各方分别担任。

合营企业职工的录用、辞退、报酬、福利、劳动保护、劳动保险等事项，应当依法通过订立合同加以规定。

第七条 合营企业的职工依法建立工会组织，开展工会活动，维护职工的合法权益。

合营企业应当为本企业工会提供必要的活动条件。

第八条 合营企业获得的毛利润，按中华人民共和国税法规定缴纳合营企业所得税后，扣除合营企业章程规定的储备基金、职工奖励及福利基金、企业发展基金，净利润根据合营各方注册资本的比例进行分配。

合营企业依照国家有关税收的法律和行政法规的规定，可以享受减税、免税的优惠待遇。

外国合营者将分得的净利润用于在中国境内再投资时，可申请退还已缴纳的部分所得税。

第九条 合营企业应凭营业执照在国家外汇管理机关允许经营外汇业务的银行或其他金融机构开立外汇账户。

合营企业的有关外汇事宜，应遵照中华人民共和国外汇管理条例办理。

合营企业在其经营活动中，可直接向外国银行筹措资金。

合营企业的各项保险应向中国境内的保险公司投保。

第十条 合营企业在批准的经营范围内所需的原材料、燃料等物资，按照公平、合理的原则，可以在国内市场或者在国际市场购买。

鼓励合营企业向中国境外销售产品。出口产品可由合营企业直接或与其有关的委托机构向国外市场出售，也可通过中国的外贸机构出售。合营企业产品也可在中国市场销售。

合营企业需要时可在中国境外设立分支机构。

第十一条 外国合营者在履行法律和协议、合同规定的义务后分得的净利润，在合营企业期满或者中止时所分得的资金以及其他资金，可按合营企业合同规定的货币，按外汇管理条例汇往国外。

鼓励外国合营者将可汇出的外汇存入中国银行。

第十二条 合营企业的外籍职工的工资收入和其他正当收入，按中华人民共和国税法缴纳个人所得税后，可按外汇管理条例汇往国外。

第十三条 合营企业的合营期限，按不同行业、不同情况，作不同的约定。有的行业的合营企业，应当约定合营期限；有的行业的合营企业，可以约定合营期限，也可以不约定合营期限。约定合营期限的合营企业，合营各方同意延长合营期限的，应在距合营期满六个月前向审查批准机关提出申请。审查批准机关应自接到申请之日起一个月内决定批准或不批准。

第十四条 合营企业如发生严重亏损、一方不履行合同和章程规定的义务、不可抗力等，经合营各方协商同意，报请审查批准机关批准，并向国家工商行政管理主管部门登记，可终止合同。如果因违反合同而造成损失的，应由违反合同的一方承担经济责任。

第十五条 举办合营企业不涉及国家规定实施准入特别管理措施的，对本法第三条、第十三条、第十四条规定的审批事项，适用备案管理。国家规定的准入特别管理措施由国务院发布或者批准发布。

第十六条　合营各方发生纠纷，董事会不能协商解决时，由中国仲裁机构进行调解或仲裁，也可由合营各方协议在其他仲裁机构仲裁。

合营各方没有在合同中订有仲裁条款的或者事后没有达成书面仲裁协议的，可以向人民法院起诉。

第十七条　本法自公布之日起生效。

中华人民共和国
中外合作经营企业法

（1988 年 4 月 13 日第七届全国人民代表大会第一次会议通过　根据 2000 年 10 月 31 日第九届全国人民代表大会常务委员会第十八次会议《关于修改〈中华人民共和国中外合作经营企业法〉的决定》第一次修正　根据 2016 年 9 月 3 日第十二届全国人民代表大会常务委员会第二十二次会议《关于修改〈中华人民共和国外资企业法〉等四部法律的决定》第二次修正）

第一条　为了扩大对外经济合作和技术交流，促进外国的企业和其他经济组织或者个人（以下简称外国合作者）按照平等互利的原则，同中华人民共和国的企业或者其他经济组织（以下简称中国合作者）在中国境内共同举办中外合作经营企业（以下简称合作企业），特制定本法。

第二条　中外合作者举办合作企业，应当依照本法的规定，在合作企业合同中约定投资或者合作条件、收益或者产品的分配、风险和亏损的分担、经营管理的方式和合作企业终止时财产的归属等事项。

合作企业符合中国法律关于法人条件的规定的，依法取得中国法人资格。

第三条　国家依法保护合作企业和中外合作者的合法权益。

合作企业必须遵守中国的法律、法规，不得损害中国的社会公共利益。

国家有关机关依法对合作企业实行监督。

第四条　国家鼓励举办产品出口的或者技术先进的生产型合作企业。

第五条　申请设立合作企业，应当将中外合作者签订的协议、合同、章程等文件报国务院对外经济贸易主管部门或者国务院授权的部门和地方政府（以下简称审查批准机关）审查批准。审查批准机关应当自接到申请之日起四十五天内决定批准或者不批准。

第六条　设立合作企业的申请经批准后，应当自接到批准证书之日起三十天内向工商行政管理机关申请登记，领取营业执照。合作企业的营业执照签发日期,为该企业的成立日期。

合作企业应当自成立之日起三十天内向税务机关办理税务登记。

第七条 中外合作者在合作期限内协商同意对合作企业合同作重大变更的,应当报审查批准机关批准;变更内容涉及法定工商登记项目、税务登记项目的,应当向工商行政管理机关、税务机关办理变更登记手续。

第八条 中外合作者的投资或者提供的合作条件可以是现金、实物、土地使用权、工业产权、非专利技术和其他财产权利。

第九条 中外合作者应当依照法律、法规的规定和合作企业合同的约定,如期履行缴足投资、提供合作条件的义务。逾期不履行的,由工商行政管理机关限期履行;限期届满仍未履行的,由审查批准机关和工商行政管理机关依照国家有关规定处理。

中外合作者的投资或者提供的合作条件,由中国注册会计师或者有关机构验证并出具证明。

第十条 中外合作者的一方转让其在合作企业合同中的全部或者部分权利、义务的,必须经他方同意,并报审查批准机关批准。

第十一条 合作企业依照经批准的合作企业合同、章程进行经营管理活动。合作企业的经营管理自主权不受干涉。

第十二条 合作企业应当设立董事会或者联合管理机构,依照合作企业合同或者章程的规定,决定合作企业的重大问题。中外合作者的一方担任董事会的董事长、联合管理机构的主任的,由他方担任副董事长、副主任。董事会或者联合管理机构可以决定任命或者聘请总经理负责合作企业的日常经营管理工作。总经理对董事会或者联合管理机构负责。

合作企业成立后改为委托中外合作者以外的他人经营管理的,必须经董事会或者联合管理机构一致同意,报审查批准机关批准,并向工商行政管理机关办理变更登记手续。

第十三条 合作企业职工的录用、辞退、报酬、福利、劳动保护、劳动保险等事项,应当依法通过订立合同加以规定。

第十四条 合作企业的职工依法建立工会组织,开展工会活动,维护职工的合法权益。

合作企业应当为本企业工会提供必要的活动条件。

第十五条 合作企业必须在中国境内设置会计账簿,依照规定报送会计报表,并接受财政税务机关的监督。

合作企业违反前款规定,不在中国境内设置会计账簿的,财政税务机关可以处以罚款,工商行政管理机关可以责令停止营业或者吊销其营业执照。

第十六条 合作企业应当凭营业执照在国家外汇管理机关允许经营外汇

业务的银行或者其他金融机构开立外汇账户。

合作企业的外汇事宜,依照国家有关外汇管理的规定办理。

第十七条 合作企业可以向中国境内的金融机构借款,也可以在中国境外借款。

中外合作者用作投资或者合作条件的借款及其担保,由各方自行解决。

第十八条 合作企业的各项保险应当向中国境内的保险机构投保。

第十九条 合作企业可以在经批准的经营范围内,进口本企业需要的物资,出口本企业生产的产品。合作企业在经批准的经营范围内所需的原材料、燃料等物资,按照公平、合理的原则,可以在国内市场或者在国际市场购买。

第二十条 合作企业依照国家有关税收的规定缴纳税款并可以享受减税、免税的优惠待遇。

第二十一条 中外合作者依照合作企业合同的约定,分配收益或者产品,承担风险和亏损。

中外合作者在合作企业合同中约定合作期满时合作企业的全部固定资产归中国合作者所有的,可以在合作企业合同中约定外国合作者在合作期限内先行回收投资的办法。合作企业合同约定外国合作者在缴纳所得税前回收投资的,必须向财政税务机关提出申请,由财政税务机关依照国家有关税收的规定审查批准。

依照前款规定外国合作者在合作期限内先行回收投资的,中外合作者应当依照有关法律的规定和合作企业合同的约定对合作企业的债务承担责任。

第二十二条 外国合作者在履行法律规定和合作企业合同约定的义务后分得的利润、其他合法收入和合作企业终止时分得的资金,可以依法汇往国外。

合作企业的外籍职工的工资收入和其他合法收入,依法缴纳个人所得税后,可以汇往国外。

第二十三条 合作企业期满或者提前终止时,应当依照法定程序对资产和债权、债务进行清算。中外合作者应当依照合作企业合同的约定确定合作企业财产的归属。

合作企业期满或者提前终止,应当向工商行政管理机关和税务机关办理注销登记手续。

第二十四条 合作企业的合作期限由中外合作者协商并在合作企业合同中订明。中外合作者同意延长合作期限的,应当在距合作期满一百八十天前向审查批准机关提出申请。审查批准机关应当自接到申请之日起三十天内决定批准或者不批准。

第二十五条 举办合作企业不涉及国家规定实施准入特别管理措施的,对本法第五条、第七条、第十条、第十二条第二款、第二十四条规定的审批事项,适用备案管理。国家规定的准入特别管理措施由国务院发布或者批准发布。

第二十六条 中外合作者履行合作企业合同、章程发生争议时，应当通过协商或者调解解决。中外合作者不愿通过协商、调解解决的，或者协商、调解不成的，可以依照合作企业合同中的仲裁条款或者事后达成的书面仲裁协议，提交中国仲裁机构或者其他仲裁机构仲裁。

中外合作者没有在合作企业合同中订立仲裁条款，事后又没有达成书面仲裁协议的，可以向中国法院起诉。

第二十七条 国务院对外经济贸易主管部门根据本法制定实施细则，报国务院批准后施行。

第二十八条 本法自公布之日起施行。

中华人民共和国
台湾同胞投资保护法

（1994 年 3 月 5 日第八届全国人民代表大会常务委员会第六次会议通过　根据 2016 年 9 月 3 日第十二届全国人民代表大会常务委员会第二十二次会议《关于修改〈中华人民共和国外资企业法〉等四部法律的决定》修正）

第一条 为了保护和鼓励台湾同胞投资，促进海峡两岸的经济发展，制定本法。

第二条 台湾同胞投资适用本法；本法未规定的，国家其他有关法律、行政法规对台湾同胞投资有规定的，依照该规定执行。

本法所称台湾同胞投资是指台湾地区的公司、企业、其他经济组织或者个人作为投资者在其他省、自治区和直辖市投资。

第三条 国家依法保护台湾同胞投资者的投资、投资收益和其他合法权益。

台湾同胞投资必须遵守国家的法律、法规。

第四条 国家对台湾同胞投资者的投资不实行国有化和征收；在特殊情况下，根据社会公共利益的需要，对台湾同胞投资者的投资可以依照法律程序实行征收，并给予相应的补偿。

第五条 台湾同胞投资者投资的财产、工业产权、投资收益和其他合法权益，可以依法转让和继承。

第六条 台湾同胞投资者可以用可自由兑换货币、机器设备或者其他实物、工业产权、非专利技术等作为投资。

台湾同胞投资者可以用投资获得的收益进行再投资。

第七条　台湾同胞投资,可以举办合资经营企业、合作经营企业和全部资本由台湾同胞投资者投资的企业(以下统称台湾同胞投资企业),也可以采用法律、行政法规规定的其他投资形式。

举办台湾同胞投资企业,应当符合国家的产业政策,有利于国民经济的发展。

第八条　设立台湾同胞投资企业,应当向国务院规定的部门或者国务院规定的地方人民政府提出申请,接到申请的审批机关应当自接到全部申请文件之日起四十五日内决定批准或者不批准。

设立台湾同胞投资企业的申请经批准后,申请人应当自接到批准证书之日起三十日内,依法向企业登记机关登记注册,领取营业执照。

第九条　台湾同胞投资企业依照法律、行政法规和经审批机关批准的合同、章程进行经营管理活动,其经营管理的自主权不受干涉。

第十条　在台湾同胞投资企业集中的地区,可以依法成立台湾同胞投资企业协会,其合法权益受法律保护。

第十一条　台湾同胞投资者依法获得的投资收益、其他合法收入和清算后的资金,可以依法汇回台湾或者汇往境外。

第十二条　台湾同胞投资者可以委托亲友作为其投资的代理人。

第十三条　台湾同胞投资企业依照国务院关于鼓励台湾同胞投资的有关规定,享受优惠待遇。

第十四条　举办台湾同胞投资企业不涉及国家规定实施准入特别管理措施的,对本法第八条第一款规定的审批事项,适用备案管理。国家规定的准入特别管理措施由国务院发布或者批准发布。

第十五条　台湾同胞投资者与其他省、自治区和直辖市的公司、企业、其他经济组织或者个人之间发生的与投资有关的争议,当事人可以通过协商或者调解解决。

当事人不愿协商、调解的,或者经协商、调解不成的,可以依据合同中的仲裁条款或者事后达成的书面仲裁协议,提交仲裁机构仲裁。

当事人未在合同中订立仲裁条款,事后又未达成书面仲裁协议的,可以向人民法院提起诉讼。

第十六条　本法自公布之日起施行。

有关法律问题的决定

全国人大常委会关于授权最高人民法院、最高人民检察院在部分地区开展刑事案件认罪认罚从宽制度试点工作的决定

（2016年9月3日第十二届全国人民代表大会常务委员会第二十二次会议通过）

为进一步落实宽严相济刑事政策，完善刑事诉讼程序，合理配置司法资源，提高办理刑事案件的质量与效率，确保无罪的人不受刑事追究，有罪的人受到公正惩罚，维护当事人的合法权益，促进司法公正，第十二届全国人民代表大会常务委员会第二十二次会议决定：授权最高人民法院、最高人民检察院在北京、天津、上海、重庆、沈阳、大连、南京、杭州、福州、厦门、济南、青岛、郑州、武汉、长沙、广州、深圳、西安开展刑事案件认罪认罚从宽制度试点工作。对犯罪嫌疑人、刑事被告人自愿如实供述自己的罪行，对指控的犯罪事实没有异议，同意人民检察院量刑建议并签署具结书的案件，可以依法从宽处理。试点工作应当遵循刑法、刑事诉讼法的基本原则，保障犯罪嫌疑人、刑事被告人的辩护权和其他诉讼权利，保障被害人的合法权益，维护社会公共利益，完善诉讼权利告知程序，强化监督制约，严密防范并依法惩治滥用职权、徇私枉法行为，确保司法公正。

最高人民法院、最高人民检察院会同有关部门根据本决定，遵循刑法、刑事诉讼法的基本原则，制定试点办法，对适用条件、从宽幅度、办理程序、证据标准、律师参与等作出具体规定，报全国人民代表大会常务委员会备案。试点期限为二年，自试点办法印发之日起算。

2014年6月27日第十二届全国人民代表大会常务委员会第九次会议授权最高人民法院、最高人民检察院在上述地区开展的刑事案件速裁程序试点工作，按照新的试点办法继续试行。

最高人民法院、最高人民检察院应当加强对试点工作的组织领导和监督检

查，保证试点工作积极、稳妥、有序进行。试点进行中，最高人民法院、最高人民检察院应当就试点情况向全国人民代表大会常务委员会作出中期报告。试点期满后，对实践证明可行的，应当修改完善有关法律；对实践证明不宜调整的，恢复施行有关法律规定。

本决定自2016年9月4日起施行。

行政法规

国务院关于修改《国务院对确需保留的行政审批项目设定行政许可的决定》的决定

（2016年8月25日中华人民共和国国务院令第671号公布　自公布之日起施行）

国务院决定对《国务院对确需保留的行政审批项目设定行政许可的决定》附件《国务院决定对确需保留的行政审批项目设定行政许可的目录》中的部分项目作如下修改：

一、将第304项的项目名称，由“网上传播视听节目许可证核发”修改为“信息网络传播视听节目许可证核发”，将实施机关由广电总局改为新闻出版广电总局。

二、将第334项的项目名称，由“设立报刊记者站审批”修改为“新闻单位设立驻地方机构审批”，将实施机关由省级人民政府出版行政主管部门改为省级人民政府新闻出版广电行政主管部门。

本决定自公布之日起施行。

法规性文件

国务院办公厅关于印发国家残疾预防行动计划(2016—2020年)的通知

(2016年8月25日 国办发〔2016〕66号)

《国家残疾预防行动计划(2016—2020年)》已经国务院同意,现印发给你们,请认真贯彻执行。

国家残疾预防行动计划(2016—2020年)

残疾风险伴随每个人,残疾预防与个人健康、家庭幸福、经济社会健康发展息息相关。我国有8500多万残疾人,数量多,负担重,采取适当措施可以有效预防多数残疾的发生。近年来,在党和政府的高度重视以及全社会共同努力下,我国医疗卫生、安全生产、交通安全、残疾人康复等工作不断加强,传染性疾病、营养不良、药物中毒等造成的残疾大幅减少,残疾预防工作取得显著成效。但同时,我国残疾预防工作体系尚不健全,残疾预防公共服务能力、科技创新能力、公众参与能力仍待提高。我国正处于人口老龄化、工业化、城镇化进程中,遗传性、先天性残疾尚未有效控制,慢性病、精神障碍、意外伤害等导致残疾的风险在显著增加,进一步采取措施加大残疾预防工作力度十分紧迫、必要。

为贯彻落实《中共中央 国务院关于促进残疾人事业发展的意见》、《国务院关于加快推进残疾人小康进程的意见》(国发〔2015〕7号),进一步加强残疾预防工作,有效减少、控制残疾的发生、发展,推进健康中国建设,制定本行动计划。

一、总体要求

(一)指导思想。

全面贯彻落实党的十八大和十八届二中、三中、四中、五中全会精神,以邓小平理论、"三个代表"重要思想、科学发展观为指导,深入贯彻习近平总书记系列重要讲话精神，认真落实党中央、国务院决策部署，按照“五位一体”总体布局和“四个全面”战略布局，牢固树立和贯彻落实创新、协调、绿色、开放、共享的新发展理念，以维护人民群众健康、保障经济社会健康发展为根本出发点和落脚点，坚持关口前移、预防为主、重心下沉、全民动员、依法推进、科学施策，努力提高全社会残疾风险综合防控能力，有效控制和减少残疾发生。

（二）基本原则。

坚持政府主导，全民参与。强化政府责任，建立健全残疾预防政策法规体系，加强残疾预防知识宣传教育和社会动员，形成政府、单位、个人各负其责、协调联动的防控工作体系。

坚持立足基层，综合干预。广泛开展以社区和家庭为基础、以一级预防为重点的三级预防，综合运用医学、经济、法律、社会等手段，着力针对主要致残因素、高危人群，采取专门措施，实施重点防控。

坚持立足实际，科学推进。立足基本国情和各地实际，充分发挥现代科技作用，选择推广适宜有效的预防措施和技术，提高残疾预防工作的专业化、信息化、科学化水平。

（三）工作目标。

到2020年，残疾预防工作体系和防控网络更加完善，全社会残疾预防意识与能力显著增强，可比口径残疾发生率在同等收入国家中处于较低水平。

二、主要行动

（一）有效控制出生缺陷和发育障碍致残。

加强婚前、孕前健康检查。积极推进婚前医学检查，加强对严重遗传性疾病、指定传染病、严重精神障碍的检查并提出医学意见。实施孕前优生健康检查，为计划怀孕夫妇提供健康教育、医学检查、风险评估、咨询指导等孕前优生服务，推进补服叶酸预防神经管缺陷。孕前健康检查率达80%以上。（国家卫生计生委牵头，全国妇联、中国残联按职责分工负责）

做好产前筛查、诊断。落实《产前诊断技术管理办法》，资助开展唐氏综合症、严重体表畸形重大出生缺陷产前筛查和诊断，逐步实现怀孕妇女孕28周前在自愿情况下至少接受1次出生缺陷产前筛查。产前筛查率达60%以上。（国家卫生计生委负责）

加强新生儿及儿童筛查和干预。落实《新生儿疾病筛查管理办法》，普遍开展新生儿疾病筛查，逐步扩大疾病筛查病种和范围。做好儿童保健工作，广泛开展新生儿访视、营养与喂养指导、生长发育监测、健康咨询与指导，建立新生儿及儿童致残性疾病和出生缺陷筛查、诊断、干预一体化工作机制，提高筛查覆盖率及转诊率、随访率、干预率。新生儿及儿童残疾筛查率达85%以上，干预率达80%以上。（国家卫生计生委、中国残联按职责分工负责）

（二）着力防控疾病致残。

有效控制传染性疾病。加强传染病监测，开展疫情报告、流行病学调查等预防控制措施，做好传染病患者的医疗救治。全面实施国家免疫规划，继续将脊髓灰质炎、流行性乙型脑炎等致残性传染病的疫苗接种率维持在较高水平，适时调整纳入国家免疫规划的疫苗种类。落实《疫苗流通和预防接种管理条例》，保证疫苗使用安全。适龄儿童国家免疫规划疫苗接种率达90%以上。（国家卫生计生委负责）

有效控制地方性疾病。针对地方病流行状况，实施补碘、改炉改灶改水、移民搬迁、食用非病区粮食、学龄儿童异地养育等防控措施，基本消除碘缺乏病、大骨节病等重大地方病致残。控制和消除重大地方病的县（市、区）达95%以上。（国家卫生计生委牵头，各省级人民政府按职责分工负责）

加强慢性病防治。开展全民健康生活方式行动，推动科学膳食、全民健身、控烟限酒。倡导居民定期健康体检，引导鼓励政府机关、企事业单位、社会组织等建立健康体检制度。开展脑卒中、心血管病等高危人群筛查，提供健康咨询、干预指导，做好高血压、糖尿病规范治疗及管理。开展致聋、致盲性疾病早期诊断、干预。已管理高血压、糖尿病患者的规范管理率达到60%以上；百万人口白内障复明手术率（CSR）达到2000以上。（国家卫生计生委、体育总局、中国残联按职责分工负责）

加强精神疾病防治。积极开展心理健康促进工作，加强对精神分裂症、阿尔茨海默症、抑郁症、孤独症等主要致残性精神疾病的筛查识别和治疗康复，重点做好妇女、儿童、青少年、老年人、残疾人等群体的心理健康服务。将心理援助纳入突发事件应急预案，为遭遇突发公共事件群体提供心理援助服务。加强严重精神障碍患者救治救助工作，落实监管责任。登记在册的严重精神障碍患者管理率达80%以上。（国家卫生计生委牵头，中央综治办、公安部、民政部、中国残联按职责分工负责）

（三）努力减少伤害致残。

加强安全生产监管。强化工作场所职业安全健康管理，开展职业安全健康教育，提高劳动者安全健康防护能力。重点做好待孕夫妇、孕期妇女劳动保护，避免接触有毒有害物质，减少职业危害。开展工矿商贸企业安全生产隐患排查治理，提高事故风险防范、事故救援和应急处置能力，预防工伤、尘肺病、职业中毒及其他职业病致残。加强消防安全管理，排查整治易燃易爆单位和养老院、敬老院、福利院、医院、未成年人保护中心、救助管理站、中小学校、幼儿园等人员密集场所火灾隐患。生产安全事故发生起数、伤亡人数均下降10%以上。（安全监管总局、公安部牵头，教育部、民政部、人力资源社会保障部、国家卫生计生委按职责分工负责）

加强道路交通安全管理。开展道路隐患排查治理，确保公路及其附属设施始终处于良好技术状况。优化机动车产品结构，提升车辆安全标准。加强驾驶人教育培训，普及中小学生交通安全宣传教育，推广使用汽车儿童安全座椅。加强旅游包车、班线客车、危险品运输车、校车及接送学生车辆安全管理，严格落实运输企业主体责任。依法严厉查处严重交通违法行为。完善道路交通事故应急救援机制，提高施救水平。道路交通万车死亡率下降6%。（教育部、工业和信息化部、公安部、交通运输部、国家卫生计生委、质检总局、安全监管总局、国家旅游局按职责分工负责）

加强农产品和食品药品安全监管。加强对农产品和食品中致病性微生物、农药残留、兽药残留、重金属、污染物质以及其他危害人体健康物质的检测和监管力度，有效防范、妥善应对食品安全事件。严肃查处制售假药、劣药行为，规范临床用药，加强药物不良反应监测。（食品药品监管总局、国家卫生计生委、农业部、质检总局按职责分工负责）

加强饮用水和空气污染治理干预。严格保护良好水体和饮用水水源，全面加强全国城乡饮用水卫生监测，及时掌握全国饮用水水质基本状况，确保达到生活饮用水卫生标准。实施农村饮水安全巩固提升工程，指导涉水病区改水。开展空气污染等环境污染对人群健康影响监测，及时治理干预。（环境保护部、水利部、国家卫生计生委按职责分工负责）

增强防灾减灾能力。健全气象、洪涝、海洋、地震、地质灾害等监测和预警预报系统，发挥国家突发事件预警信息发布系统作用，提高突发自然灾害现场应急处置能力和水平。完善社区、学校、医院、车站、工厂等人员密集场所灾害防御设施、措施。加强疏散逃生和自救互救等防灾减灾宣传培训、应急演练及救治。（民政部牵头，教育部、国土资源部、交通运输部、水利部、国家卫生计生委、中国地震局、中国气象局等按职责分工负责）

减少儿童意外伤害和老年人跌倒致残。开展儿童意外伤害社区、家庭综合干预，创造儿童安全生活环境。积极开展儿童步行、乘车、骑车和防范溺水、跌落、误食等风险的安全教育。完善产品风险和伤害监测体系，实施产品安全预警和风险通报等干预措施，减少儿童意外伤害发生。加强对玩具、电子产品的质量监督和分级管理，减少对儿童青少年视力、听力、精神等方面的伤害。改造易致跌倒的危险环境，提高老年人及其照料者预防跌倒的意识和能力。（教育部、公安部、民政部、质检总局、全国妇联按职责分工负责）

（四）显著改善康复服务。

加强康复服务。建立残疾儿童康复救助制度，普遍开展残疾儿童早期康复。推广疾病早期康复治疗，减少残疾发生，减轻残疾程度。将残疾人健康管理和社区康复纳入国家基本公共服务清单，为残疾人提供登记管理、健康指导、康复指导、定期随访等服务。制定残疾人基本康复服务目录，实施精准康复服务行动。残疾人基本康复服务覆盖率达80%以上。（教育部、民政部、国家卫生计生委、中国残联按职责分工负责）

推广辅助器具服务。开展残疾人辅助器具个性化适配，重点普及助听器、助视器、假肢等残疾人急需的辅助器具。将贫困残疾人基本型辅助器具补贴纳入基本公共服务项目清单，鼓励有条件的地方对残疾人基本型辅助器具适配给予补贴。开展辅助器具租赁和回收再利用等社区服务，就近就便满足残疾人短期及应急辅助器具需求。残疾人基本型辅助器具适配率达80%以上。（民政部、中国残联按职责分工负责）

推进无障碍环境建设。推进政府机关、公共服务、公共交通、社区等场所、设施的无障碍改造，新（改、扩）建道路、建筑物和居住区严格执行国家无障碍设计规范。有条件的地方对贫困残疾人家庭无障碍改造给予补贴。加强信息无障碍建设，鼓励省（区、市）、市（地）电视台开设手语栏目，市（地）级以上政府网站无障碍服务能力建设达到基本水平。（中央网信办、工业和信息化部、住房城乡建设部、交通运输部、新闻出版广电总局、中国残联等按职责分工负责）

三、保障措施

（一）加强组织领导，完善工作机制。

将残疾预防工作纳入经济社会发展总体规划及相关部门工作职责。相关部门负责在各自职责范围内做好遗传和发育、疾病、伤害等因素致残的预防工作。各级政府残疾人工作委员会负责组织开展残疾预防和残疾人康复工作，统筹实施本行动计划。（各级残疾人工作委员会及其成员单位、各省级人民政府按职责分工负责）

（二）健全法规政策，加大投入力度。

加强残疾预防相关立法，推动完善母婴保健、疾病防控、安全生产、道路交通安全、食品药品安全、环境保护、残疾康复等重点领域的法律法规。制定完善残疾预防相关技术规范、标准。不断完善工伤保险辅助器具管理制度。落实好将康复综合评定等20项医疗康复项目纳入基本医疗保险支付范围的政策。加强对重大致残性疾病患者群体的救治救助，将符合条件的贫困严重精神障碍患者全部纳入医疗救助。实施重点康复项目，为城乡贫困残疾人、重度残疾人提供基本康复服务。在安排重大公共卫生服务项目时适当向残疾预防领域倾斜。（国家发展改革委、教育部、科技部、民政部、财政部、人力资源社会保障部、国家卫生计生委、质检总局、安全监管总局、国务院法制办、中国残联按职责分工负责）

（三）完善服务体系，强化人才队伍。

以基层为重点加强公共卫生、卫生应急、医疗服务、安全保障和监管、应急救援、环境污染防治、农产品和食品药品安全监管、康复服务等体系建设，改善基础设施条件，提高服务能力。充分发挥专业服务机构的重要作用，指导社区、家庭做好残疾预防，形成综合性、社会化的残疾预防服务网络。加强医务人员残疾预防知识技能教育培训，加大残疾预防相关人才培养力度，做好相关专业人员的学历教育和继续教育。加快残疾预防领域学科带头人、创新型人才及技术技能人才培养，支持高等学校和职业学校开设康复相关专业。加强专业社会工作者、助残志愿者培训，打造适应残疾预防工作需要的人才队伍。（国家发展改革委、教育部、民政部、人力资源社会保障部、国家卫生计生委、安全监管总局、食品药品监管总局、中国残联按职责分工负责）

（四）优化支持政策，引导社会参与。

推广政府和社会资本合作模式，吸引社会资本参与残疾预防项目投资、运营管理，提高残疾预防服务供给能力和效率。推进民办公助，通过补助投资、贷款贴息、运营补贴等方式，支持社会力量举办医疗、康复、辅助器具等相关服务机构，并鼓励其参与承接政府购买服务，在学科建设、人才培养等方面，享受与公立机构同等政策待遇。鼓励各类创业投资机构和融资担保机构对残疾预防领域创新型新业态、小微企业开展业务。鼓励老年人、残疾人、高风险职业从业者等群体投保健康保险、长期护理保险、意外伤害保险等人身保险产品，鼓励和引导商业保险公司开展相关业务。倡导各类企业、社会组织开展形式多样的慈善活动，通过捐款捐赠、志愿服务、设立基金会等方式，支持和参与残疾预防工作。（国家发展改革委、民政部、财政部、人力资源社会保障部、国家卫生计生委、保监会、中国残联按职责分工负责）

（五）加强科学研究，实施重点监测。

加强科技部署，按照科技计划（专项、基金等）管理改革要求，统筹布局残疾预防相关科研工作。鼓励高校、科研机构等积极开展致残原因、机理、预防策略与干预技术等方面研究，促进先进、适宜技术及产品在残疾预防领域的应用推广。推进残疾预防综合试验区试点，加强对残疾预防基础信息的收集、分析和研究，建立统一的残疾报告制度，利用互联网、物联网等信息技术，提升残疾预防大数据利用能力，及时掌握残疾发生的特点特征和变化趋势，有针对性地采取应对措施。对出生缺陷、慢性病、意外伤害、环境污染、食品药品安全等重点领域实施动态监测，及时发布预警信息。（中央网信办、教育部、科技部、民政部、财政部、人力资源社会保障部、国家卫生计生委、安全监管总局、食品药品监管总局、中国残联按职责分工负责）

（六）加强宣传教育，提高预防意识。

推动设立“全国残疾预防日”。加强残疾预防法治宣传教育，提高政府部门、医疗卫生机构、企事业单位、社会组织、家庭和个人的残疾预防法治观念、责任意识。利用全国爱耳日、全国爱眼日、国际减灾日、全国防灾减灾日、全国中小学生安全教育日、全国消防日、全国交通安全日等宣传节点,发布残疾预防信息,宣讲残疾预防知识,广泛开展残疾预防“进社区、进校园、进家庭”宣传教育活动,增强全社会自我防护的意识和能力。采取针对性措施,做好残疾高发地区、领域及围孕围产期妇女、儿童、青少年、老年人、高风险职业从业者等重点群体的宣传教育工作。(中央宣传部、中央网信办、教育部、工业和信息化部、公安部、民政部、人力资源社会保障部、环境保护部、国家卫生计生委、新闻出版广电总局、安全监管总局、全国总工会、共青团中央、全国妇联、中国残联按职责分工负责)

四、督导检查

国务院残疾人工作委员会适时组织开展督导检查,2020 年实施终期检查。地方各级残疾人工作委员会负责做好本地的督导检查。

国务院关于印发政务信息资源共享管理暂行办法的通知

(2016 年 9 月 5 日　国发〔2016〕51 号)

现将《政务信息资源共享管理暂行办法》印发给你们,请认真贯彻执行。

政务信息资源共享管理暂行办法

第一章　总　则

第一条　为加快推动政务信息系统互联和公共数据共享,增强政府公信力,提高行政效率,提升服务水平,充分发挥政务信息资源共享在深化改革、转变职能、创新管理中的重要作用,依据相关法律法规和《国务院关于印发促进大数据发展行动纲要的通知》(国发〔2015〕50 号)等规定,制定本办法。

第二条　本办法所称政务信息资源,是指政务部门在履行职责过程中制作或获取的,以一定形式记录、保存的文件、资料、图表和数据等各类信息资源,包括政务部门直接或通过第三方依法采集的、依法授权管理的和因履行职责需要依托政务信息系统形成的信息资源等。

本办法所称政务部门，是指政府部门及法律法规授权具有行政职能的事业单位和社会组织。

第三条 本办法用于规范政务部门间政务信息资源共享工作，包括因履行职责需要使用其他政务部门政务信息资源和为其他政务部门提供政务信息资源的行为。

第四条 促进大数据发展部际联席会议（以下简称联席会议）负责组织、指导、协调和监督政务信息资源共享工作，指导和组织国务院各部门、各地方政府编制政务信息资源目录，组织编制国家政务信息资源目录，并指导国家数据共享交换平台建设、运行、管理单位开展国家政务信息资源目录的日常维护工作。

各政务部门按本办法规定负责本部门与数据共享交换平台（以下简称共享平台）的联通，并按照政务信息资源目录向共享平台提供共享的政务信息资源（以下简称共享信息），从共享平台获取并使用共享信息。

第五条 政务信息资源共享应遵循以下原则：

（一）以共享为原则，不共享为例外。各政务部门形成的政务信息资源原则上应予共享，涉及国家秘密和安全的，按相关法律法规执行。

（二）需求导向，无偿使用。因履行职责需要使用共享信息的部门（以下简称使用部门）提出明确的共享需求和信息使用用途，共享信息的产生和提供部门（以下统称提供部门）应及时响应并无偿提供共享服务。

（三）统一标准，统筹建设。按照国家政务信息资源相关标准进行政务信息资源的采集、存储、交换和共享工作，坚持"一数一源"、多元校核，统筹建设政务信息资源目录体系和共享交换体系。

（四）建立机制，保障安全。联席会议统筹建立政务信息资源共享管理机制和信息共享工作评价机制，各政务部门和共享平台管理单位应加强对共享信息采集、共享、使用全过程的身份鉴别、授权管理和安全保障，确保共享信息安全。

第六条 各政务部门应加强基于信息共享的业务流程再造和优化，创新社会管理和服务模式，提高信息化条件下社会治理能力和公共服务水平。

第二章 政务信息资源目录

第七条 国家发展改革委负责制定《政务信息资源目录编制指南》，明确政务信息资源的分类、责任方、格式、属性、更新时限、共享类型、共享方式、使用要求等内容。

第八条 各政务部门按照《政务信息资源目录编制指南》要求编制、维护部门政务信息资源目录,并在有关法律法规作出修订或行政管理职能发生变化之日起15个工作日内更新本部门政务信息资源目录。各地方政府按照《政务信息资源目录编制指南》要求编制、维护地方政务信息资源目录,并负责对本级各政务部门政务信息资源目录更新工作的监督考核。

国家发展改革委汇总形成国家政务信息资源目录,并建立目录更新机制。国家政务信息资源目录是实现国家政务信息资源共享和业务协同的基础,是政务部门间信息资源共享的依据。

第三章 政务信息资源分类与共享要求

第九条 政务信息资源按共享类型分为无条件共享、有条件共享、不予共享等三种类型。

可提供给所有政务部门共享使用的政务信息资源属于无条件共享类。

可提供给相关政务部门共享使用或仅能够部分提供给所有政务部门共享使用的政务信息资源属于有条件共享类。

不宜提供给其他政务部门共享使用的政务信息资源属于不予共享类。

第十条 政务信息资源共享及目录编制应遵循以下要求:

(一)凡列入不予共享类的政务信息资源,必须有法律、行政法规或党中央、国务院政策依据。

(二)人口信息、法人单位信息、自然资源和空间地理信息、电子证照信息等基础信息资源的基础信息项是政务部门履行职责的共同需要,必须依据整合共建原则,通过在各级共享平台上集中建设或通过接入共享平台实现基础数据统筹管理、及时更新,在部门间实现无条件共享。基础信息资源的业务信息项可按照分散和集中相结合的方式建设,通过各级共享平台予以共享。基础信息资源目录由基础信息资源库的牵头建设部门负责编制并维护。

(三)围绕经济社会发展的同一主题领域,由多部门共建项目形成的主题信息资源,如健康保障、社会保障、食品药品安全、安全生产、价格监管、能源安全、信用体系、城乡建设、社区治理、生态环保、应急维稳等,应通过各级共享平台予以共享。主题信息资源目录由主题信息资源牵头部门负责编制并维护。

第四章 共享信息的提供与使用

第十一条 国家发展改革委负责组织推动国家共享平台及全国共享平台体系建设。各地市级以上地方人民政府要明确政务信息资源共享主管部门,负责组织本级共享平台建设。共享平台是管理国家政务信息资源目录、支撑各政务部门开展政务信息资源共享交换的国家关键信息基础设施，包括共享平台（内网）和共享平台（外网）两部分。

共享平台（内网）应按照涉密信息系统分级保护要求，依托国家电子政务内网建设和管理；共享平台（外网）应按照国家网络安全相关制度和要求，依托国家电子政务外网建设和管理。

各政务部门业务信息系统原则上通过国家电子政务内网或国家电子政务外网承载，通过共享平台与其他政务部门共享交换数据。各政务部门应抓紧推进本部门业务信息系统向国家电子政务内网或国家电子政务外网迁移，并接入本地区共享平台。凡新建的需要跨部门共享信息的业务信息系统，必须通过各级共享平台实施信息共享，原有跨部门信息共享交换系统应逐步迁移到共享平台。

第十二条 使用部门应根据履行职责需要使用共享信息。属于无条件共享类的信息资源，使用部门在共享平台上直接获取；属于有条件共享类的信息资源，使用部门通过共享平台向提供部门提出申请，提供部门应在10个工作日内予以答复，使用部门按答复意见使用共享信息，对不予共享的，提供部门应说明理由；属于不予共享类的信息资源，以及有条件共享类中提供部门不予共享的信息资源，使用部门因履行职责确需使用的，由使用部门与提供部门协商解决，协商未果的由本级政务信息资源共享主管部门协调解决，涉及中央有关部门的由联席会议协调解决。

提供部门在向使用部门提供共享信息时，应明确信息的共享范围和使用用途（如，作为行政依据、工作参考，用于数据校核、业务协同等），原则上通过共享平台提供，鼓励采用系统对接、前置机共享、联机查询、部门批量下载等方式。

各政务部门应充分利用共享信息。凡属于共享平台可以获取的信息，各政务部门原则上不得要求自然人、法人或其他组织重复提交。

第十三条 按照"谁主管，谁提供，谁负责"的原则，提供部门应及时维护和更新信息，保障数据的完整性、准确性、时效性和可用性，确保所提供的共享信息与本部门所掌握信息的一致性。

第十四条 按照"谁经手，谁使用，谁管理，谁负责"的原则，使用部门应根据履行职责需要依法依规使用共享信息，并加强共享信息使用全过程管理。

使用部门对从共享平台获取的信息，只能按照明确的使用用途用于本部门履行职责需要，不得直接或以改变数据形式等方式提供给第三方，也不得用于或变相用于其他目的。

第十五条 建立疑义、错误信息快速校核机制，使用部门对获取的共享信息有疑义或发现有明显错误的，应及时反馈提供部门予以校核。校核期间，办理业务涉及自然人、法人或其他组织的，如已提供合法有效证明材料，受理单位应照常办理，不得拒绝、推诿或要求办事人办理信息更正手续。

第五章　信息共享工作的监督和保障

第十六条　联席会议负责政务信息资源共享的统筹协调，建立信息共享工作评价机制，督促检查政务信息资源共享工作落实情况。

第十七条　国家发展改革委、国家网信办组织编制信息共享工作评价办法，每年会同中央编办、财政部等部门，对各政务部门提供和使用共享信息情况进行评估，并公布评估报告和改进意见。

第十八条　国务院各部门、各省级人民政府和国家共享平台管理单位应于每年2月底前向联席会议报告上一年度政务信息资源共享情况，联席会议向国务院提交政务信息资源共享情况年度报告。

第十九条　国家标准委会同共享平台管理单位，在已有政务信息资源相关标准基础上，建立完善政务信息资源的目录分类、采集、共享交换、平台对接、网络安全保障等方面的标准，形成完善的政务信息资源共享标准体系。

第二十条　国家网信办负责组织建立政务信息资源共享网络安全管理制度，指导督促政务信息资源采集、共享、使用全过程的网络安全保障工作，指导推进政务信息资源共享风险评估和安全审查。

共享平台管理单位要加强共享平台安全防护，切实保障政务信息资源共享交换时的数据安全；提供部门和使用部门要加强政务信息资源采集、共享、使用时的安全保障工作，落实本部门对接系统的网络安全防护措施。

共享信息涉及国家秘密的，提供部门和使用部门应当遵守有关保密法律法规的规定，在信息共享工作中分别承担相关保障责任。

第二十一条　国家发展改革委、财政部、国家网信办建立国家政务信息化项目建设投资和运维经费协商机制，对政务部门落实政务信息资源共享要求和网络安全要求的情况进行联合考核，凡不符合政务信息资源共享要求的，不予审批建设项目，不予安排运维经费。

国家发展改革委负责在国家政务信息化建设规划制定、项目审批、投资计划安排、项目验收等环节进行考核。财政部负责在国家政务信息化建设项目预算下达、运维经费安排等环节进行考核。国家网信办负责在网络安全保障方面进行考核。

政务信息化项目立项申请前应预编形成项目信息资源目录，作为项目审批要件。项目建成后应将项目信息资源目录纳入共享平台目录管理系统，作为项目验收要求。

政务信息资源共享相关项目建设资金纳入政府固定资产投资，政务信息资源共享相关工作经费纳入部门财政预算，并给予优先安排。

第二十二条 审计机关应依法履行职责，在国家大数据政策的贯彻落实、政务信息资源共享中发挥监督作用，保障专项资金使用的真实性、合法性和效益性，推动完善相关政策制度。

第二十三条 各政务部门应建立健全政务信息资源共享工作管理制度，明确目标、责任和实施机构。各政务部门主要负责人是本部门政务信息资源共享工作的第一责任人。

第二十四条 国务院各部门、各省级人民政府有下列情形之一的，由国家发展改革委通知整改；未在规定时限内完成整改的，国家发展改革委要及时将有关情况上报国务院：

（一）未按要求编制或更新政务信息资源目录；

（二）未向共享平台及时提供共享信息；

（三）向共享平台提供的数据和本部门所掌握信息不一致，未及时更新数据或提供的数据不符合有关规范、无法使用；

（四）将共享信息用于履行本单位职责需要以外的目的；

（五）违反本办法规定的其他行为。

第六章 附 则

第二十五条 本办法由国家发展改革委负责解释。

第二十六条 本办法自印发之日起施行。

国务院办公厅关于印发消费品标准和质量提升规划（2016—2020年）的通知

（2016年9月6日 国办发〔2016〕68号）

《消费品标准和质量提升规划（2016—2020年）》已经国务院同意，现印发给你们，请认真贯彻执行。

消费品标准和质量提升规划(2016—2020年)

当前,我国已成为全球消费品生产、消费和贸易大国,消费对经济增长的基础作用明显增强。但是,消费品标准和质量还难以满足人民群众日益增长的消费需求,呈现较为明显的供需错配,消费品供给结构不合理,品牌竞争力不强,消费环境有待改善,国内消费信心不足,制约国内消费增长,甚至造成消费外流。为深化消费品供给侧结构性改革,提升消费品标准和质量水平,确保消费品质量安全,扩大有效需求,提高人民生活品质,夯实消费品工业发展根基,推动"中国制造"迈向中高端,有力推动"中国制造2025"顺利实施,为经济社会发展增添新动力,制定本规划。

一、总体要求

(一)指导思想。

以党的十八大和十八届三中、四中、五中全会精神为指导,按照"四个全面"战略布局和党中央、国务院决策部署,牢固树立创新、协调、绿色、开放、共享的发展理念,紧紧围绕推进供给侧结构性改革,以先进标准引领消费品质量提升,倒逼装备制造业转型升级,扩大有效供给满足新需求,改善消费环境释放新动能,创新体制机制激发新活力,以科技创新支撑标准化和质量提升,突出标准引领,创新质量供给,着力增品种、提品质、创品牌,不断满足人民群众日益增长的消费需求。

(二)基本原则。

坚持市场导向。发挥市场机制作用,强化企业市场主体地位,激发企业标准和质量提升内生动力,瞄准当前消费品市场的薄弱环节,以质量提升满足传统消费升级需求,以技术、产品、产业模式创新满足并创造消费新需求,保障基本消费、增加优质消费、抓住高端消费,以消费升级引领产业升级。

坚持改革创新。加大推进简政放权、放管结合、优化服务改革力度,加快标准化和质量提升的科技创新、制度创新和机制创新,破除制度性障碍,最大限度取消市场准入限制,净化消费市场环境,发挥创新对标准化和质量提升的倍增效应。

坚持标准引领。提高标准供给能力和水平,推动主要消费品标准由跟随者向创新者、领跑者转变。保障质量安全,推动质量提升,带动产业转型升级。

坚持质量为本。深化质量为本理念,引导企业增强质量、品牌和营销意识,弘扬企业家精神和工匠精神，实施精细化质量管理，树立追求卓越的质量文化，推广先进标准应用体系和先进质量管理模式，打造中国优质品牌，推动消费品工业走以质取胜的发展道路。

坚持开放融合。鼓励行业协会、社会组织和消费者更好地参与标准化和质量工作。加强国际交流与合作，积极参与国际标准化和质量管理工作，加快消费品质量安全标准与国际标准接轨。

（三）总体目标。

——消费品标准体系基本完善，政府主导与市场自主制定的标准协调配套，标准供给基本满足日益增长的消费需求，标准制定和实施的整体水平显著提升，重点领域的主要消费品与国际标准一致性程度达到95%以上。

——消费品整体质量明显提升，质量安全突出问题得到有效治理，重点领域消费品质量达到或接近国际先进水平，出口产品质量溢价水平明显提升，消费品质量国家监督抽查合格率稳定在90%以上。

——企业质量发展内生动力持续增强，企业质量主体意识显著提高，质量管理体系不断完善，企业员工职业素质、技术装备水平大幅提升，品牌文化附加值、市场营销能力不断增强，消费品质量竞争力指数稳定在84以上。

——知名品牌培育成效明显，具有较强品牌培育能力的消费品生产企业大量涌现，具有国际影响力的消费品品牌数量明显增多，质量竞争型消费品出口占比居全球前列，知名消费品品牌价值大幅提升。

二、主要任务

（一）改革标准供给体系。加快建立政府主导制定标准与市场自主制定标准协同发展、协调配套的新型消费品标准体系，健全统一协调、运行高效的消费品标准化运行机制。

夯实消费品质量安全标准基础。紧扣消费品质量安全要素，加快制定一批强制性国家标准，整合精简现行强制性国家标准、行业标准和地方标准，消除跨行业、跨地区的技术差异，建立广覆盖、保安全的消费品安全强制性国家标准体系。完善与强制性国家标准协调配套的推荐性标准体系，推动消费品标准由生产型向消费型、服务型转变。强化政府政策措施与标准的有效衔接，形成协同推动标准实施的工作合力。

提高消费品标准市场供给能力。支持社会团体和企业快速响应创新和市场需求，大力发展高于国家标准和行业标准的团体标准和企业标准，增加标准有效供给。重点扶持一批具有行业影响力、运行规范、消费者认可的社会团体制定团体标准，推动技术水平高的团体标准转化为国家标准、国际标准。

加快国内外标准接轨。建立消费品标准比对与报告制度，加强对主要贸易国家和“一带一路”沿线重点国家标准分析研究，充分利用技术性贸易措施，促进我国标准水平持续提升，提高消费品国内国际标准一致性程度，推动实现内外销产品“同线同标同质”。加快中国标准“走出去”，积极主导和参与国际标准制修订，推动我国优势产业技术标准成为国际标准。

专栏1　消费品国内外标准接轨工程

针对重点消费类产品和大宗进出口产品，组织开展消费品质量标准与国际标准和出口标准的比对工作，开展国内外标准关键技术指标和试验方法比对验证，加快消费品国内外标准比对数据资源建设。加快转化重要国际标准，积极引进国际标准和国外先进标准，全面推进与主要贸易国家的标准互认工作，发布外文版的中国消费品标准。在重点领域建设一批消费品标准化示范区，推动我国消费品标准达到国际先进水平。 到2020年，完成1000项以上重点消费品标准比对工作，建立消费品标准比对数据共享系统，重点领域消费品与国际标准一致性程度达到95%以上。

推动标准与科技协同。加强消费品领域科技、专利、标准一体化研究，鼓励将拥有自主知识产权的关键技术纳入标准，推动技术创新、标准研制和产业化协调发展。开展科技成果转化技术标准试点，加大新技术、新工艺、新材料、新产品等创新成果的标准转化力度，加强新型消费品制造装备研发和标准制定，以科技创新促进标准升级。选择重要消费品领域，加强技术标准创新基地和标准试验验证实验室建设。

（二）优化标准供给结构。增加高水平、高质量、有特色的标准供给，服务消费新热点、新模式发展，满足消费结构升级的需求。

发展个性定制标准。紧盯消费品市场细分的发展趋势，从提高产品功效、性能、适用性、可靠性和外观设计水平入手，结合消费品生产、制造的模块化与集成化特征，开展个性定制消费品标准体系建设，制定引领个性设计、规模定制、组合组装等消费品发展的通用标准，满足多样化、多层次、个性化消费需求。

制定绿色产品标准。建立绿色产品标准、认证、标识等体系，制定绿色产品评价通则，各有关行业主管部门共同参与、共同推动消费品领域开展绿色消费品认证、标识工作。建立绿色产品标准、标识与认证信息平台，公开发布相关政策法规、标准、规则程序、认证结果及采信信息。在重点行业制定碳排放管理等标准，引导绿色低碳消费。

健全智能消费品标准。开展智能家电、智能照明电器等标准体系建设，加快智能终端产品的安全性、可靠性、功能性等标准研制。开展家具、服装等传统消费品智能化升级的综合标准化工作。在可穿戴产品、智能家居、数字家庭等新兴消费品领域，引领标准制定。

完善售后服务标准。研制消费品安装调试、维修检测、二手交易、回收再利用等服务标准。加强检验检测、售后服务等标准化公共服务，探索消费品远程跟踪、即时技术支持服务，推进消费品售后服务标准化、专业化，向价值链高端延伸，扩大优质服务供给。

优化物流标准体系。完善消费品仓储配送、供应链管理、线上线下协同服务等标准体系，促进消费品流通模式创新。加大面向农村地区的消费品流通基础设施标准化改造力度，推动物流配送标准实施推广，大力支持快递物流发展。

（三）发挥企业质量主体作用。强化企业质量意识，严格落实企业质量主体责任，引导和鼓励企业把握市场需求，健全质量管理体系，加强全员、全过程、全方位的质量管理，提高质量创新能力，有效激发质量提升内生动力，推动消费品标准和质量提升。

倡导工匠精神。建立和完善技能人才荣誉制度，树立"大国工匠"标杆，营造尊重技术、推崇质量的良好社会氛围。引导企业把工匠精神和企业家精神纳入质量文化建设，使工匠精神成为企业决策者、经营者和全体员工共同的价值取向和行为准则。加强质量标准化职业素质教育，多方培养职业技术工人。广泛开展职业技能竞赛、岗位练兵和质量标兵等活动，鼓励企业员工学习新知识、钻研新技术、使用新方法，加快培育紧缺型、创新型的高素质质量人才队伍。

推广精益制造。鼓励和引导企业实施精细化质量管理，建立低碳、高效的消费品生产经营模式。积极推广和运用精益制造、全面质量管理、卓越绩效等先进质量管理技术和方法，广泛开展质量比对、质量攻关、质量改进等活动。支持企业提高质量在线监测、在线控制和产品全生命周期质量追溯能力。以消费市场向中高端发展引导带动装备制造业主动提高设备产品的性能、功能和工艺水平，促进"中国制造"全产业链升级。

推动企业标准自我声明。放开搞活企业标准，取消企业标准备案制度，引导企业自我声明公开执行的标准，公开产品质量承诺，提高消费品标准信息的透明度。鼓励第三方机构评估公开标准的水平，发布企业标准排行榜。建立企业标准领跑者制度，引导消费者更多选择标准领跑者产品，满足市场对高品质产品和高质量服务的消费需求。开展以随机检查、比对评估为主的企业标准公开事中事后监管，将标准实施情况纳入质量信用记录，促进企业主动实施高标准、追求高质量，推动形成优质优价、优胜劣汰的质量竞争机制。

专栏2　消费品企业标准自我声明公开和监督工程

落实企业质量主体责任，引导企业通过公开标准不断提升企业标准化水平，倒逼企业制定高于国家标准、行业标准、地方标准的企业标准。加快研究产品和服务标准水平评价指标体系和评价方法，以市场为导向，运用社会力量，建立并实施企业标准关键指标排行榜制度，培育一批消费品企业标准领跑者。利用大数据技术，完善企业标准信息公共服务平台，满足政府、企业和消费者对质量标准的信息服务需求。畅通消费者举报渠道，强化社会对企业标准自我公开及实施情况的监督。建立健全企业执行标准随机抽查制度，将企业自我声明公开标准、标准的实施及产品质量等情况纳入企业质量信用记录。 到2020年，基本实现主要消费品生产企业标准自我声明公开全覆盖，建立健全企业标准自我声明与质量提升的协同互动机制，形成一批技术水平领先、具有国际竞争力的消费品企业标准领跑者，带动产品和服务质量水平整体提升。

*加快培育标准创新型企业。*建立标准创新型企业培育机制，鼓励行业龙头企业加大标准研制投入，瞄准国际新技术和市场新需求，制定和实施先进标准，发挥标准创新对技术创新、管理创新和商业模式创新的支撑引领作用。加强指导，提升中小企业标准创新能力。

*（四）夯实消费品工业质量基础。*质量基础建设是抓质量的紧要之举，也是长远之策。要坚持改革创新，加强政策引导，夯实质量基础，为提升消费品质量提供有力支撑。

*加强质量技术基础建设。*建立完善消费品领域国家计量测试服务体系，加快建立新一代国际计量基准、消费品工业急需的社会公用计量标准和标准物质。完善消费品产业共性技术标准体系，重点研制一批消费品制造的核心基础零部件（元器件）、关键基础工艺、关键基础材料、产业技术基础和先进制造装备领域急需标准。改革和创新消费品领域认证认可体系，开展消费品安全、绿色认证。突破检验检测技术瓶颈，提高现场快速、智能识别检测监测能力。构建国家质量技术基础国际合作互认机制，开展国家质量技术基础跨境合作建设，增强"中国制造"质量信任。

*提升质量技术创新能力。*开展重点行业工艺优化行动，组织质量提升关键共性技术攻关，支持企业积极应用新技术、新工艺、新材料。鼓励有条件的企业建立技术中心、检测中心、产业化基地，培育集研发、设计、制造和系统集成于一体的创新型企业。推动企业加大质量技术创新投入，加快科技成果转化，促进创新成果的标准化和专利化。

*加强质量公共服务。*建设质量技术基础公共服务平台，培育标准化服务、品牌咨询、质量责任保险等新兴质量服务业态，为消费品生产企业和各类科技园、孵化器、创客空间等提供全生命周期质量技术支持。培育标准化事务所，为

企业特别是中小企业提供标准信息、标准体系构建、标准编制及标准化技术解决方案等服务。创新“互联网＋质量服务”模式，推进质量技术资源、信息资源、人才资源、设备设施向社会开放共享。融合国内外标准、技术法规及合格评定信息，加强技术性贸易措施通报咨询。

专栏3　消费品质量技术基础“一站式”服务工程

运用“互联网＋”质量技术基础模式，整合政府部门、行业协会等质量技术基础资源，建立跨部门、跨区域、跨行业的质量技术基础服务信息平台，对企业开展“一站式”质量服务。建立多方协作、精准服务的国家质量技术基础服务新模式，为产业集聚区和区域经济发展提供全方位、全过程质量技术支撑。开展国家质量技术基础国际比对提升，突破我国计量、标准、检验检测、认证认可等质量基础协同集成关键技术，形成全链条的“标准－计量－认证认可－检验检测”整体技术解决方案，在重点消费品产业推动质量技术集成化示范应用。 到2020年，建成15个具有示范引领作用的国家质量技术基础“一站式”服务示范项目，促进国家质量技术基础供给能力明显提升。

（五）加强消费品品牌建设。引导企业增强品牌和营销意识，夯实品牌发展基础，完善质量奖励制度，实施消费品精品工程，推动中国产品向中国品牌转变，提高中国消费品知名度和美誉度，打造中国制造金字品牌。

加强品牌培育。开展消费品生产企业品牌培育和产业集群品牌试点，推动知名品牌创建。加强商标品牌保护，提高消费品商标公共服务水平。制定消费品品牌管理和评价国家标准，开展品牌价值提升应用示范，指导企业提升品牌价值。建立国际知名消费品品牌指标库，推动品牌评价国际标准制定实施。开展品牌标杆示范活动，提升企业品牌意识，推动企业实施品牌战略，走品牌发展之路。

提升品牌形象。指导企业加强品牌文化建设，强化品牌研究、品牌设计、品牌定位和品牌沟通，完善品牌经营管理体系。加强国内消费品高端品牌的广告策划和宣传推广，设立国家品牌日，在主要国家和重要新兴市场举办中国品牌展览推介和宣传活动，推动中国品牌走向世界。

强化品牌保护。建立健全品牌保护机制，坚持品牌建设与知识产权保护相结合，加大对消费品商标、专利等知识产权的保护力度。推动建立企业自我保护、行政保护和司法保护三位一体的品牌保护体系，发挥行业协会自律作用，加大打击假冒伪劣违法行为力度。

专栏4　消费品精品培育工程

鼓励企业加强从设计研发、生产制造到售后服务等产品全生命周期的质量管理，推广先进质量管理方法与模式。发挥终端产品生产制造企业的倒逼作用，强化对原材料、零部件、装配服务等重要环节的质量管控，促进全产业链质量管理水平整体提升。以产业聚集区、国家自主创新示范区、高新技术产业园区等为重点，开展知名品牌创建。针对市场需求旺盛、技术创新活跃的主要消费品领域，组织实施企业标准领跑者制度。支持企业加大品牌宣传投入，提升品牌策划营销能力。建立与国际接轨的品牌价值评价体系，引导消费品企业建立质量品牌创新中心，提高中国消费品品牌美誉度和忠诚度，打造中国精品。 到2020年，推动标准领跑者企业的产品和服务质量接近或达到国际先进水平，培育形成一批质量水平高、市场竞争力强、国际知名的消费品精品，打造一批品牌形象突出、质量管理一流的现代企业和产业集群。

（六）改善优化市场环境。建立和完善全国统一开放、公平竞争、优质优价、优胜劣汰的市场，打破地方保护主义，积极营造良好营商环境，进一步明确政府在质量管理中的职能定位，进一步创新政府监管体制机制，进一步激发市场活力和消费潜力。

创新质量监管制度。建立消费品生产经营负面清单管理制度，除强制性标准和法律法规明确规定外，取消消费品生产经营其他市场准入限制。建立统一规范的监督检查机制，实行"随机抽查企业、随机抽检产品、随机选择检测机构"制度，对产品质量国家监督抽查合格的同一企业的同一规格型号产品，6个月内任何地方、部门和机构不得重复抽查。推进消费品质量监督抽查结果信息共享，实现"一个标准、一次检验、结果互认、全国通行"。规范检验认证行为，建立检验认证机构对产品质量承担连带责任制度。规范涉企收费，取消一切不在政府公开清单内的收费项目。

加强质量信息公共服务。增加消费品质量信息供给，减少市场信息不对称。搭建统一的消费品质量信息公共服务平台，为消费者提供消费品质量监督检查、质量比对、消费警示等产品质量信息，为消费品生产经营企业提供质量信息大数据查询服务。鼓励第三方社会组织提供专业化、个性化和多样化的质量信息服务。

专栏5　消费品质量信息公共服务工程

围绕消费品生产经营企业和消费者质量信息需求，加快建设跨部门、跨行业的消费品质量信息公共服务平台，集成、发布和共享标准、计量、认证认可、检验检测等质量基础信息以及质量监督检查、质量比对等产品质量信息，提高大数据采集和查询服务能力，实现单一要素、单一周期信息服务向“一站式”信息综合服务转变，消除消费品质量信息孤岛和信息不对称现象，更好地满足消费信息需求。 到2020年，基本建成消费品质量信息公共服务平台，实现与企业信息公示平台、信用信息共享交换平台的对接。

加大知识产权保护力度。实行严格的知识产权保护制度，建立消费品知识产权快速维权机制，加大消费品国际展会、电子商务等领域知识产权执法力度，加强消费品市场知识产权管理和保护工作。鼓励消费品生产经营企业规范知识产权管理，推动专利联盟建设。

强化消费维权保护。建立消费品质量安全惩罚性赔偿、质量担保、销售者先行赔付和产品质量安全责任保险等制度。在消费集中的重点场所建立消费争议快速处理绿色通道，促进消费纠纷就近投诉化解。鼓励乡镇（街道）设立消费维权窗口，促进城乡消费维权公共服务均等化。明确消费者诉讼简易处理程序，完善公益诉讼制度，扩大公益诉讼主体范围，支持社会中介组织和第三方机构为消费者提供维权援助，降低消费维权成本。

优化网购消费环境。完善电子商务领域标准体系，引导和帮助电子商务平台经营者提高质量管理水平。建立和完善风险监测、网上抽查、源头追溯、属地查处、信用管理的电子商务产品质量监管机制。建立健全政府部门间协同监管和失信行为联合惩戒机制，严厉打击电子商务活动中侵权假冒违法行为以及平台经营者包庇、纵容违法违规经营行为。加强跨境电子商务质量安全监管，建立和完善跨境消费售后维权保障机制。

（七）保障消费品质量安全。适应消费品质量安全新形势，不断创新监管模式，完善消费品质量安全治理体系，加快实现治理能力现代化。

强化质量安全风险管理。完善消费品质量安全风险监控体系，建立以预防为主、风险管理为核心的消费品质量安全监管机制。推广应用物品编码和射频识别等技术手段，建立主要消费品质量安全追溯体系，实现来源可查、去向可追、责任可究。推进缺陷消费品召回常态化，把涉及人身、财产安全的消费品纳入召回范围。开展消费品质量安全标准“筑篱”专项行动，完善消费品质量安全标准体系，提升消费品质量安全标准水平。统一国内和进出口消费品质量监管规制，建立监管协调机制，提高内外销消费品质量安全水平的一致性。

专栏 6 消费品质量安全风险管理工程

以早发现、早研判、早预警、早处置为目标，推进建立以风险信息采集为基础、风险监测为手段、风险评估为支撑、风险处置为结果的消费品质量安全风险管理体系。围绕重点领域消费品和智能制造、新材料、新兴业态等领域的共性需求，开展消费品质量安全风险评估关键技术研发和成果应用示范，建立消费品质量安全风险评估试验体系，研制风险评估标准、程序和方法，完善消费品质量安全风险和产品伤害监测体系。建立消费品质量安全风险快速预警系统和快速联动处置机制，快速处置发生在消费者身边的质量安全风险。

到 2020 年，建立覆盖主要社区、乡镇和学校的消费品质量安全风险信息监测点，在医院建立 100 个以上产品伤害监测点，系统采集产品风险和伤害信息，推广应用消费品质量安全风险快速预警系统，发布消费预警和风险通报。

严厉打击制假售假行为。健全执法协作机制，推进综合行政执法。完善行政执法与刑事司法衔接机制，加大对生产经营假冒伪劣产品行为的刑事处罚力度。深入开展执法打假行动，严查彻办质量违法大案要案。实现质量违法案件信息全公开，加大对质量违法行为的震慑力度。

加快质量信用体系建设。实施企业质量信用信息统一归集、依法公示、联合惩戒、社会监督。完善企业质量信用档案数据库，建立消费品市场主体经营异常名录、产品质量失信“黑名单”等制度，对企业实施分类监管。支持、引导第三方信用服务机构对消费品生产企业开展质量信用评价。实现多部门、跨地区质量信用联合奖励和联合惩戒，营造“守信者处处受益，失信者寸步难行”的社会环境。

构建消费品质量共治格局。深入开展消费者质量安全教育，激发公众质量安全意识，提高公众消费维权能力。健全公众参与监督激励机制，完善有奖举报制度。建立商会、协会、中介组织和新闻媒体共同参与的社会监督机制，形成企业规范、行业自律、政府监管和社会监督的多元共治格局。

（八）提升进出口消费品质量。实施外贸优进优出战略，建立质量监管与贸易便利化相统一的进出口消费品质量安全监管体系，提升进出口消费品质量安全水平。

构建进出口商品风险预警体系。建成覆盖全国口岸的进出口商品质量安全监测网络，畅通覆盖消费者投诉和企业报告的进出口商品风险信息监测渠道，推动建立跨国境、跨部门、跨行业的进出口商品风险和伤害信息监测与交流平台。加快进出口商品质量安全大数据处理与评价中心建设，搭建统一的智能化预警平台，提高风险预警和快速反应处置能力。

强化技术性贸易措施。完善世界贸易组织技术性贸易壁垒和动植物检疫措施（WTO/TBT－SPS）通报咨询工作机制，加强对国外重要技术性贸易措施的跟踪、研究、评议，做好预警、咨询、技术帮扶，提升企业特别是中小企业应对国外技术性贸易措施能力，促进企业按照更高标准提升质量。加大多边、双边评议和交涉力度，减少贸易壁垒影响。

严把进口消费品质量关。建立以问题为导向，以风险管理、口岸管控、事中事后监管为主线的进口消费品监管体系，强化动态监管和缺陷消费品召回。创新监管机制，落实企业主体责任，促进跨境电子商务进口消费品规范发展。

促进出口消费品提质升级。推进出口产品质量安全示范区与示范企业创建，加快培育以技术、标准、品牌、质量、服务为核心的对外经济新优势。打击出口假冒伪劣商品，推动建设海外打假维权监测网。搭建国际交流与磋商对话平台，强化消费品质量安全国际合作。

提高贸易便利化水平。推进检验检疫一体化建设，加强数据共享，优化通关流程。复制推广自贸试验区改革经验，加大实施第三方采信工作，完善进口企业诚信管理，优化检验监管工作方式，提高监管的有效性和通关效率。

专栏7　进出口消费品质量提升工程

服务优进优出，提升进出口消费品质量安全水平。完善进出口消费品质量安全风险预警监管体系，建设覆盖全国范围的进出口消费品风险监测网络。完善进口消费品监管体系，推动缺陷进口消费品召回工作常态化，预防和减少不安全消费品进入国内市场，保护消费者权益。提升企业主体责任意识，促进跨境电商等新业态发展。发挥示范区引领作用，打击出口假冒伪劣商品，提升中国制造形象。

到2020年，创建国家级出口产品质量安全示范区60家、国家级示范企业400家，海外打假维权监测网在境外国家或地区的覆盖面达到30%；每年定期向社会公布重点进口消费品质量安全状况白皮书。

三、重点领域

围绕消费需求旺盛、与群众日常生活息息相关的一般消费品领域，充分发挥市场机制与企业主体作用，加快构建满足市场需求的新型消费品标准体系，加大消费品标准供给力度，加强行业管理、质量监督等政策措施与标准的衔接配套，形成以创新助推标准制定、以标准实施促进质量提升、以质量升级推动品牌建设的良性循环。

（一）家用电器。适应家用电器高端化、智能化发展趋势，加大团体标准和高水平企业标准的供给力度。开展家用电器产品分等分级和评价标准化工作，改善电子坐便器、空气净化器、家用清洁机器人等新兴家电产品的性能和消费体验，提高空调器、电冰箱、洗衣机等传统大家电的产品舒适性、智能化水平，优化电饭锅、剃须刀等传统厨用、个人护理用小家电产品的外观和功能设计。提升多品种、多品牌家电产品深度智能化水平，推动智能家居快速发展。针对新型城镇化进程中居民生活方式的转变和农村家电消费的普及,加快制修订强制性国家标准,全面提高家电产品安全、节能节水、使用年限、安装维修等要求。

(二)消费类电子产品。针对消费类电子产品网络化、创新化的发展特点,结合云计算、大数据、物联网等新一代信息技术,推动人工智能、智能硬件、智慧家庭、虚拟现实、物联网等创新技术产品化、专利化、标准化。加快高质量产品生产线及智能工厂建设,引导生产企业不断开发新技术、新产品、新应用。从安全性、稳定性、可靠性角度,进一步完善消费类电子产品技术标准体系。制定智能手机、可穿戴设备、新型视听产品等智能终端产品标准,强化信息安全、个人隐私保护要求,开展人体舒适性、易用性评估评价,规范众包众筹产品市场、线上线下销售市场。

(三)家居装饰装修产品。围绕居民提高生活水平、改善家居环境的消费需求,促进家居装饰装修健康化、集成化发展。针对家具、照明电器、厨卫五金、涂料、卫生陶瓷、壁纸、地毯等家居装饰装修产品,加快构建强制性国家标准体系,严格有毒有害物质、挥发性有机物限量要求,健全配套检测方法、检测设备、检测能力。开展家居装饰装修综合标准化工作,鼓励有条件的企业发挥技术、资金、品牌等优势,延伸服务链条,由单一产品生产制造向"产品+产品"、"产品+服务"转变,建设家居装饰装修标准综合体,支撑企业提供家居装饰装修整体解决方案,满足消费者需求。

(四)服装服饰产品。适应个性消费、时尚消费、品质消费、品牌消费的发展需求,巩固纺织服装鞋帽、皮革箱包等产业的传统优势地位,加快首饰、钟表、眼镜、发制品等产业的技术创新和产业升级,加大知识产权保护力度,提升创新创意设计能力。推进三维人体测量、数字化试衣、产品追溯、可穿戴服装等新技术产业推广,制定规范定制流程全过程服务和产品质量的通用标准,引导服装服饰产品生产企业注重发挥本土优势,壮大个性定制、规模定制和高端定制产业,以精准设计、精准生产、精准服务赢得消费市场。优化完善标准体系,研制关键技术标准,提高新型纤维、优质棉麻毛、高端羊绒丝绸皮革等材料质量要求,规范纺织产品防水、防风、保温、抗菌等功能性要求,制造高端精品。

(五)妇幼老年及残疾人用品。针对妇幼用品、老年人用品和残疾人用品市场快速发展,健全跨领域、跨行业的通用标准体系,强化消费品针对特殊人群的安全要求和功能设计,规范特殊人群使用产品的标识、宣传和评价。进一步加大婴幼儿、少年儿童生活用品和中小学生学习用品标准化力度,严格儿童玩具、婴儿纸尿裤、婴儿安抚用品、儿童家具、儿童服装鞋帽等儿童用品安全标准,严格儿童产品标识标注。促进儿童用品生产设计与国产动漫文化产品跨界融合,增强产品趣味性、娱乐性和吸引力,培育和壮大一批自主品牌企业。加快开展妇女用哺育用品、卫生用品、家用美容美发用品等标准化工作,提升自主品牌的质量水平。推动老年人用品标准和质量提升，扩大老年人文化娱乐、健身休闲用品市场。加快康复辅助器具产业发展，完善标准体系，重点推进老年人和伤病人护理照料、残疾人生活教育和就业辅助、残疾儿童抢救性康复等产品的标准化发展，加强质量管理。

（六）化妆品和日用化学品。适应消费者对产品功效的多样化需求，完善化妆品、口腔护理用品、洗涤用品、蜡制品、家用卫生杀虫用品标准体系，制定基础通用、重要产品和检测方法等标准，防止有毒有害物质超标。重点制定儿童等特殊群体使用化妆品、口腔护理用品等产品标准。加快特殊用途化妆品中限用组分和中草药牙膏中有效成分等检测方法标准研究。加强日用化学品相关标准样品（物质）研制。

（七）文教体育休闲用品。针对居民转变生活方式、丰富文娱生活的要求，推动文教体育休闲用品多样化发展，加快系统协调、重点突出、覆盖全面的文体用品标准体系和质量保障体系建设。严格有毒有害物质限量标准，大力提高学生用品的安全水平。引导生产企业加强质量管控，全面提高零部件（元器件）、制造工艺、基础材料整体质量水平，促进文具、制笔、乐器等制成品品质提升。加快全民健身器材、冬季运动器材、户外休闲运动（水上、登山、钓具和自行车等）器材、民族传统运动器材及防护装备等标准的制定，加强体育用品新材料、新技术的研发和应用。

（八）传统文化产品。弘扬中华传统文化，加强对中华老字号、地理标志产品等传统文化产品的品牌培育和保护，引导具有自主知识产权、传承民族传统文化和技艺的文化产品生产企业，加快质量提升、打造知名品牌、增加品牌文化附加值、提升质量竞争力，推动传统文化产品产业化、规模化发展。针对文房四宝、烟花爆竹、竹藤、丝绸、瓷器、漆器等产业发展需求，加快安全、环保等强制性标准制定，加大旅游景区销售产品的质量监管力度。开展文化创意、传统工艺、评价测试标准化工作，推动国际国内标准同步发展，加大传统文化产品宣传展示力度，促进传统文化产品出口，促进中外文明互学互鉴。

（九）食品及相关产品。完善食品安全标准体系，继续开展食品中农药残留、兽药残留、重金属等危害人体健康物质的限量及检测方法、婴幼儿食品、食品添加剂、食品营养强化剂和食品生产经营过程卫生要求等强制性安全标准制修订工作。重点制定传统食品产品质量标准，推动传统食品产业化进程。加大对方便食品、速冻食品、焙烤食品和现代生物发酵食品等新产品标准的研制力度，制定网络食品信息描述规范，满足新兴群体等对食品消费多样化的需求。提高食品容器、包装材料以及智能化食品包装生产线标准水平，不断完善食品相关产品质量标准体系。加大食品和食品相关产品质量监督抽查力度，强化食品相关产品风险与伤害监测，根据不同材质开展食品相关产品风险评估，并视评估情况调整许可目录和许可实施细则,逐步提升准入门槛,及时发布消费预警,调动行业协会、消费者等多方力量,共同参与食品安全监管,形成全社会共治格局,有效遏制食品安全事件,确保放心消费,促进健康中国建设。

四、保障措施

(一)加强法律法规建设。完善消费品质量安全法律法规,加快推进标准化法修订以及消费品安全法、质量促进法等立法工作,完善质量激励政策,强化质量多元共治,为消费品标准和质量提升提供法制保障。坚持依法行政,保持消费品质量监管的高压态势。组织开展消费品行政执法人员专题培训和实务培训,提高执法人员综合素质和执法水平。强化消费品执法层级监督,严格落实行政执法责任制。加强消费品质量提升法治宣传教育,普及消费品质量法律知识,引导消费者通过司法、人民调解等途径解决消费品侵权问题,提升依法维权、理性消费能力。

(二)加强财税政策扶持。统筹利用现有资金渠道,鼓励社会资本以市场化方式设立消费品标准和质量提升专项基金,重点支持消费品领域的标准化建设、质量基础能力提升、质量技术创新和应用推广,引导社会资源向质量品牌优势企业聚集,完善优标优质优价的市场机制,鼓励更多企业走优质发展之路。实施结构性减税,落实研发费用加计扣除政策和股权激励税收政策,全面推开营业税改增值税试点,打通增值税抵扣链条,增强企业经营活力。探索建立标准创新融资增信制度,完善对企业标准创新和参与制定国际标准的激励机制,推动企业积极参加国际标准化活动。对消费品标准和质量提升示范区、技术标准创新基地,比照高新技术产业园区,享受出口贸易便利等政策优惠。在政府采购、招投标活动中,纳入有关标准技术条件和质量安全要求。

(三)加强质量人才培养。深化教育教学制度改革,强化职业教育与技能培训,建立健全应用型人才和技术技能人才培养机制。实施全员质量素质提升工程,加大企业经营管理人员和一线职工培训力度。引导和鼓励大中型企业实施首席质量官制度,培养企业质量领军人才。完善质量专业技术人员职称评价办法。探索建立企业和高等学校、职业学校、标准化与质量科研机构联合培养人才的机制,推行校企联合培养的企业新型学徒制,建立学校和企业"双元"的技术人才培养机制,培养更多满足市场需求的职业技术工人。加大力度引进国外标准、计量、认证认可、检验检测等领域人才智力,加强国际质量人才交流。鼓励和支持行业协会、高等院校设立标准化和质量管理相关研究机构,培养高素质标准化和质量人才。推出体现技工价值的薪酬制度,健全收入分配激励机制和"五险一金"等社会保障制度,提高技能人才福利待遇,促进劳动者由普通工人向技能人才转变。

(四)加强宣传教育和舆论引导。建设具有中国特色的先进质量文化,大力弘扬精益求精的工匠精神。广泛推广先进质量管理理念和方法,深入开展群众性质量活动。加强标准化和质量知识宣传教育和政策解读,倡导优标优质优价和绿色安全健康的消费理念。加大质量信息公开力度,正确引导社会舆论,树立中国标准、中国质量的良好形象,提振市场消费信心。

(五)加强组织领导和部门协作。各地区、各有关部门要加强对本规划实施工作的组织领导,在消费品工业升级、科技创新、质量监管、市场监管、职业教育、财税金融等方面,加强沟通协调,密切协作配合。各级政府要建立健全质量激励和约束制度,将消费品标准和质量提升工作纳入政府质量工作考核范围,出台相关配套政策措施,确保各项政策措施落实到位。质检总局和国家标准委要会同有关部门加强对本规划实施情况的监督检查,重大事项及时向国务院报告。

国务院关于印发北京加强全国科技创新中心建设总体方案的通知

(2016年9月11日　国发〔2016〕52号)

现将《北京加强全国科技创新中心建设总体方案》印发给你们,请认真贯彻执行。

北京加强全国科技创新中心建设总体方案

为深入贯彻党的十八大和十八届三中、四中、五中全会精神,全面落实全国科技创新大会精神和《国家创新驱动发展战略纲要》、《京津冀协同发展规划纲要》部署要求,坚持和强化北京全国科技创新中心地位,在创新驱动发展战略实施和京津冀协同发展中发挥引领示范和核心支撑作用,制定本方案。

一、总体思路

按照党中央、国务院决策部署,坚持创新、协调、绿色、开放、共享发展理念,根据京津冀协同发展的总体要求,以中关村国家自主创新示范区为主要载体,以构建科技创新为核心的全面创新体系为强大支撑,着力增强原始创新能力,打造全球原始创新策源地;着力推动科技和经济结合,建设创新驱动发展先行区;着力构建区域协同创新共同体,支撑引领京津冀协同发展等国家战略实施;着力加强科技创新合作,形成全球开放创新核心区;着力深化改革,进一步突破体制机制障碍，优化创新创业生态。塑造更多依靠创新驱动、更多发挥先发优势的引领型发展，持续创造新的经济增长点，为把我国建设成为世界科技强国、实现“两个一百年”奋斗目标提供强大动力。

二、发展目标

按照“三步走”方针，不断加强北京全国科技创新中心建设，使北京成为全球科技创新引领者、高端经济增长极、创新人才首选地、文化创新先行区和生态建设示范城。

第一步，到2017年，科技创新动力、活力和能力明显增强，科技创新质量实现新跨越，开放创新、创新创业生态引领全国，北京全国科技创新中心建设初具规模。

第二步，到2020年，北京全国科技创新中心的核心功能进一步强化，科技创新体系更加完善，科技创新能力引领全国，形成全国高端引领型产业研发集聚区、创新驱动发展示范区和京津冀协同创新共同体的核心支撑区，成为具有全球影响力的科技创新中心，支撑我国进入创新型国家行列。

第三步，到2030年，北京全国科技创新中心的核心功能更加优化，成为全球创新网络的重要力量，成为引领世界创新的新引擎，为我国跻身创新型国家前列提供有力支撑。

三、重点任务

充分发挥北京高端人才集聚、科技基础雄厚的创新优势，统筹利用好各方面科技创新资源，积极协同央地科技资源，深入实施军民融合发展战略，完善创新体系，优化提升首都创新核心功能，突出重点，在基础研究、原始创新和国家急需的领域取得突破，全面服务国家重大战略实施。

（一）强化原始创新，打造世界知名科学中心。

加大科研基础设施建设力度，超前部署应用基础及国际前沿技术研究，加强基础研究人才队伍培养，建设一批国际一流研究型大学和科研院所，形成领跑世界的原始创新策源地，将北京打造为世界知名科学中心。

1. 推进三大科技城建设。

统筹规划建设中关村科学城、怀柔科学城和未来科技城，建立与国际接轨的管理运行新机制，推动央地科技资源融合创新发展。加强北京市与中央有关部门会商合作，优化中央科技资源在京布局，发挥高等学校、科研院所和大型骨干企业的研发优势，形成北京市与中央在京单位高效合作、协同创新的良好格局。中关村科学城主要依托中国科学院有关院所、高等学校和中央企业，聚集全球高端创新要素，实现基础前沿研究重大突破，形成一批具有世界影响力的原创成果。怀柔科学城重点建设高能同步辐射光源、极端条件实验装置、地球系统数值模拟装置等大科学装置群，创新运行机制，搭建大型科技服务平台。

未来科技城着重集聚一批高水平企业研发中心，集成中央在京科技资源，引进国际创新创业人才，强化重点领域核心技术创新能力，打造大型企业集团技术创新集聚区。

2. 超前部署基础前沿研究。

北京发挥科教资源优势，加强与国家科技计划（专项、基金等）衔接，统筹布局重点领域原始创新，集中力量实施脑科学、量子计算与量子通信、纳米科学等大科学计划，引领我国前沿领域关键科学问题研究。瞄准国际科技前沿，以国家目标和战略需求为导向，整合优势力量，在明确定位和优化布局的基础上，建设一批重大科研创新基地。围绕国家应用基础研究领域部署，加强对信息科学、基础材料、生物医学与人类健康、农业生物遗传、环境系统与控制、能源等领域的支撑，取得一批具有全球影响力的重大基础研究成果，引领国际产业发展方向。

3. 加强基础研究人才队伍建设。

坚持高起点、高标准，建设结构合理的创新人才团队，造就一批具有国际影响力的科学大师和以青年科学家为带头人的优秀研究群体。支持高等学校、科研院所和有条件的企业共建基础研究团队，加快科学家工作室建设，创新青年人才支持模式，形成一批从事基础研究的杰出青年科学家队伍。在全球范围内吸引一批能够承接重大任务、取得尖端成果、作出卓越贡献、形成“塔尖效应”的顶尖人才。在统筹考虑现有布局和国家对外科技合作总体部署基础上，鼓励以我为主发起国际大科学计划和大科学工程，吸引海外顶尖科学家和团队参与。

4. 建设世界一流高等学校和科研院所。

推进新兴交叉学科建设，促进基础学科与应用学科、自然科学与人文社会科学交叉融合，积极推动网络数据科学、量子信息学、生物医学、纳米科学与技术、核科学与技术、航空宇航科学与技术、生物信息学等学科发展与完善，加快世界一流高等学校和科研院所建设。建设国际马铃薯中心亚太中心。创新科研院所运行体制机制，推广北京生命科学研究所等管理模式。

（二）实施技术创新跨越工程，加快构建“高精尖”经济结构。

围绕国家经济社会发展重大需求，深入实施“北京技术创新行动计划”、“《中国制造2025》北京行动纲要”、“‘互联网+’行动计划”等，突破一批具有全局性、前瞻性、带动性的关键共性技术，加强重要技术标准研制，培育具有国际竞争力的研发创新体系，加快科技成果向现实生产力转化，在北京经济技术开发区等打造具有全球影响力的创新型产业集群。

5. 夯实重点产业技术创新能力。

以智能制造、生物医药、集成电路、新型显示、现代种业、移动互联、航空航天、绿色制造等领域为重点，依托优势企业、高等学校和科研院所，建设一批对重点领域技术创新发挥核心引领作用的国家技术创新中心，突破与经济社会发展紧密相关的关键共性技术和核心瓶颈技术，形成一批具有竞争力的国际标准。推动科技与产业、科技与金融、科技与经济深度融合，培育一批具有国际竞争力的创新型领军企业，聚集世界知名企业技术创新总部，构建跨界创新合作网络。完善技术创新服务平台体系，加强研究开发、技术转移和融资、计量、检验检测认证、质量标准、知识产权和科技咨询等公共服务平台建设，打造高端创业创新平台。利用中关村政策优势，推动国防科技成果向民用领域转移转化和产业化。

6. 引领支撑首都“高精尖”经济发展。

在新一代信息技术、生物医药、能源、新能源汽车、节能环保、先导与优势材料、数字化制造、轨道交通等产业领域实施八大技术跨越工程，重点突破高性能计算、石墨烯材料、智能机器人等一批关键共性技术，培育先导产业和支柱产业。推动以科技服务业、“互联网+”和信息服务业为代表的现代服务业向高端发展，促进服务业向专业化、网络化、规模化、国际化方向发展。深化科技与文化融合发展，推进“设计之都”与中关村国家级文化和科技融合示范基地建设。以北京国家现代农业科技城为依托，加快推进高端农业创新发展。

7. 促进科技创新成果全民共享。

实施首都蓝天行动，推动能源结构向清洁低碳转型，深化大气污染治理，持续改善空气质量。实施生态环境持续改善行动，加强水资源保护与污水治理、垃圾处理和资源化利用，提升城市生态功能。实施食品安全保障行动，建立对食品生产经营各环节的科学高效监督管理体系，保障食品质量安全。加强重大疾病科技攻关，在疾病预防、诊断、精准医疗等领域形成一批创新成果并转化应用，打造具有国际影响力的临床医学创新中心。实施城市精细化管理提升行动，强化城市综合运行监控与重点行业安全保障能力，提高巨灾风险防范与应对能力。推动大数据与社会治理深度融合，不断推进社会治理创新，提升维护公共安全、建设平安中国的能力水平。组织实施科技冬奥行动计划，加强北京市、河北省与国家相关部门科技创新资源整合，聚焦绿色、智慧、可持续三个重点领域，集成应用和展示最新科技成果，为冬奥会提供科技支撑。

（三）推进京津冀协同创新，培育世界级创新型城市群。

贯彻落实《京津冀协同发展规划纲要》等战略部署，充分发挥北京全国科技创新中心的引领作用，构建京津冀协同创新共同体，打造世界级创新型城市群。积极参与和服务“一带一路”、长江经济带等发展战略，有力支撑国家创新驱动发展战略实施。

8. 优化首都科技创新布局。

全力推进高端产业功能区和高端产业新区建设，优化中关村国家自主创新示范区“一区多园”布局，提升产业技术创新水平，带动各园区创新发展。推动首都各区精细化、差异化创新发展，形成功能清晰、导向明确、秩序规范的发展格局。首都自主创新中心区（城六区）重点推进基础科学、战略前沿高技术和高端服务业创新发展；首都高端引领型产业承载区（城六区以外的平原地区）重点加快科技成果转化，推进生产性服务业、战略性新兴产业和高端制造业创新发展；首都绿色创新发展区（山区）重点实现旅游休闲、绿色能源等低碳高端产业创新发展；首都军民融合示范区重点打造前沿探索、基础研究、系统集成、示范应用、推广转化、产业发展的军民融合发展链条。加强统筹协调，对非首都功能疏解后的空间进行合理再布局，建设研发创新聚集区。

9. 构建京津冀协同创新共同体。

整合区域创新资源，打造京津冀创新发展战略高地。加强宏观指导和政策支持，结合产业链布局需要，培育具有产学研协同特征的科技企业集团，推进其在京津冀地区联动发展。完善协同创新体制机制，推动科技创新政策互动，建立统一的区域技术交易市场，实现科技资源要素的互联互通。建设协同创新平台载体，围绕钢铁产业优化升级共建协同创新研究院，围绕大众创业万众创新共建科技孵化中心，围绕新技术新产品向技术标准转化共建国家技术标准创新基地，围绕首都创新成果转化共建科技成果转化基地等。实施协同创新工程，围绕生态环境建设、新能源开发应用、废弃资源利用等重点领域开展联合攻关，围绕钢铁、建材等传统产业转型发展共同开展创新试点，围绕工业设计、科技服务业、文化创意等领域共同组织新技术应用示范等。

10. 引领服务全国创新发展。

发挥北京全国科技创新中心的辐射引领作用，搭建跨区域创新合作网络，加强与其他地区的科技创新合作。与上海、江苏、浙江、安徽等长江中下游省市重点推进基础研究和战略高技术领域合作；与广东、福建等东南沿海省份重点推进产业关键技术、创新创业等领域合作；与东北、中西部等地区重点推进技术转移、成果转化、产业转型升级等方面合作；加强与港澳台全方位科技交流合作。面向全国开放共享创新资源，推广“一站一台”（首都科技条件平台合作站和北京技术市场服务平台）等合作模式，建立跨区域科技资源服务平台，推动科技人才、科研条件、金融资本、科技成果服务全国创新发展。支持国家科技传播中心建设，打造国家级科学文化公共服务平台和全国“双创”支撑平台。

（四）加强全球合作，构筑开放创新高地。

坚持“引进来”与“走出去”并重、引智引技和引资并举，集聚全球高端创新资源，以创新提升区域发展层级，使北京成为全球科技创新的引领者和创新网络的重要节点。

11. 集聚全球高端创新资源。

吸引符合北京功能定位的国际高端创新机构、跨国公司研发中心、国际科技组织在京落户，鼓励国际知名科研机构在京联合组建国际科技中心，努力使北京成为国际科技组织总部聚集中心。面向全球引进世界级顶尖人才和团队在京发展。引导和鼓励国内资本与国际优秀创业服务机构合作建立创业联盟或成立创新创业基金。发挥中国国际技术转移中心等平台作用，完善市场化、国际化、专业化的服务体系，吸引国际高端科技成果在京落地，形成面向全球的技术转移集聚区。

12. 构筑全球开放创新高地。

在研发合作、技术标准、知识产权、跨国并购等方面为企业搭建服务平台，鼓励企业建立国际化创新网络。构筑全球互动的技术转移网络，加快亚欧创新中心、中意技术转移中心、中韩企业合作创新中心等国际技术转移中心建设，推动跨国技术转移。推进海外人才离岸创新创业基地建设，为海外人才在京创新创业提供便利和服务。鼓励国内企业在海外设立研发机构，加快海外知识产权布局，参与国际标准研究和制定，抢占国际产业竞争高地。鼓励国内企业通过对外直接投资、技术转让与许可等方式实施外向型技术转移。鼓励拥有自主知识产权和品牌的企业开拓国际市场，培育以技术、标准、品牌、质量、服务为核心的外贸竞争优势，提高产业在全球价值链中的地位。促进服务创新国际化，深化北京市服务业扩大开放综合试点，加快推进服务标准、市场规则、法律法规等制度规范与国际接轨。

（五）推进全面创新改革，优化创新创业环境。

深入落实创新驱动发展与体制机制改革系列重大部署，充分发挥中关村国家自主创新示范区改革“试验田”的作用，加快推进京津冀全面创新改革试验，破除制约创新的制度藩篱，形成充满活力的科技管理和运行机制，以深化改革促进创新驱动发展。

13. 推进人才发展体制机制改革。

实施更具吸引力的海外人才集聚政策，突破外籍人才永久居留和创新人才聘用、流动、评价激励等体制和政策瓶颈，推进中关村人才管理改革试验区建设，开展外籍人才出入境管理改革试点，对符合条件的外籍人才简化永久居留、签证等办理流程，让北京真正成为人才高地和科技创新高地。开展人才引进使用中的知识产权鉴定制度试点。深入实施北京市“雏鹰计划”、“高层次创新创业人才支持计划”、“科技北京百名领军人才培养工程”等人才计划，完善人才梯度培养机制，推进人才结构战略性调整。建立灵活多样的创新型人才流动与聘用模式，鼓励高等学校和科研院所人才互聘，允许高等学校、科研院所设立一定比例流动岗位，吸引企业人才兼职。研究制定事业单位招聘外籍人才的认定标准，探索聘用外籍人才的新路径。鼓励科研人员潜心研究，激发科研人员创新动力和积极性，完善市场化的人才评价激励机制，创新评价标准和办法。完善事业单位内部分配机制，推进绩效工资向关键岗位、业务骨干和有突出贡献的人员倾斜。优化人才服务保障体系，在住房条件、子女就学、配偶就业、医疗服务等方面为高层次人才提供便利。落实教学科研人员因公临时出国相关管理政策。

14. 完善创新创业服务体系。

加快发展高端创业孵化平台，构建集创业孵化、资本对接、营销服务等为一体的众创空间，提供集约化、专业化、社区化的创新创业环境。建立便捷高效的商事服务机制，推动集群注册登记、“先照后证”等改革，降低创业门槛。实施中关村大街改造提升工程，加快北京市海淀区“一城三街”建设，以创新创业打造经济社会发展新动力。深入推进国家科技服务业区域试点、服务业扩大开放综合试点、中关村现代服务业试点，探索科技服务业促进创新创业的新模式和新机制。发挥首都科技条件平台、首都科技大数据平台、中关村开放实验室等公共服务平台作用，推广创新券等科技资源开放共享的市场化机制，促进重大科研基础设施、大型科研仪器和专利基础信息资源向社会开放。加快推进研究开发、技术转移和融资、知识产权服务、第三方检验检测认证、质量标准、科技咨询等机构改革，构建社会化、市场化、专业化、网络化的技术创新服务平台。探索推动产业协同创新共同体建设，助力产业转型升级和大众创业万众创新。充分利用现有资源，统筹建设全国知识产权运营公共服务平台，建设国家知识产权服务业集聚发展示范区。

15. 加快国家科技金融创新中心建设。

完善创业投资引导机制，通过政府股权投资、引导基金、政府购买服务、政府和社会资本合作（PPP）等市场化投入方式，引导社会资金投入科技创新领域。结合国有企业改革建立国有资本创业投资基金制度，完善国有创投机构激励约束机制。按照国家税制改革的总体方向与要求，对包括天使投资在内的投向种子期、初创期等创新活动的投资，研究探索相关税收支持政策。支持“新三板”、区域性股权市场发展，大力推动优先股、资产证券化、私募债等产品创新。开展债券品种创新，支持围绕战略性新兴产业和“双创”孵化产业通过发行债券进行低成本融资。推动互联网金融创新中心建设。选择符合条件的银行业金融机构在中关村国家自主创新示范区探索为科技创新创业企业提供股权债权相结合的融资服务方式；鼓励符合条件的银行业金融机构在依法合规、风险可控前提下，与创业投资、股权投资机构实现投贷联动，支持科技创新创业。

16. 健全技术创新市场导向机制。

加快营造公平竞争市场环境。探索药品、医疗器械等创新产品审评审批制度改革试点。改进互联网、金融、节能、环保、医疗卫生、文化、教育等领域的监管，支持和鼓励新业态、新商业模式发展。严格知识产权保护，加快形成行政执法和司法保护两种途径优势互补、有机衔接的知识产权保护模式，健全知识产权举报投诉和维权援助体系。探索建立符合国际规则的政府采购技术标准体系,完善新技术、新产品首购首用风险补偿机制。建立高层次、常态化的企业技术创新对话、咨询制度,发挥企业和企业家在创新决策中的重要作用。市场导向明确的科技项目由企业牵头联合高等学校和科研院所实施。健全国有企业技术创新经营业绩考核制度,加大技术创新在国有企业经营业绩考核中的比重。

17. 推动政府创新治理现代化。

依法全面履行政府职能,建立权力清单和责任清单制度。深化行政审批制度改革,提高行政效能,建立创新政策调查和评价制度,加快政府职能从研发管理向创新服务转变,为各类创新主体松绑减负、清障搭台。建立科技创新智库,提升对创新战略决策的支撑能力、科技创新政策的供给能力、创新理念的引领能力,推进决策的科学化和现代化,探索政策措施落实情况第三方评估机制。大力发展市场化、专业化、社会化的创新服务机构和组织,逐步建立依托专业机构管理科研项目的市场化机制。建立健全科技报告制度和创新调查制度,加强公共创新服务供给。建立健全创新政策协调审查制度。推动创新薄弱环节和领域的地方立法进程,构建适应创新驱动发展需求的法治保障体系。深化科技项目资金管理改革,建立符合科研规律、高效规范的管理制度,强化对科研人员的激励。

18. 央地合力助推改革向纵深发展。

在中关村国家自主创新示范区内,允许在京中央高等学校、科研院所在符合国家相关法律法规的前提下,经主管部门授权,试行北京市的相关创新政策。充分发挥北京市和中央在京单位的改革合力,探索新一轮更高层面、更宽领域的改革试点,进行新的政策设计,在充分调动科技人员创新创业积极性上再形成新一批政策突破,解放和发展生产力。深入落实促进科技成果转化法,在京中央高等学校、科研院所依法自主决定科技成果转移转化收益分配。着力打破创新资源配置的条块分割,支持北京市统筹用好各类创新资源,鼓励市属和中央高等学校协同创新。完善高等学校与企业开展技术开发、技术咨询、技术服务等横向合作项目经费管理制度,鼓励开展产学研合作,其支出依据合同法和促进科技成果转化法执行。探索创新创业人才在企业与机关事业单位之间依法自由流动,并做好社会保险关系转移接续工作。鼓励在京企业、高等学校和科研院所承担国防科技前沿创新研究工作,并给予相关配套优惠政策。探索开展事业单位担任行政领导职务的科技人员参与技术入股及分红激励试点,并根据领导干部职务明确审批程序。

四、保障措施

(一)强化组织领导。

在国家科技体制改革和创新体系建设领导小组领导下,国家有关部门与北京市共建北京全国科技创新中心建设工作机制,在顶层设计、改革保障等方面实现上下联动，统筹运用各部门资源建设北京全国科技创新中心。北京市建立北京全国科技创新中心建设统筹机制，形成促进科技创新的体制架构，分解改革任务，明确时间表和路线图，推动各项任务落到实处。

（二）加强资金保障。

加大财政科技投入力度，明确财政资金投入重点。切实加强对基础研究的财政投入，完善稳定支持机制。北京市设立战略性新兴产业技术跨越工程引导资金，加大对产业关键共性技术和贯穿创新链科技创新项目的支持力度。深化科技与金融结合，健全政府引导、企业为主、社会参与的多元化科技投入体系。

（三）完善监督评估机制。

加强监督考核，改革完善创新驱动发展的评价机制。研究建立科技创新、知识产权运用和保护与产业发展相结合的创新驱动发展评价指标体系，将本方案任务落实情况纳入北京市各级领导干部绩效考核体系。健全决策、执行、评价相对分开、互相监督的运行机制，强化对本方案实施进展情况的监督和问责机制。发挥第三方评估机构作用，定期对本方案落实情况进行跟踪评价，依据评价结果及时调整完善相关政策。

国务院办公厅关于转发国家发展改革委物流业降本增效专项行动方案（2016—2018年）的通知

（2016年9月13日 国办发〔2016〕69号）

国家发展改革委《物流业降本增效专项行动方案（2016—2018年）》已经国务院同意，现转发给你们，请认真贯彻执行。

物流业降本增效专项行动方案（2016—2018年）

物流业是支撑经济社会发展的基础性、战略性产业，市场需求巨大，发展空间广阔。加快物流业发展是推进供给侧结构性改革、增加公共产品和公共服务供给的重点方向，是扩大有效投资、促进城乡居民消费的重要手段，是消除瓶颈制约、补齐薄弱短板、提升国民经济整体运行效率的重要途径。按照党中央、国务院关于推进供给侧结构性改革和降低实体经济成本的决策部署，为解决物流领域长期存在的成本高、效率低等突出问题，大力推动物流业降本增效，推进物流业转型升级，提升行业整体发展水平，更好地服务于经济社会发展，根据《物流业发展中长期规划(2014—2020年)》，制定本行动方案。

一、总体要求

(一)指导思想。

全面贯彻党的十八大和十八届三中、四中、五中全会精神，按照“五位一体”总体布局和“四个全面”战略布局，牢固树立和贯彻落实创新、协调、绿色、开放、共享的发展理念，认真落实党中央、国务院决策部署，聚焦影响物流业健康发展的突出矛盾和瓶颈制约，以创新体制机制为动力，以推广应用先进技术和管理手段为支撑，以完善落实物流管理和支持政策为路径，加快补齐软硬件短板，深入推进大众创业万众创新，大力发展新模式新业态，激发市场活力，优化物流资源配置，促进物流业跨界融合，建立标准化、信息化、网络化、集约化、智慧化的现代物流服务体系，降低物流成本，提高社会物流运行效率。

(二)基本原则。

深化改革、协同推进。加大简政放权、放管结合、优化服务改革力度，深化物流领域体制改革，打破制约行业发展的体制机制障碍，加强统筹规划和部门协同，形成政策合力，营造良好发展环境。

问题导向、重点突破。聚焦突出问题出实招，找准薄弱环节补短板，率先在若干重点领域取得突破，夯实行业发展基础，提升物流社会化、专业化水平。

市场主导、创新驱动。发挥市场在资源配置中的决定性作用，激发企业创新的内生动力，鼓励先进技术装备应用，大力推进物流业与大众创业万众创新融合发展，推动业态创新、管理创新、服务创新。

联动融合、全面提升。推动物流与制造、交通、贸易、金融等行业深度融合，提升物流综合服务能力，优化整合产业资源，增强产业整体竞争力。

(三)主要目标。

到2018年，物流业降本增效取得明显成效，建立支撑国民经济高效运行的现代物流服务体系。

——物流基础设施衔接更加顺畅。初步形成布局合理、覆盖广泛、便捷高效的物流基础设施网络，重要枢纽节点的物流服务功能更加完备，城乡配送体系更加健全。

——物流企业综合竞争力显著提升。物流企业一体化运作、网络化经营能力明显增强，供应链管理服务水平大幅提升，形成一批技术先进、模式创新、竞争力强的综合物流服务提供商。

——现代物流运作方式广泛应用。多式联运、甩挂运输、共同配送等先进物流运输组织方式加快发展,物联网、大数据等先进技术广泛应用,物流业态、模式创新取得突破,信息化、标准化、集装化水平显著提升。

——行业发展环境进一步优化。税收、土地等政策支持体系更加完善,乱收费、乱罚款的状况得到根本改变,物流一体化高效运作的体制机制制约基本消除,行业诚信体系进一步健全,有利于物流业创新发展的生态体系基本形成。

——物流整体运行效率显著提高。全社会物流总费用占国内生产总值(GDP)的比重较2015年降低1个百分点以上;工业企业物流费用率(物流费用与销售总额之比)由2014年的8.9%降至8.5%左右,批发零售企业物流费用率由7.7%降至7.3%左右。

二、重点行动

(四)简政放权,建立更加公平开放规范的市场新秩序。

1. 优化行业行政审批。按照简政放权、放管结合、优化服务改革要求,在确保企业生产运营安全的基础上,清理、归并和精简具有相同或相似管理对象、管理事项的物流企业和物流从业人员的证照资质,加强事中事后监管。深入推进物流领域商事制度改革,加快推行"五证合一、一照一码"、"先照后证"和承诺制,简化办理程序。适应物流企业经营特点,支持地方进一步放宽企业住所和经营场所登记条件,鼓励物流企业网络化经营布局。(交通运输部、工商总局、质检总局、海关总署、国家邮政局等部门按职责分工负责,2016年底前完成)

2. 深化公路、铁路、民航等领域改革。优化公路超限运输行政许可办理流程,提高审批效率。完善货运司机诚信管理制度,研究解决司机异地从业诚信结果签注问题。(交通运输部负责,2018年底前完成)深化铁路货运改革,适度引入竞争,鼓励铁路运输企业与港口企业、物流园区等开展合资合作。推动国家铁路与地方铁路有效衔接,提高铁路资源利用率。支持铁路货运场站向综合物流基地转型升级,发展高铁快运及电商班列等铁路快捷货运产品,提高铁路物流服务质量。推动航空货运企业兼并重组、做强做大,增强高端物流市场服务能力。鼓励公路、铁路、民航部门和企业整合资源,加强合作,开展一体化物流运作。(国家发展改革委、交通运输部牵头,国务院国资委、中国民航局、中国铁路总公司按职责分工负责,持续推进)

3. 优化货运车辆通行管控。指导各地开展城市配送需求量调查等前瞻性研究。对企业从事生活必需品、药品、鲜活农产品和冷藏保鲜产品配送,以及使用节能与新能源车辆从事配送的,优先给予通行便利。合理确定配送车辆停靠卸货区域。规范公路超限治理处罚标准,减少执法中的自由裁量权。(交通运输部、公安部、商务部牵头,工业和信息化部、国家邮政局、国家标准委、国家发展改革委按职责分工负责,2017年底前完成)

4. 推动货物通关便利化。落实信息互换、监管互认、执法互助，推进“单一窗口”建设和“一站式作业”改革，提高通关效率。（海关总署、质检总局牵头，交通运输部、商务部、公安部按职责分工负责，2017年底前完成）

5. 提升行业监管水平。依托国家交通运输物流公共信息平台，推动政务信息资源共享和业务协同，加强物流运行监测、安全监管等大数据平台建设，通过数据收集、分析和管理，加强事中事后监管，提高物流运行监测、预测预警、公共服务能力。（交通运输部、公安部、国家发展改革委、工业和信息化部按职责分工负责，持续推进）

（五）降税清费，培育企业创新发展新动能。

6. 完善物流领域增值税政策。通过全面推开营改增改革试点，进一步消除重复征税，扩大交通运输业的进项税抵扣范围，降低企业税收负担。（财政部、税务总局牵头，国家发展改革委、交通运输部按职责分工负责，持续推进）结合增值税立法，积极研究统一物流各环节增值税税率问题。（财政部、税务总局按职责分工负责，根据增值税立法进程推进）物流企业可按照现行增值税汇总缴纳有关规定申请实行汇总纳税，鼓励物流企业一体化、网络化、规模化运作。（财政部、税务总局按职责分工负责，持续推进）

7. 降低物流企业运输收费水平。抓紧修订《收费公路管理条例》，调整完善收费公路政策，科学合理确定车辆通行费标准。（交通运输部、国家发展改革委、财政部按职责分工负责，2017年底前完成）逐步有序取消政府还贷二级公路收费。贯彻落实《道路运输车辆技术管理规定》，取消营运车辆二级维护强制性检测。（交通运输部、国家发展改革委、财政部按职责分工负责，持续推进）

8. 规范物流领域收费行为。督促港口、铁路、航空等企业严格落实明码标价制度，实行进出口环节收费目录清单制，推进收费管理制度化、科学化、透明化。（国家发展改革委、交通运输部、财政部牵头，质检总局、海关总署、中国民航局、中国铁路总公司按职责分工负责，2017年6月底前完成）

9. 调整完善相关管理政策。落实“互联网+”行动要求，完善物流业相关管理政策，鼓励企业开展创新。（国家发展改革委、交通运输部牵头，工业和信息化部、国家网信办、税务总局按职责分工负责，2018年底前完成）支持依托互联网平台的无车承运人发展。研究完善交通运输业个体纳税人异地代开增值税专用发票管理制度。（交通运输部、税务总局按职责分工负责，2017年底前完成）

（六）补短强基，完善支撑物流高效运行的设施和标准体系。

10. 建立与现代产业体系相匹配的国家级物流枢纽体系。按照服务现代产业发展的要求和物流业围绕节点城市、沿交通通道集群式发展的特点，结合“一带一路”建设、京津冀协同发展、长江经济带发展三大战略，研究编制国家级物流枢纽设施布局和建设规划，运用大数据等先进信息技术，科学测算货物的流量流向，兼顾存量、优化增量，布局和完善一批具有多式联运功能的综合物流枢纽，统筹推进公路、铁路、水运、民航等基础设施无缝衔接。（国家发展改革委、交通运输部牵头，中国民航局、中国铁路总公司按职责分工负责，2017 年底前完成）

11. 健全有效衔接的物流标准体系。综合梳理各项国家标准、行业标准，加强不同领域、国内与国际标准间的协调衔接。根据行业发展需求，加快制修订冷链物流、绿色物流等方面标准。培育发展物流团体标准，鼓励企业制定严于国家和行业标准、具有竞争力的企业标准，促进政府主导制定标准与市场自主制定标准的协同发展，构建体系完备、高效协调的新型物流标准体系。（国家标准委牵头，国家发展改革委、商务部、工业和信息化部、交通运输部、中国铁路总公司按职责分工负责，2018 年底前完成）完善物流服务规范，研究出台提高物流服务质量的相关意见。（质检总局、国家发展改革委按职责分工负责，2016 年底前完成）大力推广托盘（1.2 米 ×1 米）、周转箱、集装箱等标准化装载单元循环共用，鼓励企业建立区域性、全国性托盘循环共用系统，在快速消费品、农产品、药品等领域开展试点，支持开展托盘租赁、维修等延伸服务。（商务部、财政部、国家发展改革委按职责分工负责，2016 年底前完成）加强各类物流标准的宣传贯彻工作。（国家标准委、国家发展改革委按职责分工负责，持续推进）

12. 构建高效运行的多式联运体系。依托国际、国内物流大通道，加强繁忙区段扩能改造，支持主要港口、大型综合性物流园区集疏运体系建设，着力解决“最后一公里”问题，加快形成贯通内外的多式联运网络体系。大力发展铁水联运、公铁联运、陆空联运等先进运输组织方式，发挥铁路、水运干线运输优势。开展多式联运、集装箱铁水联运等示范工程，加强在设施标准、运载工具、管理规则、信息系统等方面的统一衔接，提高干线运输效率和一体化服务水平。（交通运输部、国家发展改革委牵头，工业和信息化部、商务部、海关总署、中国铁路总公司按职责分工负责，2017 年底前完成）

13. 完善城市物流配送体系。优化城市物流基础设施布局，完善城市三级配送网络。依托重要交通枢纽、物流集散地规划建设或改造升级一批集运输、仓储、配送、信息交易于一体的综合物流服务基地，促进干线运输与城市配送有效衔接。加强公用型城市配送节点建设，优化配送相关设施布局，引导仓储配送资源开放共享。鼓励中心城区铁路货场转型发展为城市配送中心。支持城市末端配送点建设，大力发展智能快件箱。按照共享经济理念探索发展集约化的新型城市配送模式。在有条件的城市研究推行“分时段配送”、“夜间配送”。（商务部、国家发展改革委、交通运输部牵头，国家邮政局、公安部、住房城乡建设部、中国铁路总公司按职责分工负责，持续推进）

14. 健全农村物流配送网络。建立农村物流大企业联盟，推动物流企业、电商企业和邮政企业、供销合作社等充分利用现有物流资源开展深度合作，推动县级仓储配送中心、农村物流快递公共取送点建设，完善县乡村三级物流配送网络。（国家发展改革委、商务部牵头，国家邮政局、供销合作总社、交通运输部、国土资源部、工业和信息化部按职责分工负责，2017 年底前完成）加大对农产品冷链物流设施和农产品批发市场建设的支持力度，促进工业品下乡和农产品进城的双向流通。（国家发展改革委、商务部按职责分工负责，持续推进）

（七）互联互通，建立协作共享和安全保障新机制。

15. 促进物流信息互联共享。推动物流活动信息化、数据化。依托国家交通运输物流公共信息平台，加强信息平台接口标准的制定和推广。（交通运输部、国家发展改革委按职责分工负责，2017 年底前完成）结合现代物流创新发展城市试点，建立政府物流数据公开目录，促进政府数据资源整合和开放共享。推动各类物流信息平台互联互通，促进综合交通运输信息和物流服务信息等有效衔接。开展物流大数据应用示范，鼓励政府、企业间的物流大数据共享协作，为提高物流资源配置效率提供基础支撑。（国家发展改革委、交通运输部牵头，工业和信息化部、商务部、公安部、海关总署、质检总局、工商总局、税务总局、中国铁路总公司按职责分工负责，2018 年 6 月底前完成）

16. 鼓励信息平台创新发展。发挥物流信息平台在优化整合物流资源、促进信息互联互通、提高物流组织化程度中的重要作用，扶持运输配载、跟踪追溯、库存监控等各类专业化、特色化的物流信息平台创新发展，提供追踪溯源、数据分析、担保结算、融资保险、信用评价等增值服务。推动物流信息平台与供应链上下游企业系统对接，增强协同运作能力。（国家发展改革委、交通运输部牵头，工业和信息化部、商务部、国家网信办按职责分工负责，持续推进）

17. 完善物流行业诚信体系。依托全国信用信息共享平台和各类行业信用信息平台、专业化物流信息平台等，加强物流行业与公安、工商、交通、保险等部门的信息共享，建立物流从业单位和从业人员信用信息档案，定期发布严重失信"黑名单"，并通过企业信用信息公示系统、"信用中国"网站等及时向社会公开，完善物流企业及相关责任主体守信激励和失信惩戒机制。（国家发展改革委、交通运输部牵头，人民银行、商务部、公安部、海关总署、质检总局、工商总局、税务总局等部门按职责分工负责，2017 年底前完成）

18. 加强物流业网络安全保障。加强国家交通运输物流公共信息平台等关键信息基础设施的信息安全等级保护工作，落实数据库安全管理等各项网络安全保障措施，明确网络安全保障责任，保障数据信息安全。建立防范物流业网络安全风险和打击物流业网络违法犯罪工作机制，保障物流业网络安全。（公安部、交通运输部牵头，工业和信息化部、国家发展改革委等部门按职责分

工负责,持续推进)

(八)联动融合,构建产业链共赢新格局。

19. 推动物流业与制造业联动发展。结合“中国制造2025”战略部署,鼓励物流企业面向制造业转型升级需求,拓展提升综合服务能力,为生产企业提供采购物流、入厂物流、交付物流、回收物流等精细物流服务,重塑业务流程,建立面向企业用户的一体化智慧供应链管理服务体系,推动物流业与制造业协调发展,进一步降低产业物流成本。(国家发展改革委、工业和信息化部按职责分工负责,持续推进)

20. 促进交通物流融合发展。加强物流服务设施和交通运输干线网络的衔接,加强铁路、港口物流基地与公路的衔接配套,推动建设一批专用铁路、公路进港和引入产业园区项目,完善公路物流枢纽服务功能,解决枢纽布局不合理、集疏运体系不畅、信息孤岛现象突出等问题,推动现代物流与交通运输一体化融合发展,提高综合效率效益和服务水平。(国家发展改革委、交通运输部、中国铁路总公司牵头,国土资源部、住房城乡建设部按职责分工负责,2017年6月底前完成)

21. 促进商贸业与物流业融合发展。加强大数据、云计算等技术应用,探索“商贸+互联网+物流”融合发展新模式,增强物流协同服务能力,提升物流服务质量和效率,降低实体商贸企业的物流成本。加强商贸企业现有渠道资源整合利用,满足电商企业多样化、分散化、及时性销售的物流需求,延伸商贸业的服务链条,促进行业转型升级。(商务部、国家发展改革委、工业和信息化部按职责分工负责,持续推进)

三、保障措施

(九)加大对重要物流基础设施建设的投资支持。

各地发展改革部门要会同相关方面建立重要物流基础设施项目建设的协调机制和绿色审核通道,并将物流基础设施项目纳入现代物流重大工程进行调度,加强横向联动、有机衔接,形成工作合力。(国家发展改革委牵头,2016年底前完成)中央和地方资金要通过现有渠道积极支持符合条件的多式联运转运设施、城乡配送网络、农产品冷链物流、物流标准化和信息化等物流项目建设,发挥政府投资示范带动作用。(国家发展改革委牵头,商务部、交通运输部、财政部、国家邮政局等部门按职责分工负责,持续推进)

(十)完善落实支持物流业发展的用地政策。

在土地利用总体规划、城市总体规划、综合交通规划、商业网点规划中充分考虑并统筹保障物流业发展的合理用地需求。优化物流业用地空间布局,合理确定用地规模和强度,研究提高土地利用效率,降低土地使用成本。相关开发建设须符合法定规划要求,不得随意更改。(国土资源部、住房城乡建设部牵头，国家发展改革委、商务部按职责分工负责，持续推进）在《城市用地分类与规划建设用地标准》修订工作中，统筹考虑物流配送相关设施用地分类和标准问题。（住房城乡建设部负责，2017年底前完成）

（十一）拓宽物流企业投资融资渠道。

银行业金融机构要探索适合物流业发展特点的信贷产品和服务方式，在商业可持续、风险可控的前提下，进一步加大信贷支持力度。积极推动供应链金融服务持续健康发展。支持符合条件的企业通过发行公司债券、企业债券和上市等多种方式拓宽融资渠道，支持物流企业发行非金融企业债务融资工具筹集资金。创新投融资支持方式，鼓励社会资本以市场化方式设立现代物流产业投资基金，支持重点企业重要物流基础设施项目建设，培育形成一批具有较强国际竞争力的现代物流企业集团。（人民银行、银监会、国家发展改革委按职责分工负责，持续推进）

（十二）发挥好行业协会作用。

积极发挥行业协会在行业运行监测、标准制订与宣传推广、职业培训、行业自律、诚信体系建设、国际合作等方面的作用，引导支持企业加快技术创新和服务创新，加强内部管理，提升物流服务水平，共同推动物流行业健康有序发展。（国务院国资委、相关行业协会负责，持续推进）

（十三）加强组织协调和督促检查。

各地区、各有关部门要按照工作分工和完成时限要求，结合本地区、本部门实际，制定具体实施方案，落实工作责任。国家发展改革委要会同有关部门加强工作指导，及时协调解决政策落实中存在的问题，定期总结各项工作进展情况，进行专项督查，适时开展政策实施效果第三方评估工作，重要情况及时报告国务院。

国务院关于促进创业投资持续健康发展的若干意见

（2016年9月16日　国发〔2016〕53号）

创业投资是实现技术、资本、人才、管理等创新要素与创业企业有效结合的投融资方式，是推动大众创业、万众创新的重要资本力量，是促进科技创新成果转化的助推器，是落实新发展理念、实施创新驱动发展战略、推进供给侧结构性改革、培育发展新动能和稳增长、扩就业的重要举措。近年来，我国创业投资快速发展，不仅拓宽了创业企业投融资渠道、促进了经济结构调整和产业转型升级，增强了经济发展新动能，也提高了直接融资比重、拉动了民间投资服务实体经济，激发了创业创新、促进了就业增长。但同时也面临着法律法规和政策环境不完善、监管体制和行业信用体系建设滞后等问题，存在一些投资"泡沫化"现象以及非法集资风险隐患。按照党中央、国务院的决策部署，为进一步促进创业投资持续健康发展，现提出以下意见。

一、总体要求

创业投资是指向处于创建或重建过程中的未上市成长性创业企业进行股权投资，以期所投资创业企业发育成熟或相对成熟后，主要通过股权转让获取资本增值收益的投资方式。天使投资是指除被投资企业职员及其家庭成员和直系亲属以外的个人以其自有资金直接开展的创业投资活动。发展包括天使投资在内的各类创业投资，应坚持以下总体要求：

（一）指导思想。

牢固树立和贯彻落实创新、协调、绿色、开放、共享的发展理念，着力推进供给侧结构性改革，深入实施创新驱动发展战略，大力推进大众创业万众创新，使市场在资源配置中起决定性作用和更好发挥政府作用，进一步深化简政放权、放管结合、优化服务改革，不断完善体制机制，健全政策措施，加强统筹协调和事中事后监管，构建促进创业投资发展的制度环境、市场环境和生态环境，加快形成有利于创业投资发展的良好氛围和"创业、创新＋创投"的协同互动发展格局，进一步扩大创业投资规模，促进创业投资做大做强做优，培育一批具有国际影响力和竞争力的中国创业投资品牌，推动我国创业投资行业跻身世界先进行列。

（二）基本原则。

一是坚持服务实体。创业投资是改善投资结构、增加有效投资的重要手段。要进一步深化简政放权、放管结合、优化服务改革，创新监管方式，既要重视发挥大企业的骨干作用，也要通过创业投资激发广大中小企业的创造力和活力。以支持实体经济发展、助力创业企业发展为本，引导创业投资企业和创业投资管理企业秉承价值投资理念，鼓励长期投资和价值投资，防范和化解投资估值"泡沫化"可能引发的市场风险，积极应对新动能成长过程中对传统产业和行业可能造成的冲击，妥善处理好各种矛盾，加大对实体经济支持的力度，增强可持续性，构建"实体创投"投资环境。

二是坚持专业运作。以市场为导向，充分调动民间投资和市场主体的积极性，发挥市场规则作用，激发民间创新模式，防止同质化竞争。鼓励创业投资企业和创业投资管理企业从自身独特优势出发，强化专业化投资理念和投资策略，深化内部体制机制创新，加强对投资项目的投后管理和增值服务，不断提高创业投资行业专业化运作和管理水平，夯实"专业创投"运行基础。

三是坚持信用为本。以诚信为兴业之本、发展之基，加强创业投资行业信用体系建设，建立和完善守信联合激励和失信联合惩戒制度，促进创业投资企业和创业投资管理企业诚信守法，忠实履行对投资者的诚信义务，创建“信用创投”发展环境。

四是坚持社会责任。围绕推进创新型国家建设、支持大众创业万众创新、促进经济结构调整和产业转型升级的使命和社会责任，推动创业投资行业严格按照国家有关法律法规和相关产业政策开展投资运营活动，按照市场化、法治化原则，促进创业投资良性竞争和绿色发展，共同维护良好市场秩序，树立“责任创投”价值理念。

二、培育多元创业投资主体

（三）加快培育形成各具特色、充满活力的创业投资机构体系。鼓励各类机构投资者和个人依法设立公司型、合伙型创业投资企业。鼓励行业骨干企业、创业孵化器、产业（技术）创新中心、创业服务中心、保险资产管理机构等创业创新资源丰富的相关机构参与创业投资。鼓励具有资本实力和管理经验的个人通过依法设立一人公司从事创业投资活动。鼓励和规范发展市场化运作、专业化管理的创业投资母基金。（国家发展改革委、科技部、工业和信息化部、人力资源社会保障部、商务部、国务院国资委、工商总局、银监会、证监会、保监会按职责分工负责）

（四）积极鼓励包括天使投资人在内的各类个人从事创业投资活动。鼓励成立公益性天使投资人联盟等各类平台组织，培育和壮大天使投资人群体，促进天使投资人与创业企业及创业投资企业的信息交流与合作，营造良好的天使投资氛围，推动天使投资事业发展。规范发展互联网股权融资平台，为各类个人直接投资创业企业提供信息和技术服务。（国家发展改革委、科技部、证监会按职责分工负责）

三、多渠道拓宽创业投资资金来源

（五）大力培育和发展合格投资者。在风险可控、安全流动的前提下，支持中央企业、地方国有企业、保险公司、大学基金等各类机构投资者投资创业投资企业和创业投资母基金。鼓励信托公司遵循价值投资和长期投资理念，充分发挥既能进行创业投资又能发放贷款的优势，积极探索新产品、新模式，为创业企业提供综合化、个性化金融和投融资服务。培育合格个人投资者，支持具有风险识别和风险承受能力的个人参与投资创业投资企业。（国家发展改革委、财政部、国务院国资委、银监会、证监会、保监会按职责分工负责）

（六）建立股权债权等联动机制。按照依法合规、风险可控、商业可持续的原则，建立创业投资企业与各类金融机构长期性、市场化合作机制，进一步降低商业保险资金进入创业投资领域的门槛，推动发展投贷联动、投保联动、投债联动等新模式，不断加大对创业投资企业的投融资支持。加强“防火墙”相关制度建设，有效防范道德风险。支持银行业金融机构积极稳妥开展并购贷款业务，提高对创业企业兼并重组的金融服务水平。完善银行业金融机构投贷联动机制，稳妥有序推进投贷联动业务试点，推动投贷联动金融服务模式创新。支持创业投资企业及其股东依法依规发行企业债券和其他债务融资工具融资，增强投资能力。（国家发展改革委、科技部、人民银行、银监会、证监会、保监会按职责分工负责）

四、加强政府引导和政策扶持

（七）完善创业投资税收政策。按照税收中性、税收公平原则和税制改革方向与要求，统筹研究鼓励创业投资企业和天使投资人投资种子期、初创期等科技型企业的税收支持政策，进一步完善创业投资企业投资抵扣税收优惠政策，研究开展天使投资人个人所得税政策试点工作。（国家发展改革委、科技部、财政部、商务部、税务总局、证监会按职责分工负责）

（八）建立创业投资与政府项目对接机制。在全面创新改革试验区域、双创示范基地、国家高新区、国家自主创新示范区、产业（技术）创新中心、科技企业孵化器、众创空间等，开放项目（企业）资源，充分利用政府项目资源优势，搭建创业投资与企业信息共享平台，打通创业资本和项目之间的通道，引导创业投资企业投资于国家科技计划（专项、基金等）形成科技成果的转化。挖掘农业领域创业投资潜力，依托农村产业融合发展园区、农业产业化示范基地、农民工返乡创业园等，通过发展第二、三产业，改造提升第一产业。有关方面要配合做好项目对接和服务。（国家发展改革委、科技部、工业和信息化部、农业部、商务部按职责分工负责）

（九）研究鼓励长期投资的政策措施。倡导长期投资和价值投资理念，研究对专注于长期投资和价值投资的创业投资企业在企业债券发行、引导基金扶持、政府项目对接、市场化退出等方面给予必要的政策支持。研究建立所投资企业上市解禁期与上市前投资期限长短反向挂钩的制度安排。（国家发展改革委、科技部、财政部、人民银行、证监会按职责分工负责）

（十）发挥政府资金的引导作用。充分发挥政府设立的创业投资引导基金作用，加强规范管理，加大力度培育新的经济增长点，促进就业增长。充分发挥国家新兴产业创业投资引导基金、国家中小企业发展基金、国家科技成果转化引导基金等已设立基金的作用。对于已设立基金未覆盖且需要政府引导支持的领域，鼓励有条件的地方按照“政府引导、市场化运作”原则推动设立创业投资引导基金，发挥财政资金的引导和聚集放大作用，引导民间投资等社会资本投入。进一步提高创业投资引导基金市场化运作效率，促进政策目标实现，维护出资人权益。鼓励创业投资引导基金注资市场化母基金，由专业化创业投资管理机构受托管理引导基金。综合运用参股基金、联合投资、融资担保、政府出资适当让利于社会出资等多种方式,进一步发挥政府资金在引导民间投资、扩大直接融资、弥补市场失灵等方面的作用。建立并完善创业投资引导基金中政府出资的绩效评价制度。(国家发展改革委、科技部、工业和信息化部、财政部按职责分工负责)

五、完善创业投资相关法律法规

(十一)构建符合创业投资行业特点的法制环境。进一步完善促进创业投资发展相关法律法规,研究推动相关立法工作,推动完善公司法和合伙企业法。完善创业投资相关管理制度,推动私募投资基金管理暂行条例尽快出台,对创业投资企业和创业投资管理企业实行差异化监管和行业自律。完善外商投资创业投资企业管理制度。(国家发展改革委、商务部、证监会按职责分工负责)

(十二)落实和完善国有创业投资管理制度。鼓励国有企业集众智,开拓广阔市场空间,增强国有企业竞争力。支持有需求、有条件的国有企业依法依规、按照市场化方式设立或参股创业投资企业和创业投资母基金。强化国有创业投资企业对种子期、初创期等创业企业的支持,鼓励国有创业投资企业追求长期投资收益。健全符合创业投资行业特点和发展规律的国有创业投资管理体制,完善国有创业投资企业的监督考核、激励约束机制和股权转让方式,形成鼓励创业、宽容失败的国有创业投资生态环境。支持具备条件的国有创业投资企业开展混合所有制改革试点,探索国有创业投资企业和创业投资管理企业核心团队持股和跟投。探索地方政府融资平台公司转型升级为创业投资企业。依法依规豁免国有创业投资企业和国有创业投资引导基金国有股转持义务。(国家发展改革委、财政部、国务院国资委、证监会按职责分工负责)

六、进一步完善创业投资退出机制

(十三)拓宽创业投资市场化退出渠道。充分发挥主板、创业板、全国中小企业股份转让系统以及区域性股权市场功能,畅通创业投资市场化退出渠道。完善全国中小企业股份转让系统交易机制,改善市场流动性。支持机构间私募产品报价与服务系统、证券公司柜台市场开展直接融资业务。鼓励创业投资以并购重组等方式实现市场化退出,规范发展专业化并购基金。(证监会牵头负责)

七、优化创业投资市场环境

(十四)优化监管环境。实施更多的普惠性支持政策措施,营造公平竞争的发展环境,深化简政放权、放管结合、优化服务改革,搞好服务,激发活力。坚持适度监管、差异监管和统一功能监管,创新监管方式,有效防范系统性区域性风险。对创业投资企业在行业管理、备案登记等方面采取与其他私募基金区别对待的差异化监管政策,建立适应创业投资行业特点的宽市场准入、重事中事后监管的适度而有效的监管体制。加强信息披露和风险揭示,引导创业投资企业建立以实体投资、价值投资和长期投资为导向的合理的投资估值机制。对不进行实业投资、从事上市公司股票交易、助推投资泡沫及其他扰乱市场秩序的创业投资企业建立清查清退制度。建立行业规范，强化创业投资企业内控机制、合规管理和风险管理机制。加强投资者保护，特别是要进一步完善产权保护制度，依法保护产权和投资者合法经营、合法权益和合法财产。加强投资者教育，相关投资者应为具有风险识别和风险承受能力的合格投资者。建立并完善募集资金的托管制度，规范创业投资企业募集资金行为，打击违法违规募集资金行为。健全对创业投资企业募集资金、投资运作等与保护投资者权益相关的制度规范，加强日常监管。（国家发展改革委、科技部、国务院国资委、证监会按职责分工负责）

（十五）优化商事环境。各地区、各部门不得自行出台限制创业投资企业和创业投资管理企业市场准入和发展的有关政策。建立创业投资行业发展备案和监管备案互联互通机制，为创业投资企业备案提供便利，放宽创业投资企业的市场准入。持续深化商事制度改革，提高工商登记注册便利化水平。促进创业投资行业加强品牌建设。（国家发展改革委、工商总局、证监会会同各有关部门按职责分工负责）

（十六）优化信用环境。有关部门、行业组织和社会征信机构要进一步建立健全创业投资企业、创业投资管理企业及其从业人员信用记录，实现创业投资领域信用记录全覆盖。推动创业投资领域信用信息纳入全国信用信息共享平台，并与企业信用信息公示系统实现互联互通。依法依规在"信用中国"网站和企业信用信息公示系统公示相关信息。加快建立创业投资领域严重失信黑名单制度，鼓励有关社会组织探索建立守信红名单制度，依托全国信用信息共享平台，按照有关法律法规和政策规定实施守信联合激励和失信联合惩戒。建立健全创业投资行业信用服务机制，推广使用信用产品。（国家发展改革委、商务部、人民银行、工商总局、证监会按职责分工负责）

（十七）严格保护知识产权。完善知识产权保护相关法律法规和制度规定，加强对创业创新早期知识产权保护，在市场竞争中培育更多自主品牌，健全知识产权侵权查处机制，依法惩治侵犯知识产权的违法犯罪行为，将企业行政处罚、黑名单等信息纳入全国信用信息共享平台，对严重侵犯知识产权的责任主体实施联合惩戒，并通过"信用中国"网站、企业信用信息公示系统等进行公示，创造鼓励创业投资的良好知识产权保护环境。（国家发展改革委、人民银行、工商总局、知识产权局、证监会等按职责分工负责）

八、推动创业投资行业双向开放

（十八）有序扩大创业投资对外开放。发展创业投资要坚持走开放式发展道路，通过吸引境外投资，引进国际先进经验、技术和管理模式，提升我国创业投资企业的国际竞争力。按照对内外资一视同仁的原则,放宽外商投资准入,简化管理流程,鼓励外资扩大创业投资规模,加大对种子期、初创期创业企业支持力度。鼓励和支持境内外投资者在跨境创业投资及相关的投资贸易活动中使用人民币。允许外资创业投资企业按照实际投资规模将外汇资本金结汇所得的人民币划入被投资企业。(国家发展改革委、商务部、人民银行、国家外汇局按职责分工负责)

(十九)鼓励境内有实力的创业投资企业积极稳妥"走出去"。完善境外投资相关管理制度,引导和鼓励创业投资企业加大对境外及港、澳、台地区高端研发项目的投资,积极分享高端技术成果。(国家发展改革委、商务部、人民银行、国家外汇局按职责分工负责)

九、完善创业投资行业自律和服务体系

(二十)加强行业自律。加快推进依法设立全国性创业投资行业协会,鼓励具备条件的地区成立创业投资协会组织,搭建行业协会交流服务平台。充分发挥行业协会在行业自律管理和政府与市场沟通中的积极作用,加强行业协会在政策对接、会员服务、信息咨询、数据统计、行业发展报告、人才培养、国际交流合作等方面的能力建设,支持行业协会推动创业投资行业信用体系建设和社会责任建设,维护有利于行业持续健康发展的良好市场秩序。(国家发展改革委、科技部、民政部、证监会按职责分工负责)

(二十一)健全创业投资服务体系。加强与创业投资相关的会计、征信、信息、托管、法律、咨询、教育培训等各类中介服务体系建设。支持创业投资协会组织通过高等学校、科研院所、群团组织、创业投资企业、创业投资管理企业、天使投资人等多种渠道,以多种方式加强创业投资专业人才培养,加大教育培训力度,吸引更多的优秀人才从事创业投资,提高创业投资的精准度。(国家发展改革委、科技部、证监会按职责分工负责)

十、加强各方统筹协调

(二十二)加强政策顶层设计和统筹协调。国家发展改革委要会同有关部门加强促进创业投资发展的政策协调,建立部门之间、部门与地方之间政策协调联动机制,加强创业投资行业发展政策和监管政策的协同配合,增强政策针对性、连续性、协同性。建立相关政府部门促进创业投资行业发展的信息共享机制。(国家发展改革委、证监会会同有关部门按职责分工负责)

各地区、各部门要把促进创业投资持续健康发展作为深入实施创新驱动发展战略、推动大众创业万众创新、促进经济结构调整和产业转型升级的一项重要举措,按照职责分工抓紧制定相关配套措施,加强沟通协调,形成工作合力,确保各项政策及时落实到位,积极发展新经济、培育新动能、改造提升传统动能,推动中国经济保持中高速增长、迈向中高端水平。

国务院部门规章

国家统计局关于部分部门规章和规范性文件失效的决定

（2016年3月1日国家统计局令第18号公布　自公布之日起施行）

国家统计局对2015年12月31日前制发的部门规章和规范性文件进行了全面清理。经过清理，现决定《统计从业资格认定办法》（国家统计局令第10号）和《关于印发〈统计员岗位专业知识培训试行办法〉的通知》（统培字〔1990〕11号）、《国家统计局关于实施〈统计从业资格认定办法〉有关问题的批复》（国统函〔2005〕142号）、《国家统计局办公室关于统计从业资格考试等有关问题的通知》（国统办函〔2005〕103号）、《国家统计局统计科学研究所研究基地管理办法（试行）》失效。

本决定自公布之日起施行。

关于废止部分环保部门规章和规范性文件的决定

（2016年7月13日环境保护部令第40号公布　自公布之日起施行）

根据《国务院办公厅关于做好行政法规部门规章和文件清理工作有关事项的通知》（国办函〔2016〕12号），我部决定对下列10件规章和121件规范性文件予以废止：

一、决定予以废止的规章

1. 城市放射性废物管理办法（1987年7月16日，（87）环放字第239号）

2. 废物进口环境保护管理暂行规定（1996年4月1日，环控〔1996〕204号）

3. 关于废物进口环境保护管理暂行规定的补充规定（1996年7月26日，

环控〔1996〕629 号）

4. 秸秆禁烧和综合利用管理办法（1999 年 4 月 16 日，环发〔1999〕98 号）

5. 污染源监测管理办法（1999 年 11 月 2 日，环发〔1999〕246 号）

6. 畜禽养殖污染防治管理办法（2001 年 5 月 9 日，原国家环境保护总局令第 9 号）

7. 淮河和太湖流域排放重点水污染物许可证管理办法（试行）（2001 年 7 月 2 日，原国家环境保护总局令第 11 号）

8. 废弃危险化学品污染环境防治办法（2005 年 8 月 30 日，原国家环境保护总局令第 27 号）

9. 限期治理管理办法（试行）（2009 年 7 月 8 日，环境保护部令第 6 号）

10. 危险化学品环境管理登记办法（试行）（2012 年 10 月 11 日，环境保护部令第 22 号）

二、决定予以废止的规范性文件

1. 关于执行建设项目环境影响评价制度有关问题的通知（1999 年 4 月 29 日，环发〔1999〕107 号）

2. 关于建设项目环境保护设施竣工验收监测管理有关问题的通知（2000 年 2 月 23 日，环发〔2000〕38 号）

3. 关于发布《2000 年机动车环保达标车型名录》实施《轻型汽车污染物排放标准》的通知（2000 年 7 月 4 日，环发〔2000〕135 号）

4. 关于印发《地方机动车大气污染物排放标准审批办法》的通知（2001 年 2 月 22 日，环发〔2001〕21 号）

5. 关于公布《建设项目竣工环境保护申请报告》等四种文件格式的通知（2001 年 12 月 31 日，环发〔2001〕214 号）

6. 国家计委、国家环境保护总局关于规范环境影响咨询收费有关问题的通知（2002 年 1 月 31 日，计价格〔2002〕125 号）

7. 关于执行《国家计委、国家环境保护总局关于规范环境影响咨询收费有关问题的通知》有关问题的通知（2002 年 3 月 28 日，环发〔2002〕54 号）

8. 关于对新车（机）型排放达标申报审核工作进行调整的通知（2002 年 7 月 12 日，环办函〔2002〕233 号）

9. 关于核定建设项目主要污染物排放总量控制指标有关问题的通知（2003 年 3 月 25 日，环办〔2003〕25 号）

10. 关于建设项目竣工环境保护验收实行公示的通知（2003 年 3 月 28 日，环办〔2003〕26 号）

11. 关于高压送变电设施环境影响评价适用标准的复函（2004 年 8 月 4 日，环函〔2004〕253 号）

12. 关于印发《环境影响评价工程师职业资格登记管理暂行办法》的通知(2005 年 2 月 24 日,环发〔2005〕24 号)

13. 关于环境影响评价工程师职业资格登记工作有关事项的公告(2005 年 11 月 21 日,原国家环境保护总局公告 2005 年第 52 号)

14. 关于执行《建设项目环境影响评价资质管理办法》有关问题的通知(2005 年 11 月 23 日,环办〔2005〕126 号)

15. 关于印发全国生态县、生态市创建工作考核方案的通知(2005 年 12 月 13 日,环办〔2005〕137 号)

16. 关于病原微生物实验室项目环境影响评价资质有关问题的通知(2006 年 2 月 14 日,环办〔2006〕14 号)

17. 关于开展国家生态县、生态市考核验收工作的通知(2006 年 3 月 15 日,环办〔2006〕28 号)

18. 关于印发《环境保护行政主管部门突发环境事件信息报告办法(试行)》的通知(2006 年 3 月 31 日,环发〔2006〕50 号)

19. 关于印发《新生产机动车排放污染申报检测机构管理办法》的通知(2006 年 4 月 24 日,环发〔2006〕59 号)

20. 关于明确《放射性同位素与射线装置安全许可管理办法》有关问题的通知(2006 年 6 月 7 日,环函〔2006〕224 号)

21. 关于实行甲级建设项目环境影响评价机构评价范围分级管理的公告(2006 年 7 月 26 日,原国家环境保护总局公告 2006 年第 36 号)

22. 关于开展电磁辐射设备(设施)申报登记工作的通知(2006 年 12 月 5 日,环办〔2006〕138 号)

23. 关于印发《环保总局突发环境事件应急工作暂行办法》的通知(2006 年 12 月 26 日,环发〔2006〕205 号)

24. 关于印发《中央财政主要污染物减排专项资金项目管理暂行办法》的通知(2007 年 5 月 11 日,环发〔2007〕67 号)

25. 关于印发《环境影响评价工程师继续教育暂行规定》的通知(2007 年 6 月 25 日,环发〔2007〕97 号)

26. 关于高压输变电建设项目环评适用标准等有关问题的复函(2007 年 11 月 28 日,环办函〔2007〕881 号)

27. 关于 35 千伏送、变电系统建设项目环境管理有关问题的复函(2007 年 11 月 30 日,环办函〔2007〕886 号)

28. 关于印发《国家生态工业示范园区管理办法(试行)》的通知(2007 年 12 月 10 日,环发〔2007〕188 号)

29. 关于发布《禁止进口固体废物目录》、《限制进口类可用作原料的固体废物目录》和《自动许可进口类可用作原料的固体废物目录》的公告(2008 年 2 月 4 日,原国家环境保护总局公告 2008 年第 11 号)

30. 关于进一步做好国控重点污染源自动监控能力建设项目实施工作的通知(2008 年 2 月 22 日,环发〔2008〕25 号)

31. 关于加强上市公司环境保护监督管理工作的指导意见(2008 年 2 月 22 日,环发〔2008〕24 号)

32. 关于加强放射性同位素与射线装置辐射安全和防护工作的通知(2008 年 4 月 14 日,环发〔2008〕13 号)

33. 关于加强核设施核安全管理工作的通知(2008 年 4 月 16 日,国核安函〔2008〕26 号)

34. 关于加强铀矿冶设施安全管理工作的通知(2008 年 4 月 25 日,环办函〔2008〕119 号)

35. 关于加强核设施运行管理工作的通知(2008 年 5 月 15 日,国核安发〔2008〕43 号)

36. 关于加强土壤污染防治工作的意见(2008 年 6 月 6 日,环发〔2008〕48 号)

37. 关于执行《水污染防治法》第 73 条和第 74 条"应缴纳排污费数额"规定有关问题的通知(2008 年 6 月 13 日,环发〔2008〕52 号)

38. 关于印发《上市公司环保核查行业分类管理名录》的通知(2008 年 6 月 24 日,环办函〔2008〕373 号)

39. 关于加强国控重点污染源监督性监测的通知(2008 年 7 月 11 日,环办〔2008〕53 号)

40. 关于加强环境影响评价机构及从业人员管理的通知(2008 年 7 月 24 日,环发〔2008〕69 号)

41. 关于环境监测数据公开范围有关问题的复函(2008 年 7 月 29 日,环函〔2008〕157 号)

42. 关于开展排污费征收稽查试点工作的通知(2008 年 8 月 1 日,环办〔2008〕57 号)

43. 关于开展医疗废物环境管理检查工作的通知(2008 年 8 月 4 日,环办函〔2008〕539 号)

44. 关于环境影响评价工程师职业资格再次登记的公告(2008 年 9 月 9 日,环境保护部公告 2008 年第 43 号)

45. 关于深化企业环境监督员制度试点工作的通知(2008 年 9 月 18 日,环发〔2008〕89 号)

46. 关于加强不合格奶制品销毁环境监管工作的通知(2008 年 10 月 20

日,环办〔2008〕81号)

47. 关于高压输变电建设项目环境监管问题的复函(2008年11月6日,环办函〔2008〕789号)

48. 关于同意将C.I. 活性黄107等101种化学物质列入《已在中国境内生产或者进口的化学物质名单》的复函(2008年12月26日,环办函〔2008〕944号)

49. 关于发布《中国严格限制进出口的有毒化学品目录》(2009年)的公告(2008年12月31日,环境保护部、海关总署公告(2008年第66号)

50. 关于加快国控重点污染源自动监控能力建设项目核心应用软件部署工作的通知(2009年1月19日,环函〔2009〕17号)

51. 关于发布《环境保护部直接审批环境影响评价文件的建设项目目录》及《环境保护部委托省级环境保护部门审批环境影响评价文件的建设项目目录》的公告(2009年2月20日,环境保护部公告2009年第7号)

52. 关于公布新化学物质登记测试机构名单的公告(2009年3月23日,环境保护部2009年第14号)

53. 关于环境影响评价工程师职业资格登记管理有关问题的公告(2009年4月8日,环境保护部公告2009年第20号)

54. 关于印发《建设项目环境影响评价岗位证书管理办法》的通知(2009年4月13日,环办〔2009〕45号)

55. 关于印发《中央农村环境保护专项资金环境综合整治项目管理暂行办法》的通知(2009年4月21日,环发〔2009〕48号)

56. 关于进一步加强危险废物管理防范事故风险的紧急通知(2009年4月24日,环办〔2009〕51号)

57. 关于开展办理铀矿山采矿许可证阶段环境影响评价工作有关问题的复函(2009年4月29日,环办函〔2009〕397号)

58. 关于进一步加大对医疗废物和医疗废水监管力度的紧急通知(2009年4月30日,环办〔2009〕53号)

59. 关于高压输变电建设项目环境影响评价执行标准问题的复函(2009年5月14日,环办函〔2009〕465号)

60. 关于环境影响评价工程师职业资格注销登记事项的公告(2009年5月22日,环境保护部公告2009年第27号)

61. 关于输变电设施电磁辐射环境监管问题的复函(2009年6月8日,环办函〔2009〕578号)

62. 关于公布环境保护部审批的建设项目竣工环境保护验收调查推荐单位名单(2009年)的公告(2009年6月9日,环境保护部公告2009年第28号)

63. 关于贯彻落实家电以旧换新政策加强废旧家电拆解处理环境管理的指导意见(2009 年 7 月 1 日,环发〔2009〕73 号)

64. 关于调整进口废物管理目录的公告(2009 年 7 月 3 日,环境保护部公告 2009 年第 36 号)

65. 关于印发《机动车环保检验合格标志管理规定》的通知(2009 年 7 月 22 日,环发〔2009〕87 号)

66. 关于发布 2009 年进口废五金电器、废电线电缆和废电机定点加工利用单位名单的公告(2009 年 8 月 3 日,环境保护部公告 2009 年第 40 号)

67. 关于开展上市公司环保后督查工作的通知(2009 年 8 月 3 日,环办函〔2009〕777 号)

68. 关于印发《环境保护部核事故应急预案》和《环境保护部辐射事故应急预案》的通知(2009 年 10 月 12 日,环办函〔2009〕1045 号)

69. 关于贯彻落实抑制部分行业产能过剩和重复建设引导产业健康发展的通知(2009 年 11 月 2 日,环发〔2009〕127 号)

70. 关于同意将 2 – 溴已酸等 53 种化学物质列入《已在中国境内生产或者进口的化学物质名单》的复函(2009 年 11 月 5 日,环办函〔2009〕1147 号)

71. 关于高压输变电工程环评审批有关问题的复函(2009 年 11 月 10 日,环核函〔2009〕81 号)

72. 关于发布《进口废钢铁环境保护管理规定(试行)》的公告(2009 年 12 月 11 日,环境保护部公告 2009 年第 66 号)

73. 关于发布《中国严格限制进出口的有毒化学品目录》(2010 年)的公告(2009 年 12 月 28 日,环境保护部公告 2009 年第 76 号)

74. 关于《进口废物管理目录》变更部分海关商品编号和海关商品名称的公告(2009 年 12 月 31 日,环境保护部公告 2009 年第 78 号)

75. 关于印发《国家重点监控企业污染源自动监测设备监督考核合格标志使用办法》的通知(2010 年 3 月 2 日,环办〔2010〕25 号)

76. 关于同意 4,6 – 二氯嘧啶等 24 种化学物质列入《已在中国境内生产或者进口的化学物质名单》的复函(2010 年 3 月 15 日,环办函〔2010〕265 号)

77. 关于实行差别排污收费政策提高落后产能和重金属排放企业排污费征收标准的函(2010 年 5 月 28 日,环函〔2010〕161 号)

78. 关于环境影响评价工程师职业资格注销登记有关事项的公告(2010 年 6 月 8 日,环境保护部公告 2010 年第 47 号)

79. 关于进一步严格上市环保核查管理制度加强上市公司环保核查后督查工作的通知(2010 年 7 月 8 日,环发〔2010〕78 号)

80. 关于同意将 4 –(反 – 4 – 乙基环已基)溴苯等 149 种化学物质进入《已

在中国境内生产或者进口的化学物质名单》的复函(2010 年 8 月 12 日,环办函〔2010〕859 号)

81. 关于同意三(氨基磺酸)钇等 74 种化学物质列入《已在中国境内生产或者进口的化学物质名单》的复函(2010 年 9 月 15 日,环办函〔2010〕997 号)

82. 关于发布《中国严格限制进出口的有毒化学品目录》(2011 年)的公告(2010 年 12 月 29 日,环境保护部、海关总署公告(2010 年第 101 号)

83. 关于印发《固体废物进口管理办法》有关情况的函(2010 年 12 月 30 日,环办函〔2010〕1446 号)

84. 关于同意 4-氨基-5-氨甲基-2-甲基嘧啶等 150 种化学物质列入《已在中国境内生产或者进口的化学物质名单》的复函(2011 年 1 月 6 日,环办函〔2011〕13 号)

85. 关于钢压延加工及铁合金等项目环评审批有关问题的复函(2011 年 1 月 18 日,环办函〔2011〕57 号)

86. 关于进一步规范监督管理严格开展上市公司环保核查工作的通知(2011 年 2 月 14 日,环办〔2011〕14 号)

87. 关于外商投资项目环境影响评价文件审批权限问题的复函(2011 年 2 月 15 日,环办函〔2011〕157 号)

88. 关于水泥粉磨站项目环评审批有关问题的复函(2011 年 2 月 18 日,环办函〔2011〕180 号)

89.《进口可用作原料的固体废物环境保护管理规定》(2011 年 3 月 14 日,环境保护部公告 2011 年第 23 号)

90. 关于做好"十二五"时期规划环境影响评价工作的通知(2011 年 4 月 15 日,环发〔2011〕43 号)

91. 关于进一步做好污染源自动监测数据有效性审核工作的通知(2011 年 9 月 20 日,环办函〔2011〕1117 号)

92. 关于废杂铜生产电解铜项目环评审批权限的复函(2011 年 11 月 21 日,环办函〔2011〕1363 号)

93. 关于明确养殖场项目环境影响评价有关问题的复函(2011 年 12 月 5 日,环函〔2011〕337 号)

94. 关于发布《中国严格限制进出口的有毒化学品目录》(2012 年)的公告(2011 年 12 月 28 日,环境保护部、海关总署公告 2011 年第 91 号)

95. 关于《进口废物管理目录》变更部分海关商品编号和海关商品名称的公告(2011 年 12 月 30 日,环境保护部公告 2011 年第 93 号)

96. 关于同意碳酸镧(Ⅲ)等 78 种化学物质进入《已在中国境内生产或者进口的化学物质名单》的复函(2012 年 1 月 5 日,环办函〔2012〕4 号)

97. 关于铁路建设项目变更环境影响评价有关问题的通知(2012 年 1 月 13 日,环办〔2012〕13 号)

98. 关于合成氨及尿素项目环评审批有关问题的复函(2012 年 3 月 20 日,环办函〔2012〕337 号)

99. 关于同意 3,5 - 二氯溴苯等 208 种化学物质进入《已在中国境内生产或者进口的化学物质名单》的复函(2012 年 4 月 28 日,环办函〔2012〕481 号)

100. 关于印发《"十二五"主要污染物总量减排监察系数核算办法》的通知(2012 年 5 月 16 日,环办〔2012〕79 号)

101. 关于加强化工园区环境保护工作的意见(2012 年 5 月 17 日,环发〔2012〕54 号)

102. 关于进一步明确部分民用核安全设备类别许可范围的通知(2012 年 6 月 25 日,国核安发〔2012〕106 号)

103. 关于加强化学品全过程环境管理着力维护公共安全的通知(2012 年 8 月 16 日,环办〔2012〕109 号)

104. 关于进一步优化调整上市环保核查制度的通知(2012 年 10 月 8 日,环发〔2012〕118 号)

105. 关于电池制造项目环评类别问题的复函(2013 年 1 月 25 日,环办函〔2013〕86 号)

106. 关于《进口废物管理目录》变更部分海关商品编号和海关商品名称的公告(2013 年 1 月 31 日,环境保护部公告 2013 年第 7 号)

107. 关于发布《危险化学品生产使用环境管理登记申请表》等四项《危险化学品环境管理登记办法(试行)》配套文件的通知(2013 年 3 月 22 日,环办〔2013〕28 号)

108. 关于多金属复杂金精矿综合回收项目环评审批权限的意见复函(2013 年 6 月 25 日,环办函〔2013〕709 号)

109. 关于印发《省级化学品环境管理能力建设标准》的通知(2013 年 7 月 5 日,环发〔2013〕70 号)

110. 关于印发《重点环境管理危险化学品及其特征化学污染物释放与转移报告表》和《重点环境管理危险化学品环境风险防控管理计划》的通知(2013 年 7 月 15 日,环办〔2013〕75 号)

111. 关于下放和加强进口废五金类废物加工利用企业认定工作的通知(2013 年 8 月 5 日,环函〔2013〕176 号)

112. 关于继续实施持久性有机污染物统计报表制度的通知(2013 年 9 月 22 日,环办〔2013〕89 号)

113. 关于对机动车环保标志管理规定有关问题的复函(2013 年 9 月 22

日，环办函〔2013〕1074号）

114. 关于商品混凝土搅拌站项目列入《建设项目环境影响评价分类管理名录》意见的复函（2013年11月6日，环办函〔2013〕1274号）

115. 关于“圈区管理”区内企业进口废五金类许可证有效期自动延期的函（2014年1月26日，环办函〔2014〕93号）

116. 关于进一步加强环境影响评价机构管理的意见（2014年3月4日，环办〔2014〕24号）

117. 关于发布《重点环境管理危险化学品目录》的通知（2014年4月4日，环办〔2014〕33号）

118. 关于水泥项目环境影响评价文件审批权限的复函（2014年7月30日，环办函〔2014〕929号）

119. 关于改革调整上市环保核查工作制度的通知（2014年10月20日，环发〔2014〕149号）

120. 关于铁矿开发项目环境影响评价文件审批权限的复函（2015年1月6日，环办函〔2015〕22号）

121. 关于调整《建设项目环境影响评价文件内部审查分类目录》的通知（2015年3月18日，环办〔2015〕31号）

水利部关于废止和修改部分规章的决定

（2016年8月1日水利部令第48号公布　自公布之日起施行）

按照国务院的安排部署，水利部对现行有效的部门规章进行了全面清理，决定废止2件、修改4件。

一、废止《黄河下游引黄灌溉管理规定》（1994年12月1日水利部水农水〔1994〕516号发布）。

二、废止《治理开发农村“四荒”资源管理办法》（1998年12月15日水利部水保〔1998〕546号发布）。

三、将《水利工程建设项目管理规定（试行）》（1995年4月21日水利部水建〔1995〕128号发布，2014年8月19日水利部令第46号修改）第十条中的“初步设计、施工准备（包括招标设计）”修改为“施工准备、初步设计”。

第十二条修改为：“水利工程建设项目可行性研究报告已经批准，年度水利投资计划下达后，项目法人即可开展施工准备。”

四、将《水利工程建设程序管理暂行规定》（1998年1月7日水利部水建

〔1998〕16 号发布,2014 年 8 月 19 日水利部令第 46 号修改)第二条中的“初步设计、施工准备(包括招标设计)”修改为“施工准备、初步设计”。

第六条改为第七条。

第七条改为第六条,修改为:“施工准备阶段

“1. 项目可行性研究报告已经批准,年度水利投资计划下达后,项目法人即可开展施工准备工作,其主要内容包括:

“(1)施工现场的征地、拆迁;

“(2)完成施工用水、电、通信、路和场地平整等工程;

“(3)必须的生产、生活临时建筑工程;

“(4)实施经批准的应急工程、试验工程等专项工程;

“(5)组织招标设计、咨询、设备和物资采购等服务;

“(6)组织相关监理招标,组织主体工程招标准备工作;

“2. 工程建设项目施工,除某些不适应招标的特殊工程项目外(须经水行政主管部门批准),均须实行招标投标。水利工程建设项目的招标投标,按有关法律、行政法规和《水利工程建设项目招标投标管理规定》等规章规定执行。”

五、将《长江河道采砂管理条例实施办法》(2003 年 6 月 2 日水利部令第 19 号发布,2010 年 3 月 12 日水利部令第 39 号修改,2010 年 12 月 28 日水利部令第 42 号第二次修改)第七条第三款修改为:“有下列情形之一的,采砂可行性论证报告由申请采砂的单位、个人按照要求自行或者委托有关机构编制,审批部门不得以任何形式要求申请人必须委托特定中介机构提供服务:

“(一)整修长江堤防进行吹填固基或者整治长江河道;

“(二)整治长江航道;

“(三)吹填造地。”

删去第七条第四款。

六、删去《水利工程建设项目验收管理规定》(2006 年 12 月 18 日水利部令第 30 号发布,2014 年 8 月 19 日水利部令第 46 号修改)第四十条。

同时,对相关规章的条文顺序作相应调整。

本决定自公布之日起施行。

中华人民共和国主要林木目录（第二批）

（2016 年 8 月 18 日国家林业局令第 41 号公布　自 2016 年 9 月 20 日起施行）

科	拉丁名	序号	属（种）	学名
松科	Pinaceae	1	杉松（辽东冷杉）	*Abies holophylla* Maximowicz
		2	臭冷杉	*Abies nephrolepis* (Trautvetter ex Maximowicz) Maximowicz
		3	油杉	*Keteleeria* spp.
杉科	Taxodiaceae	4	日本柳杉	*Cryptomeria japonica* (Thunberg ex Linnaeus f.) D. Don
		5	水松	*Glyptostrobus pensilis* (Staunt.) Koch
		6	台湾杉	*Taiwania* spp.
柏科	Cupressaceae	7	台湾扁柏	*Chamaecyparis obtusa* Siebold & Zuccarini var. formosana (Hayata) Hayat
		8	岷江柏木	*Cupressus chengiana* S. Y. Hu
		9	干香柏	*Cupressus duclouxiana* Hickel
		10	西藏柏木	*Cupressus torulosa* D. Don
		11	墨西哥柏木	*Cupressus lusitanica* Miller
		12	沙地柏（叉子圆柏）	*Juniperus sabina* Linnaeus
		13	杜松	*Juniperus rigida* Siebold & Zuccarini
		14	祁连圆柏	*Juniperus przewalskii* Komarov
罗汉松科	Podocarpaceae	15	竹柏	*Nageia nagi* (Thunberg) Kuntze
		16	陆均松	Dacrydium pienrrei Hickel
三尖杉科	Cephalotaxaceae	17	三尖杉	*Cephalotaxus fortunei* Hooker
红豆杉科	Taxaceae	18	白豆杉	*Pseudotaxus chienii* (W. C. Cheng) W. C. Cheng
		19	榧树	*Torreya grandis* Fortune ex Lindley
		20	红豆杉	*Taxus* spp.
木兰科	Magnoliaceae	21	木莲	*Manglietia* spp.
		22	含笑	*Michelia* spp.
		23	木兰	*Magnolia* spp.

科	拉丁名	序号	属(种)	学名
五味子科	Schisandraceae	24	五味子	*Schisandra chinensis* (Turczaninow) Baillon
樟科	Lauraceae	25	樟	*Cinnamomum* spp.
		26	天目木姜子	*Litsea auriculata* S. S. Chien & W. C. Cheng
		27	毛叶木姜子	*Litsea mollis* Hemsley
		28	木姜子	*Litsea pungens* Hemsley
		29	山苍子	*Litsea cubeba* (Loureiro) Persoon
		30	山胡椒	*Lindera glauca* (Siebold & Zuccarini) Blume
		31	香叶树	*Lindera communis* Hemsley
		32	乌药	*Lindera aggregate* (Sims) Kostermans
		33	三桠乌药	*Lindera obtusiloba* Blume
		34	黑壳楠	*Lindera megaphylla* Hemsley
		35	润楠	*Machilus* spp.
		36	新木姜子	*Neolitsea aurata* (Hayata) Koidzumi
		37	鸭公树	*Neolitsea chuii* Merrill
		38	楠	*Phoebe* spp.
		39	檫木	*Sassafras tzumu* (Hemsley) Hemsley
小檗科	Berberidaceae	40	小檗	*Berberis* spp.
蓼科	Polygonaecae	41	沙木蓼	*Atraphaxis bracteata* Losinskaja
		42	沙拐枣	*Calligonum* spp.
藜科	Chenopodiaceae	43	梭梭(琐琐)	*Haloxylon* spp.
蒺藜科	Zygophyllaceae	44	白刺	*Nitraria tangutorum* Bobrov
		45	四合木	*Tetraena mongolica* Maximowicz
酢浆草科	Oxalidaceae	46	阳桃(杨桃)	*Averrhoa carambola* Linnaeus
千屈菜科	Lythraceae	47	紫薇	*Lagerstroemia* spp.
瑞香科	Thymelaeaceae	48	土沉香	*Aquilaria sinensis* (Loureiro) Sprengel
紫茉莉科	Nyctaginaceae	49	叶子花(三角梅)	*Bougainvillea spectabilis* Willdenow
山龙眼科	Proteaceae	50	银桦	*Grevillea robusta* A. Cunningham ex R. Brown

科	拉丁名	序号	属(种)	学名
海桐花科	Pittosporaceae	51	海桐	*Pittosporum tobira* (Thunberg) W. T. Aiton
大风子科	Flacourtiaceae	52	山桐子	*Idesia polycarpa* Maximowicz
天料木科	Samydaceae	53	红花天料木	*Homalium ceylanicum* (Gardner) Bentham
柽柳科	Tamaricaceae	54	柽柳	*Tamarix* spp.
山茶科	Theaceae	55	茶	*Camellia sinensis* (Linnaeus) Kuntze
		56	薄叶金花茶	*Camellia chrysanthoides* Hung T. Chang
		57	浙江红山茶(浙江山茶)	*Camellia chekiangoleosa* Hu
		58	大头茶	*Polyspora axillaris* (Roxburgh ex Ker Gawler) Sweet
		59	云南山茶(滇山茶)	*Camellia reticulata* Lindley
		60	大果核果茶	*Pyrenaria spectabilis* (Champion) C. Y. Wu & S. X. Yang
		61	红木荷(西南木荷)	*Schima wallichii* (Candolle) Korthals
猕猴桃科	Actinidiaceae	62	猕猴桃	*Actinidia* spp.
龙脑香科	Dipterocarpaceae	63	坡垒	*Hopea hainanensis* Merrill & Chun
		64	望天树	*Parashorea chinensis* H. Wang
桃金娘科	Myrtaceae	65	白千层	*Melaleuca cajuputi subsp. cumingiana* (Turczaninow) Barlow
		66	乌墨	*Syzygium cumini* (Linnaeus) Skeels
		67	蒲桃	*Syzygium jambos* (Linnaeus) Alston
		68	海南蒲桃	*Syzygium hainanense* Hung T. Chang & R. H. Miao
使君子科	Combretaceae	69	诃子(榄仁)	*Terminalia* spp.
红树科	Rhizophoraceae	70	木榄	*Bruguiera gymnorhiza* (Linnaeus) Savigny
		71	秋茄树	*Kandelia obovata* Sheue, H. Y. Liu & J. Yong
		72	红树	*Rhizophora apiculata* Blume
		73	红海兰	*Rhizophora stylosa* Griffith

科	拉丁名	序号	属(种)	学名
藤黄科	Clusiaceae	74	木竹子(多花山竹子)	*Garcinia multiflora* Champion ex Bentham
		75	铁力木	*Mesua ferrea* Linnaeus
杜英科	Elaeocarpaceae	76	杜英	*Elaeocarpus* spp.
		77	猴欢喜	*Sloanea sinensis* (Hance) Hemsley
椴树科	Tiliaceae	78	蚬木	*Excentrodendron tonkinense* (A. Chevalier) Hung T. Chang & R. H. Miao
		79	椴树	*Tilia* spp.
梧桐科	Sterculiaceae	80	梧桐	*Firmiana simplex* (Linnaeus) W. Wight
		81	苹婆	*Sterculia monosperma* Ventenat
木棉科	Bombacaceae	82	木棉	*Bombax ceiba* Linnaeus
锦葵科	Malvaceae	83	木槿	*Hibiscus syriacus* Linnaeus
		84	木芙蓉	*Hibiscus mutabilis* Linnaeus
		85	黄槿	*Hibiscus tiliaceus* Linnaeus
		86	朱槿	*Hibiscus rosa - sinensis* Linnaeus
大戟科	Euphorbiaceae	87	重阳木	*Bischofia polycarpa* (H. Léveillé) Airy Shaw
		88	秋枫	*Bischofia javanica* Blume
		89	蝴蝶果	*Cleidiocarpon cavaleriei* (H. Léveillé) Airy Shaw
		90	橡胶树	*Hevea brasiliensis* (Willdenow ex A. Jussieu) Müller Argoviensis
		91	麻疯树(小桐子)	*Jatropha curcas* Linnaeus
		92	白茶树	*Koilodepas hainanense* (Merrill) Airy Shaw
		93	余甘子	*Phyllanthus emblica* Linnaeus
		94	山乌桕	*Triadica cochinchinensis* Loureiro
茶藨子科	Grossulariaceae	95	黑茶藨子(黑果茶藨子)	*Ribes nigrum* Linnaeus
虎耳草科	Saxifragaceae	96	东北山梅花	*Philadelphus schrenkii* Ruprecht
		97	大果绣球(绣球)	*Hydrangea macrocarpa* Handel - Mazzetti

科	拉丁名	序号	属(种)	学名
蔷薇科	Rosaceae	98	桃	*Amygdalus* spp.
		99	杏	*Armeniaca* spp.
		100	山楂	*Crataegus* spp.
		101	樱桃	*Cerasus* spp.
		102	木瓜	*Chaenomeles sinensis* (Thouin) Koehne
		103	平枝栒子	*Cotoneaster horizontalis* Decaisne
		104	水栒子	*Cotoneaster multiflorus* Bunge
		105	枇杷	*Eriobotrya* spp.
		106	苹果	*Malus* spp.
		107	石楠	*Photinia* spp.
		108	李	*Prunus* spp.
		109	稠李	*Padus* spp.
		110	火棘	*Pyracantha fortuneana* (Maximowicz) H. L. Li
		111	风箱果	*Physocarpus amurensis* (Maximowicz) Maximowicz
		112	银露梅	*Potentilla glabra* Loddiges
		113	金露梅	*Potentilla fruticosa* Linnaeus
		114	悬钩子	*Rubus* spp.
		115	蔷薇	*Rosa* spp.
		116	绣线菊	*Spiraea* spp.
		117	珍珠梅	*Sorbaria sorbifolia* (Linnaeus) A. Braun
		118	水榆花楸	*Sorbus alnifolia* (Siebold & Zuccarini) K. Koch
蜡梅科	Calycanthaceae	119	蜡梅	*Chimonanthus* spp.
含羞草科	Mimosaceae	120	黑荆	*Acacia mearnsii* De Wildeman
		121	马占相思	*Acacia mangium* Willdenow
		122	厚荚相思	*Acacia crassicarpa* Cunningham ex Bentham
		123	大叶相思	*Acacia auriculiformis* A. Cunningham ex Bentham
		124	南洋楹	*Falcataria moluccana* (Miquel) Barneby & J. W. Grimes

科	拉丁名	序号	属(种)	学名
苏木科	Caesalpiniaceae	125	洋紫荆	*Bauhinia variegata* Linnaeus
		126	紫荆	*Cercis chinensis* Bunge
		127	苏木	*Caesalpinia sappan* Linnaeus
		128	格木	*Erythrophleum fordii* Oliver
		129	皂荚	*Gleditsia sinensis* Lamarck
		130	铁刀木	*Senna siamea* (Lamarck) H. S. Irwin & Barneby
		131	任豆	*Zenia insignis* Chun
蝶形花科	Papilionaceae	132	沙冬青	*Ammopiptanthus mongolicus* (Maximowicz ex Komarov) S. H. Cheng
		133	树锦鸡儿	*Caragana arborescens* Lamarck
		134	中间锦鸡儿	(*Caragana liouana* Zhao Y. Chang & Yakovlev
		135	降香黄檀	*Dalbergia odorifera* T. C. Chen
		136	黄檀	*Dalbergia hupeana* Hance
		137	刺桐	*Erythrina variegata* Linnaeus
		138	鸡冠刺桐	*Erythrina crista - galli* Linnaeus
		139	羊柴	*Hedysarum mougolicum* Jurcz
		140	胡枝子	*Lespedeza* spp.
		141	朝鲜槐(怀槐、山槐)	*Maackia amurensis* Ruprecht
		142	红豆	*Ormosia* spp.
		143	紫檀	*Pterocarpus indicus* Willdenow
		144	紫藤	*Wisteria sinensis* (Sims) Sweet
金缕梅科	Hamamelidaceae	145	细柄阿丁枫(细柄蕈树)	*Altingia gracilipes* Hemsley
		146	阿丁枫(蕈树)	*Altingia chinensis* (Champion) Oliver ex Hance
		147	檵木	*Loropetalum chinense* (R. Brown) Oliver
		148	红花檵木	*Loropetalum chinense* var. rubrum Yieh
		149	米老排(壳菜果)	*Mytilaria laosensis* Lecomte
		150	小花红花荷	*Rhodoleia parvipetala* Tong
		151	半枫荷	*Semiliquidambar cathayensis* H. T. Chang

科	拉丁名	序号	属(种)	学名
		152	闽半枫荷	*Semiliquidambar cathayensis* H. T. Chang var. *fukienensis* H. T. Chang
桦木科	Betulaceae	153	桦木	*Betula* spp.
壳斗科	Fagaceae	154	栗	*Castanea* spp.
		155	青冈	*Cyclobalanopsis* spp.
		156	水青冈	*Fagus* spp.
桑科	Moraceae	157	榕树	*Ficus* spp.
		158	桑树	Morus spp.
榆科	Ulmaceae	159	朴	*Celtis* spp.
卫矛科	Celastraceae	160	卫矛	*Euonymus* spp.
鼠李科	Rhamnaceae	161	枳椇	*Hovenia acerba* Lindley
		162	鼠李	*Rhamnus davurica* Pall
		163	枣	*Ziziphus* spp.
胡颓子科	Elaeagnaceae	164	胡颓子(沙枣)	*Elaeagnus* spp.
		165	沙棘	*Hippophae* spp.
葡萄科	Vitaceae	166	地锦	*Parthenocissus* spp.
		167	葡萄	*Vitis* spp.
芸香科	Rutaceae	168	柑橘	*Citrus* spp.
		169	黄皮	Clausena lansium (Loureiro) Skeels
		170	千里香	Murraya paniculata (Linnaeus) Jack
		171	川黄檗(黄皮树)	Phellodendron chinense C. K. Schneider
		172	楝叶吴茰	Tetradium glabrifolium (Champion ex Bentham) T. G. Hartley
		173	青花椒	Zanthoxylum schinifolium Siebold & Zuccarini
苦木科	Simaroubaceae	174	臭椿	*Alianthus altissima* (Miller) Swingle
		175	苦树	*Picrasma quassioides* (D. Don) Bennett
橄榄科	Burseraceae	176	橄榄	*Canarium album* (Loureiro) Raeuschel
		177	乌榄	*Canarium pimela* K. D. Koenig
楝科	Meliaceae	178	桃花心木	*Swietenia mahagoni* (Linnaeus) Jacquin

科	拉丁名	序号	属(种)	学名
		179	紫椿	*Toona sureni* (Blume) Merrill
		180	红椿	*Toona ciliata* M. Roemer
七叶树科	Hippocastanaceae	181	七叶树	*Aesculus chinensis* Bunge
		182	天师栗	*Aesculus chinensis var. wilsonii* (Rehder) Turland & N. H. Xia
无患子科	Sapindaceae	183	栾树	*Koelreuteria* spp.
		184	无患子	*Sapindus saponaria* Linnaeus
		185	文冠果	*Xanthoceras sorbifolium* Bunge
漆树科	Anacardiaceae	186	南酸枣	*Choerospondias axillaris* (Roxburgh) B. L. Burtt & A. W. Hill
		187	黄栌	Cotinus coggygria Scopoli
		188	芒果	Mangifera indica Linnaeus
		189	黄连木	Pistacia chinensis Bunge
		190	清香木	Pistacia weinmanniifolia J. Poisson ex Franchet
		191	盐肤木(盐麸木)	Rhus chinensis Miller
胡桃科	Juglandaceae	192	青钱柳	*Cyclocarya paliurus* (Batalin) Iljinskaya
		193	枫杨	*Pterocarya stenoptera* C de Candolle
山茱萸科	Cornaceae	194	红瑞木	*Cornus alba* Linnaeus
		195	毛梾	*Cornus walteri* Wangerin
		196	灯台树	*Cornus controversa* Hemsley
		197	四照花	*Cornus kousa* subsp. *chinensis* (Osborn) Q. Y. Xiang
蓝果树科(珙桐科)	Nyssaceae	198	喜树	*Camptotheca acuminata* Decaisne
		199	珙桐	*Davidia involucrata* Baillon
五加科	Araliaceae	200	辽东楤木(龙牙楤木)	*Aralia elata var. glabrescens* (Franchet & Savatier) Pojarkova
		201	刺五加	*Eleutherococcus senticosus* (Ruprecht & Maximowicz) Maximowicz
		202	刺楸	*Kalopanax septemlobus* (Thunberg) Koidzumi
杜鹃花科	Ericaceae	203	笃斯越橘	*Vaccinium uliginosum* Linnaeus

科	拉丁名	序号	属(种)	学名
柿树科	Ebenaceae	204	君迁子	*Diospyros lotus* Linnaeus
安息香科	Styracaceae	205	赤杨叶(拟赤杨)	*Alniphyllum fortunei* (Hemsley) Makino
		206	秤锤树	*Sinojackia xylocarpa Hu*
醉鱼草科	Buddlejaceae	207	互叶醉鱼草	*Buddleja alternifolia* Maximowicz
木犀科	Oleaceae	208	流苏树	*Chionanthus retusus* Lindley & Paxton
		209	连翘	*Forsythia* spp.
		210	迎春花	*Jasminum nudiflorum* Lindley
		211	茉莉花	*Jasminum sambac* (Linnaeus) Aiton
		212	女贞	*Ligustrum* spp.
夹竹桃科	Apocynaceae	213	海芒果	*Cerbera manghas* Linnaeus
		214	夹竹桃	*Nerium oleander* Linnaeus
		215	络石	*Trachelospermum jasminoides* (Lindley) Lemaire
茜草科	Rubiaceae	216	咖啡	*Coffea* spp.
		217	香果树	*Emmenopterys henryi* Oliver
		218	栀子	*Gardenia jasminoides* J. Ellis
		219	龙船花	*Ixora chinensis* Lamarck
		220	团花	*Neolamarckia cadamba* (Roxburgh) Bosser
忍冬科	Caprifoliaceae	221	忍冬	*Lonicera japonica* Thunberg
		222	新疆忍冬	*Lonicera tatarica* Linnaeus
		223	金银木	*Lonicera maackii* (Ruprecht) Maximowicz
		224	蝟实	*Kolkwitzia amabilis* Graebner
		225	锦带花	*Weigela florida*(Bunge)Candolle Ann.
菊科	Asteraceae	226	沙蒿	*Artemisia desterorum* Sprengel
茄科	Solanaceae	227	枸杞	*Lycium* spp.
紫葳科	Bignoniaceae	228	凌霄	*Campsis* spp.
		229	灰楸(滇楸)	*Catalpa fargesii* Bureau
		230	梓树	*Catalpa ovata* G. Don
		231	蓝花楹	*Jacaranda acutifolia* humb. & bonpl

科	拉丁名	序号	属(种)	学名
马鞭草科	Verbenaceae	232	紫珠	*Callicarpa* spp.
		233	柚木	*Tectona grandis* Linnaeus f.
		234	荆条	*Vitex negundo L. var. heterophylla* (Franchet) Rehder
百合科	Liliaceae	235	贝母	*Fritillaria* spp.
		236	百合	*Lilium* spp.
棕榈科	Arecaceae	237	海枣	Phoenix dactylifera Linnaeus

财政部关于公布废止和失效的财政规章和规范性文件目录（第十二批）的决定

（2016 年 8 月 18 日财政部令第 83 号公布）

为了适应依法行政、依法理财的需要，根据国务院文件清理工作要求及我部“第十二次财政规章和规范性文件清理工作方案”，我部在前十一次财政规章和规范性文件清理的基础上，对新中国成立以来至 2013 年 12 月发布的现行财政规章和规范性文件进行了第十二次全面清理，并逐一作出了鉴定。经过清理，确定废止和失效的财政规章和规范性文件共 1257 件，其中，废止的财政规章 24 件，失效的财政规章 6 件，废止的财政规范性文件 656 件，失效的财政规范性文件 571 件。现将这 1257 件废止和失效的财政规章和规范性文件的目录予以公布。

废止和失效的财政规章和规范性文件目录(第十二批)(1257件)

一、废止的财政规章目录(24件)

序号	文件名称	制定机关	文号	公布日期
1	政府采购代理机构资格认定办法	财政部	财政部令第61号	2010年10月26日
2	中华人民共和国车船税暂行条例实施细则	财政部、国家税务总局	财政部、国家税务总局令第46号	2007年2月1日
3	国债承销团成员资格审批办法	财政部、中国人民银行、证监会	财政部令第39号	2006年7月4日
4	资产评估机构审批管理办法	财政部	财政部令第22号	2005年5月11日
5	会计从业资格管理办法	财政部	财政部令第26号	2005年1月22日
6	代理记账管理办法	财政部	财政部令第27号	2005年1月22日
7	财政扶贫资金管理办法(试行)	财政部、国家扶贫开发领导小组、国家计委	财农字〔2000〕18号	2000年5月30日
8	特大防汛抗旱补助费使用管理办法	财政部、水利部	财农字〔1999〕238号	1999年8月11日
9	国际金融组织贷款转贷会计制度	财政部	财际字〔1999〕165号	1999年7月19日
10	医院财务制度	财政部、卫生部	财社字〔1998〕148号	1998年11月17日
11	医院会计制度	财政部、卫生部	财会字〔1998〕58号	1998年11月17日
12	行政事业性收费和政府性基金票据管理规定	财政部	财综字〔1998〕104号	1998年9月21日

续 表

序号	文件名称	制定机关	文号	公布日期
13	会计档案管理办法	财政部	财会字〔1998〕32 号	1998 年 8 月 21 日
14	高等学校会计制度(试行)	财政部、教育部	财预字〔1998〕105 号	1998 年 3 月 31 日
15	中小学校会计制度(试行)	财政部、教育部	财预字〔1998〕104 号	1998 年 3 月 31 日
16	科学事业单位会计制度	财政部、国家科学技术委员会	财预字〔1997〕460 号	1997 年 12 月 16 日
17	事业单位会计制度	财政部	财预字〔1997〕288 号	1997 年 7 月 17 日
18	财政总预算会计制度	财政部	财预字〔1997〕287 号	1997 年 6 月 25 日
19	事业单位会计准则(试行)	财政部	财预字〔1997〕286 号	1997 年 5 月 28 日
20	科学事业单位财务制度	财政部、国家科委	财文字〔1997〕25 号	1997 年 3 月 25 日
21	出口货物退(免)税若干问题规定	财政部、国家税务总局	财税字〔1995〕92 号	1995 年 7 月 8 日
22	合并会计报表暂行规定	财政部	财会字〔1995〕11 号	1995 年 2 月 9 日
23	会计电算化管理办法	财政部	财会字〔1994〕27 号	1994 年 6 月 30 日
24	中华人民共和国资源税暂行条例实施细则	财政部	〔93〕财法字第 43 号	1993 年 12 月 30 日

二、失效的财政规章目录(6 件)

序号	文件名称	制定机关	文号	公布日期
1	科技开发用品免征进口税收暂行规定	财政部、海关总署、国家税务总局	财政部、海关总署、税务总局令第 44 号	2007 年 1 月 31 日

续 表

序号	文件名称	制定机关	文号	公布日期
2	水利事业费管理办法	财政部	财农字〔2000〕13号	2000年3月5日
3	农业事业费管理办法	财政部	财农字〔1999〕227号	1999年8月6日
4	林业事业费管理办法	财政部	财农字〔1997〕131号	1997年7月14日
5	中央级水土保持事业费使用管理暂行办法	财政部	财农字〔1996〕22号	1996年1月30日
6	中央级防汛岁修经费使用管理办法	财政部	财农字〔1995〕302号	1995年11月29日

三、废止的财政规范性文件目录(656件)

综合类

序号	文件名称	制定机关	文号	公布日期
1	中央补助城市棚户区改造专项资金管理办法	财政部、住房城乡建设部	财综〔2012〕60号	2012年8月6日
2	中央补助廉租住房保障专项资金管理办法	财政部	财综〔2012〕42号	2012年6月20日
3	关于印发《中央补助廉租住房保障专项资金管理办法》的通知	财政部	财综〔2010〕110号	2010年12月1日
4	关于印发《电话销售彩票管理暂行办法》的通知	财政部	财综〔2010〕82号	2010年9月26日
5	关于印发《中央补助城市棚户区改造专项资金管理办法》的通知	财政部、住房城乡建设部	财综〔2010〕46号	2010年6月25日
6	关于加强中央廉租住房保障专项补助资金管理的通知	财政部	财综〔2009〕83号	2009年12月23日

续 表

序号	文件名称	制定机关	文号	公布日期
7	关于印发《彩票公益金管理办法》的通知	财政部	财综〔2007〕83号	2007年11月25日
8	关于印发《廉租住房保障资金管理办法》的通知	财政部	财综〔2007〕64号	2007年10月30日
9	关于切实落实城镇廉租住房保障资金的通知	财政部、建设部、国土资源部	财综〔2006〕25号	2006年7月5日
10	关于印发《即开型彩票发行与销售管理暂行规定》的通知	财政部	财综〔2003〕78号	2003年11月13日
11	关于全国联合发行销售"双色球"电脑福利彩票游戏规则等有关问题的通知	财政部	财综〔2003〕3号	2003年1月31日
12	关于印发《彩票发行与销售管理暂行规定》的通知	财政部	财综〔2002〕13号	2002年3月1日
13	关于提高即开型彩票单注最高奖金限额的通知	财政部	财综〔2001〕82号	2001年11月29日
14	关于印发《彩票发行与销售机构财务管理办法》的通知	财政部	财综〔2001〕84号	2001年12月9日
15	对XX省《关于乡统筹费的资金性质及使用何种票据的请示》和《关于卫生系统医疗机构使用统一收费票据的请示》的批复	财政部	财综字〔1998〕162号	1998年12月18日
16	关于加强中央单位行政事业性收费和政府性基金票据管理的通知	财政部	财综字〔1998〕24号	1998年4月24日
17	关于统一监制国家电影事业发展专项资金票据的通知	财政部	〔97〕财综字第6号	1997年2月15日

续 表

序号	文件名称	制定机关	文号	公布日期
18	关于各类基金会、慈善机构接收社会捐款使用统一收据及其管理问题的复函	财政部	财综字〔1995〕114号	1995年6月27日
19	关于制发全国性社会团体会费收据的复函	财政部	〔93〕财综字第87号	1993年7月1日

法治类

序号	文件名称	制定机关	文号	公布日期
20	关于公布财政行政许可事项及非行政许可财政行政审批项目的通知	财政部	财法〔2004〕12号	2004年12月17日

税收及非税收入类

序号	文件名称	制定机关	文号	公布日期
21	关于保险保障基金有关税收政策继续执行的通知	财政部、国家税务总局	财税〔2013〕81号	2013年10月28日
22	关于研究开发费用税前加计扣除有关政策问题的通知	财政部、国家税务总局	财税〔2013〕70号	2013年9月29日
23	关于在全国开展交通运输业和部分现代服务业营业税改征增值税试点税收政策的通知	财政部、国家税务总局	财税〔2013〕37号	2013年5月24日
24	关于部分航空公司执行总分机构试点纳税人增值税计算缴纳暂行办法的通知	财政部、国家税务总局	财税〔2013〕9号	2013年1月14日

续 表

序号	文件名称	制定机关	文号	公布日期
25	关于交通运输业和部分现代服务业营业税改征增值税试点应税服务范围等若干税收政策的补充通知	财政部、国家税务总局	财税〔2012〕86号	2012年12月4日
26	关于在北京等8省市开展交通运输业和部分现代服务业营业税改征增值税试点的通知	财政部、国家税务总局	财税〔2012〕71号	2012年7月31日
27	关于在天津东疆保税港区试行融资租赁货物出口退税政策的通知	财政部、海关总署、国家税务总局	财税〔2012〕66号	2012年7月26日
28	关于印发2011年全国性及中央部门和单位行政事业性收费项目目录的通知	财政部、国家发展改革委	财综〔2012〕47号	2012年7月4日
29	关于交通运输业和部分现代服务业营业税改征增值税试点若干税收政策的补充通知	财政部、国家税务总局	财税〔2012〕53号	2012年6月29日
30	关于节约能源 使用新能源车船车船税政策的通知	财政部、国家税务总局、工业和信息化部	财税〔2012〕19号	2012年3月6日
31	关于金融企业贷款损失准备金企业所得税税前扣除政策的通知	财政部、国家税务总局	财税〔2012〕5号	2012年1月29日
32	关于物流企业大宗商品仓储设施用地城镇土地使用税政策的通知	财政部、国家税务总局	财税〔2012〕13号	2012年1月20日
33	关于企业事业单位改制重组契税政策的通知	财政部、国家税务总局	财税〔2012〕4号	2012年1月12日

续　表

序号	文件名称	制定机关	文号	公布日期
34	关于企业参与政府统一组织的棚户区改造支出企业所得税税前扣除政策有关问题的通知	财政部、国家税务总局	财税〔2012〕12号	2012年1月10日
35	关于交通运输业和部分现代服务业营业税改征增值税试点若干税收政策的通知	财政部、国家税务总局	财税〔2011〕133号	2011年12月29日
36	关于应税服务适用增值税零税率和免税政策的通知	财政部、国家税务总局	财税〔2011〕131号	2011年12月29日
37	关于中国东方航空公司执行总机构试点纳税人增值税计算缴纳暂行办法的通知	财政部、国家税务总局	财税〔2011〕132号	2011年12月29日
38	关于继续执行宣传文化增值税和营业税优惠政策的通知	财政部、国家税务总局	财税〔2011〕92号	2011年12月7日
39	关于小型微利企业所得税优惠政策有关问题的通知	财政部、国家税务总局	财税〔2011〕117号	2011年11月29日
40	关于调整完善资源综合利用产品及劳务增值税政策的通知	财政部、国家税务总局	财税〔2011〕115号	2011年11月21日
41	关于在上海市开展交通运输业和部分现代服务业营业税改征增值税试点的通知	财政部、国家税务总局	财税〔2011〕111号	2011年11月16日
42	财政部　国家税务总局关于原油天然气资源税改革有关问题的通知	财政部、国家税务总局	财税〔2011〕114号	2011年11月15日

续 表

序号	文件名称	制定机关	文号	公布日期
43	关于免征小型微型企业部分行政事业性收费的通知	财政部、国家发展改革委	财综〔2011〕104号	2011年11月14日
44	关于期货投资者保障基金有关税收优惠政策继续执行的通知	财政部、国家税务总局	财税〔2011〕69号	2011年9月20日
45	关于经营高校学生公寓和食堂有关税收政策的通知	财政部、国家税务总局	财税〔2011〕78号	2011年9月6日
46	关于印发2010年全国性及中央部门和单位行政事业性收费项目目录的通知	财政部、国家发展改革委	财综〔2011〕20号	2011年4月16日
47	财政部　国家税务总局关于调整稀土资源税税额标准的通知	财政部、国家税务总局	财税〔2011〕22号	2011年3月10日
48	关于调整个人住房转让营业税政策的通知	财政部、国家税务总局	财税〔2011〕12号	2011年1月27日
49	关于以蔗渣为原料生产综合利用产品增值税政策的补充通知	财政部、国家税务总局	财税〔2010〕114号	2010年12月6日
50	财政部　国家税务总局关于印发西部地区原油天然气资源税改革若干问题的规定的通知	财政部、国家税务总局	财税〔2010〕112号	2010年11月24日
51	关于技术先进型服务企业有关企业所得税政策问题的通知	财政部、国家税务总局、商务部、科技部、国家发展改革委	财税〔2010〕65号	2010年11月5日
52	关于保险保障基金有关税收问题的通知	财政部、国家税务总局	财税〔2010〕77号	2010年9月6日

续 表

序号	文件名称	制定机关	文号	公布日期
53	关于调整部分燃料油消费税政策的通知	财政部、国家税务总局	财税〔2010〕66号	2010年8月20日
54	财政部 国家税务总局关于印发新疆原油 天然气资源税改革若干问题的规定的通知	财政部、国家税务总局	财税〔2010〕54号	2010年6月1日
55	关于印发2009年全国性及中央部门和单位行政事业性收费项目目录的通知	财政部、国家发展改革委	财综〔2010〕20号	2010年5月7日
56	关于城市和国有工矿棚户区改造项目有关税收优惠政策的通知	财政部、国家税务总局	财税〔2010〕42号	2010年5月4日
57	关于事业单位改制有关契税政策的通知	财政部、国家税务总局	财税〔2010〕22号	2010年3月24日
58	关于发布第四批免征营业税的铁路建房生活单位改制后企业名单的通知	财政部、国家税务总局	财税〔2010〕14号	2010年3月11日
59	关于经营高校学生公寓和食堂有关税收政策的通知	财政部、国家税务总局	财税〔2009〕155号	2009年12月24日
60	关于调整个人住房转让营业税政策的通知	财政部、国家税务总局	财税〔2009〕157号	2009年12月22日
61	关于部分国家储备商品有关税收政策的通知	财政部、国家税务总局	财税〔2009〕151号	2009年12月22日
62	关于继续实行宣传文化增值税和营业税优惠政策的通知	财政部、国家税务总局	财税〔2009〕147号	2009年12月10日
63	关于以农林剩余物为原料的综合利用产品增值税政策的通知	财政部、国家税务总局	财税〔2009〕148号	2009年12月7日

续 表

序号	文件名称	制定机关	文号	公布日期
64	关于期货投资者保障基金有关税收问题的通知	财政部、国家税务总局	财税〔2009〕68号	2009年8月31日
65	关于转制文化企业名单及认定问题的通知	财政部、国家税务总局、中宣部	财税〔2009〕105号	2009年8月12日
66	关于印发2008年全国性及中央部门和单位行政事业性收费项目目录的通知	财政部、国家发展改革委	财综〔2009〕46号	2009年7月15日
67	关于调整对外修理修配飞机免抵退税政策的通知	财政部、国家税务总局	财税〔2009〕54号	2009年4月21日
68	财政部 国家税务总局关于印发新疆维吾尔自治区煤炭资源税税额标准的通知	财政部、国家税务总局	财税〔2009〕26号	2009年3月12日
69	关于招标师职业水平考试收费有关问题的通知	财政部、国家发展改革委	财综〔2009〕10号	2009年2月6日
70	关于企业改制重组若干契税政策的通知	财政部、国家税务总局	财税〔2008〕175号	2008年12月29日
71	关于资源综合利用及其他产品增值税政策的通知	财政部、国家税务总局	财税〔2008〕156号	2008年12月9日
72	关于变更海洋工程结构物增值税退税企业名单的通知	财政部、国家税务总局	财税〔2008〕143号	2008年11月21日
73	关于公布2007年全国性及中央部门和单位行政事业性收费项目目录的通知	财政部、国家发展改革委	财综〔2008〕10号	2008年3月31日
74	关于增补海洋工程结构物增值税退税企业名单的通知	财政部、国家税务总局	财税〔2008〕11号	2008年2月21日

续 表

序号	文件名称	制定机关	文号	公布日期
75	关于免征磷酸二铵增值税的通知	财政部、国家税务总局	财税〔2007〕171号	2007年12月28日
76	关于福建沿海与金门 马祖 澎湖海上直航业务有关税收政策的通知	财政部、国家税务总局	财税〔2007〕91号	2007年8月13日
77	关于贯彻落实车船税暂行条例工作有关问题的通知	财政部、国家税务总局	财税〔2007〕103号	2007年7月20日
78	关于公布2006年全国性及中央部门和单位行政事业性收费项目目录的通知	财政部、国家发展改革委	财综〔2007〕28号	2007年4月23日
79	关于贯彻落实《中华人民共和国车船税暂行条例》及其实施细则有关问题的通知	财政部、国家税务总局	财税〔2007〕23号	2007年2月8日
80	关于调整焦煤资源税适用税额标准的通知	财政部、国家税务总局	财税〔2007〕15号	2007年1月29日
81	关于纳税人向科技型中小企业技术创新基金捐赠有关所得税政策问题的通知	财政部、国家税务总局	财税〔2006〕171号	2006年12月31日
82	关于西部大开发税收优惠政策适用目录变更问题的通知	财政部、国家税务总局	财税〔2006〕165号	2006年11月16日
83	关于延长生产和装配伤残人员专门用品企业免征所得税执行期限的通知	财政部、国家税务总局	财税〔2006〕148号	2006年11月15日
84	关于国有控股公司投资组建新公司有关契税政策的通知	财政部、国家税务总局	财税〔2006〕142号	2006年9月29日

续 表

序号	文件名称	制定机关	文号	公布日期
85	财政部　国家税务总局关于调整河北省煤炭资源税适用税额标准的通知	财政部、国家税务总局	财税〔2006〕137号	2006年9月15日
86	财政部　国家税务总局关于调整吉林省煤炭资源税适用税额标准的通知	财政部、国家税务总局	财税〔2006〕131号	2006年9月15日
87	财政部　国家税务总局关于调整四川省煤炭资源税适用税额标准的通知	财政部、国家税务总局	财税〔2006〕136号	2006年9月15日
88	财政部　国家税务总局关于调整辽宁省煤炭资源税适用税额标准的通知	财政部、国家税务总局	财税〔2006〕138号	2006年9月8日
89	财政部　国家税务总局关于调整甘肃省煤炭资源税适用税额标准的通知	财政部、国家税务总局	财税〔2006〕106号	2006年7月31日
90	财政部　国家税务总局关于调整岩金矿资源税有关问题的通知	财政部、国家税务总局	财税〔2006〕69号	2006年5月19日
91	财政部　国家税务总局关于吉林省油气资源税政策的通知	财政部、国家税务总局	财税〔2006〕55号	2006年4月28日
92	财政部　国家税务总局关于胜利石油管理局所属企业油气资源税政策的批复	财政部、国家税务总局	财税〔2006〕54号	2006年4月28日
93	财政部　国家税务总局关于调整江西省煤炭资源税适用税额标准的通知	财政部、国家税务总局	财税〔2006〕37号	2006年3月31日

续 表

序号	文件名称	制定机关	文号	公布日期
94	财政部　国家税务总局关于调整黑龙江煤炭资源税适用税额标准的通知	财政部、国家税务总局	财税〔2006〕40号	2006年3月29日
95	财政部　国家税务总局关于调整江苏省煤炭资源税适用税额标准的通知	财政部、国家税务总局	财税〔2006〕38号	2006年3月29日
96	财政部　国家税务总局关于调整陕西省煤炭资源税适用税额标准的通知	财政部、国家税务总局	财税〔2006〕39号	2006年3月29日
97	关于延长企业改制重组若干契税政策执行期限的通知	财政部、国家税务总局	财税〔2006〕41号	2006年3月29日
98	财政部　国家税务总局关于调整广东省煤炭资源税适用税额标准的通知	财政部、国家税务总局	财税〔2005〕171号	2005年12月12日
99	财政部　国家税务总局关于调整湖北省煤炭资源税适用税额标准的通知	财政部、国家税务总局	财税〔2005〕169号	2005年12月12日
100	财政部　国家税务总局关于调整湖南省煤炭资源税适用税额标准的通知	财政部、国家税务总局	财税〔2005〕170号	2005年12月12日
101	财政部　国家税务总局关于调整内蒙古自治区煤炭资源税适用税额标准的通知	财政部、国家税务总局	财税〔2005〕172号	2005年12月12日
102	关于调整原油天然气资源税税额标准的通知	财政部、国家税务总局	财税〔2005〕115号	2005年7月29日

续 表

序号	文件名称	制定机关	文号	公布日期
103	关于股息红利有关个人所得税政策的补充通知	财政部、国家税务总局	财税〔2005〕107号	2005年6月24日
104	关于股息红利个人所得税有关政策的通知	财政部、国家税务总局	财税〔2005〕102号	2005年6月13日
105	财政部　国家税务总局关于调整安徽省煤炭资源税适用税额标准的通知	财政部、国家税务总局	财税〔2005〕80号	2005年5月26日
106	财政部　国家税务总局关于调整福建省煤炭资源税适用税额标准的通知	财政部、国家税务总局	财税〔2005〕85号	2005年5月26日
107	财政部　国家税务总局关于调整贵州省煤炭资源税适用税额标准的通知	财政部、国家税务总局	财税〔2005〕83号	2005年5月26日
108	财政部　国家税务总局关于调整河南省煤炭资源税适用税额标准的通知	财政部、国家税务总局	财税〔2005〕79号	2005年5月26日
109	财政部　国家税务总局关于调整宁夏回族自治区煤炭资源税适用税额标准的通知	财政部、国家税务总局	财税〔2005〕81号	2005年5月26日
110	财政部　国家税务总局关于调整山东省煤炭资源税适用税额标准的通知	财政部、国家税务总局	财税〔2005〕86号	2005年5月26日
111	财政部　国家税务总局关于调整云南省煤炭资源税适用税额标准的通知	财政部、国家税务总局	财税〔2005〕84号	2005年5月26日

续 表

序号	文件名称	制定机关	文号	公布日期
112	财政部　国家税务总局关于调整重庆市煤炭资源税适用税额标准的通知	财政部、国家税务总局	财税〔2005〕82号	2005年5月26日
113	关于暂免征收尿素产品增值税的通知	财政部、国家税务总局	财税〔2005〕87号	2005年5月26日
114	财政部　国家税务总局关于恢复河南油田原油资源税税额标准的通知	财政部、国家税务总局	财税〔2005〕62号	2005年4月13日
115	关于发布2004年全国性及中央部门和单位行政事业性收费项目目录的通知	财政部、国家发展改革委	财综〔2005〕6号	2005年3月4日
116	关于调整山西等省煤炭资源税税额的通知	财政部、国家税务总局	财税〔2004〕187号	2004年12月13日
117	关于生产和装配伤残人员专门用品企业免征所得税的通知	财政部、国家税务总局、民政部	财税〔2004〕132号	2004年8月20日
118	关于出口货物退〔免〕税若干具体问题的通知	财政部、国家税务总局	财税〔2004〕116号	2004年7月10日
119	关于列名生产企业出口外购产品试行免抵退税办法的通知	财政部、国家税务总局	财税〔2004〕125号	2004年7月10日
120	财政部　国家税务总局关于调整山东省济宁市枣庄市部分境内煤炭企业资源税税额的通知	财政部、国家税务总局	财税〔2004〕117号	2004年6月30日
121	关于扶持城镇退役士兵自谋职业有关税收优惠政策的通知	财政部、国家税务总局	财税〔2004〕93号	2004年6月9日
122	关于天然林保护工程实施企业和单位有关税收政策的通知	财政部、国家税务总局	财税〔2004〕37号	2004年5月19日

续 表

序号	文件名称	制定机关	文号	公布日期
123	财政部　国家税务总局关于调整山东省济宁市枣庄市境内煤炭企业资源税税额的通知	财政部、国家税务总局	财税〔2004〕80号	2004年4月21日
124	财政部　国家税务总局关于调整长庆油田等企业资源税税额的通知	财政部、国家税务总局	财税〔2004〕19号	2004年4月21日
125	关于发布2003年全国性及中央部门和单位行政事业性收费项目目录的通知	财政部、国家发展改革委	财综〔2004〕21号	2004年3月19日
126	关于海洋工程结构物增值税实行退税的补充通知	财政部、国家税务总局	财税〔2003〕249号	2003年12月16日
127	关于青藏铁路建设期间有关税收政策问题的通知	财政部、国家税务总局	财税〔2003〕128号	2003年6月18日
128	关于调整石灰石、大理石和花岗石资源税适用税额的通知	财政部、国家税务总局	财税〔2003〕119号	2003年6月4日
129	关于非产权人重新购房征免个人所得税问题的批复	财政部、国家税务总局	财税〔2003〕123号	2003年5月28日
130	关于鼓励科普事业发展税收政策的通知	财政部、国家税务总局、海关总署、科技部、新闻出版总署	财税〔2003〕55号	2003年5月8日
131	关于海洋工程结构物增值税实行退税的通知	财政部、国家税务总局	财税〔2003〕46号	2003年4月1日
132	关于开放式证券投资基金有关税收问题的通知	财政部、国家税务总局	财税〔2002〕128号	2002年8月22日

续 表

序号	文件名称	制定机关	文号	公布日期
133	关于国内航空供应公司向国外航空公司销售航空食品有关退〔免〕税问题的通知	财政部、国家税务总局	财税〔2002〕112号	2002年7月18日
134	关于试行国债净价交易后有关国债利息征免企业所得税问题的通知	财政部、国家税务总局	财税〔2002〕48号	2002年2月28日
135	财政部　国家税务总局关于调整冶金联合企业矿山铁矿石资源税适用税额的通知	财政部、国家税务总局	财税〔2002〕17号	2002年2月9日
136	关于进一步推进出口货物实行免抵退税办法的通知	财政部、国家税务总局	财税〔2002〕7号	2002年1月23日
137	财政部　国家税务总局关于调整中国石化胜利油田有限公司原油资源税税额标准的通知	财政部、国家税务总局	财税〔2002〕26号	2001年12月25日
138	关于变更计划外生育费名称的通知	财政部、国家计委、国家计生委	财规〔2000〕29号	2000年9月1日
139	关于价格鉴证师执业资格考试收费问题的通知	财政部、国家计委	财综字〔2000〕27号	2000年3月24日
140	关于高校后勤社会化改革有关税收政策的通知	财政部、国家税务总局	财税字〔2000〕25号	2000年2月28日
141	关于贯彻落实《中共中央国务院关于加强技术创新，发展高科技，实现产业化的决定》有关税收问题的通知	财政部、国家税务总局	财税字〔1999〕273号	1999年11月2日
142	财政部关于场外核事故应急准备资金按比例监缴中央财政专户的通知	财政部	财综字〔1999〕15号	1999年3月31日

续 表

序号	文件名称	制定机关	文号	公布日期
143	关于出口货物退〔免〕税若干问题的通知	财政部、国家税务总局	财税字〔1998〕116号	1998年8月14日
144	关于对专门生产酱油、醋等产品的企业和饲料加工企业恢复征收企业所得税的通知	财政部、国家税务总局	财税字〔1998〕43号	1998年3月3日
145	关于淮河流域城市污水处理收费试点有关问题的通知	财政部、国家计委、建设部、国家环保局	〔97〕财综字第111号	1997年6月4日
146	关于铁道部所属单位恢复征收车船使用税问题的通知	财政部、国家税务总局	财税字〔1997〕57号	1997年5月13日
147	关于对饲料工业企业和对外承包公司的境外收入恢复征收企业所得税的通知	财政部、国家税务总局	财税字〔1997〕39号	1997年3月10日
148	关于调整内蒙古伊克昭盟煤炭资源税单位税额的通知	财政部、国家税务总局	财税〔1997〕11号	1997年2月28日
149	关于出口货物税收若干问题的补充通知	财政部、国家税务总局	财税字〔1997〕14号	1997年2月21日
150	财政部　国家税务总局关于原油天然气资源税有关问题的通知	财政部、国家税务总局	〔94〕财税字第078号	1994年11月9日
151	关于认真执行车船使用税有关征管规定的通知	财政部、国家税务总局	〔88〕财税征字第012号	1988年5月27日
152	关于"港作船"、"工程船"的解释	财政部、国家税务总局	〔87〕财税地字第19号	1987年9月14日
153	关于对武警部队车船征免车船使用税的通知	财政部、国家税务总局	〔87〕财税地字第13号	1987年7月22日

关税类

序号	文件名称	制定机关	文号	公布日期
154	关于调整褐煤等商品进口关税税率的通知	国务院关税税则委员会	税委会〔2013〕31号	2013年8月26日
155	关于调整重大技术装备进口税收政策有关目录的通知	财政部、工业和信息化部、海关总署、国家税务总局	财关税〔2013〕14号	2013年3月25日
156	关于调整部分商品进口关税的通知	国务院关税税则委员会	税委会〔2012〕4号	2012年3月19日
157	关于调整三代核电机组等重大技术装备进口税收政策的通知	财政部、工业和信息化部、海关总署、国家税务总局	财关税〔2011〕45号	2011年7月5日
158	关于调整大型环保及资源综合利用设备等重大技术装备进口税收政策的通知	财政部、工业和信息化部、海关总署、国家税务总局	财关税〔2010〕50号	2010年9月30日
159	关于调整重大技术装备进口税收政策暂行规定有关清单的通知	财政部、海关总署、国家税务总局	财关税〔2010〕17号	2010年4月13日
160	关于实施中国－秘鲁自由贸易协定税率的通知	国务院关税税则委员会	税委会〔2010〕4号	2010年2月8日
161	关于印发2009年下半年享受重大技术装备进口税收政策企业名单及免税进口金额的通知	财政部	财关税〔2010〕1号	2010年1月5日
162	关于调整重大技术装备进口税收政策的通知	财政部、国家发展改革委、工业和信息化部、海关总署、国家税务总局、国家能源局	财关税〔2009〕55号	2009年8月20日
163	关于调整部分产品出口关税的通知	国务院关税税则委员会	税委会〔2009〕6号	2009年6月19日

续 表

序号	文件名称	制定机关	文号	公布日期
164	关于调整国内航空公司进口飞机有关增值税政策的通知	财政部、国家税务总局	财关税〔2004〕43号	2004年9月30日
165	关于调整部分进口税收优惠政策的通知	财政部、国家计委、国家经贸委、外经贸部、海关总署、国家税务总局	财税〔2002〕146号	2002年9月4日

预算类

序号	文件名称	制定机关	文号	公布日期
166	关于印发《边境地区转移支付资金管理办法》的通知	财政部	财预〔2013〕267号	2013年6月15日
167	关于制止地方政府违法违规融资行为的通知	财政部、国家发展改革委、中国人民银行、银监会	财预〔2012〕463号	2012年12月24日
168	关于营业税改征增值税试点有关预算管理问题的通知	财政部、中国人民银行、国家税务总局	财预〔2012〕367号	2012年8月17日
169	关于印发《2012年中央对地方国家重点生态功能区转移支付办法》的通知	财政部	财预〔2012〕296号	2012年6月15日
170	关于印发《2012年中央对地方资源枯竭城市转移支付管理办法》的通知	财政部	财预〔2012〕305号	2012年6月14日
171	关于印发《2012年中央对地方均衡性转移支付办法》的通知	财政部	财预〔2012〕300号	2012年6月14日
172	关于印发《革命老区转移支付资金管理办法》的通知	财政部	财预〔2012〕293号	2012年6月7日

续 表

序号	文件名称	制定机关	文号	公布日期
173	关于印发《边境地区转移支付资金管理办法》的通知	财政部	财预〔2012〕43号	2012年4月20日
174	关于印发《财政部关于开展中央基层预算单位综合财政监管工作的实施方案》的通知	财政部	财监〔2012〕81号	2012年3月12日
175	关于开展中央基层预算单位综合财政监管工作的通知	财政部	财监〔2012〕80号	2012年3月12日
176	关于上海市开展营业税改征增值税试点有关预算管理问题的通知	财政部、国家税务总局、中国人民银行	财预〔2011〕538号	2011年11月28日
177	关于印发《国家重点生态功能区转移支付办法》的通知	财政部	财预〔2011〕428号	2011年7月19日
178	关于印发《2011年中央对地方均衡性转移支付办法》的通知	财政部	财预〔2011〕392号	2011年6月10日
179	关于印发财政监察专员办事处开展中央基层预算单位综合财政监管试点工作实施方案的通知	财政部	财监〔2010〕106号	2010年11月4日
180	关于建立和完善县级基本财力保障机制的意见	财政部	财预〔2010〕443号	2010年9月21日
181	关于调整和完善专员办部分支出日常审核工作的通知	财政部	财监〔2010〕59号	2010年6月23日
182	关于印发《中央部门财政拨款结转和结余资金管理办法》的通知	财政部	财预〔2010〕7号	2010年1月18日

续 表

序号	文件名称	制定机关	文号	公布日期
183	关于进一步推进中央部门预算项目支出绩效评价试点工作的通知	财政部	财预〔2009〕390号	2009年10月26日
184	关于印发《进口税收先征后返管理办法》的通知	财政部、中国人民银行、海关总署、国家税务总局	财预〔2009〕84号	2009年7月21日
185	关于印发《财政支出绩效评价管理暂行办法》的通知	财政部	财预〔2009〕76号	2009年6月22日
186	关于印发《边境地区专项转移支付资金管理办法》的通知	财政部	财预〔2009〕31号	2009年3月31日
187	关于印发《2009年地方政府债券预算管理办法》的通知	财政部	财预〔2009〕21号	2009年2月18日
188	关于印发《财政监察专员办事处中央廉租住房保障专项补助资金审核操作规程》的通知	财政部	财监〔2009〕3号	2009年1月21日
189	关于改进和加强中央财政专项转移支付资金等文件抄送工作进一步发挥专员办监管作用的通知	财政部	财办〔2008〕19号	2008年4月8日
190	关于跨省市总分机构企业所得税分配及预算管理问题的补充通知	财政部	财预〔2008〕23号	2008年2月3日
191	关于印发《跨省市总分机构企业所得税分配及预算管理暂行办法》的通知	财政部、国家税务总局、中国人民银行	财预〔2008〕10号	2008年1月15日
192	关于印发《西部地区基层政权建设资金管理办法》的通知	财政部	财预〔2007〕87号	2007年6月20日

续 表

序号	文件名称	制定机关	文号	公布日期
193	关于印发《缓解县乡财政困难工作绩效评价暂行办法》的通知	财政部	财预〔2005〕459号	2005年9月17日
194	关于印发《财政监察专员办事处开展海关部门预算审核试点工作暂行办法》的通知	财政部	财监〔2005〕97号	2005年8月11日
195	关于印发《财政监察专员办事处开展出入境检验检疫局部门预算审核试点工作暂行办法》的通知	财政部	财监〔2005〕96号	2005年8月11日
196	关于印发《中央部门预算支出绩效考评管理办法〔试行〕》的通知	财政部	财预〔2005〕86号	2005年5月25日
197	关于印发《关于切实缓解县乡财政困难的意见》的通知	财政部	财预〔2005〕5号	2005年1月17日
198	财政监察专员办事处对中央财政新型农村合作医疗补助资金审核监督操作规程	财政部	财监〔2004〕91号	2004年12月6日
199	关于进一步改进非贸易非经营性购汇人民币限额预算管理的通知	财政部	财预〔2004〕48号	2004年3月31日
200	财政监察专员办事处对中国银监会中国证监会中国保监会派出机构预决算审核暂行办法	财政部	财监〔2003〕94号	2003年8月28日
201	因公临时出国用汇管理办法	财政部	财预〔2002〕314号	2002年5月14日
202	非贸易非经营性购汇人民币限额预算工作规程	财政部	财预〔2002〕97号	2002年4月2日

续 表

序号	文件名称	制定机关	文号	公布日期
203	关于停止对中央工交商品流通企业具体财务事项进行审批的通知	财政部、中国人民银行	财监〔2000〕40号	2000年9月26日
204	中央对地方专项拨款管理办法	财政部	财预〔2000〕128号	2000年8月7日
205	关于印发《财政监察专员办事机构对中央财政专项支出资金实施监督的暂行办法》的通知	财政部	财监字〔1996〕14号	1996年2月12日
206	关于财政部派出机构和当地国税局在工作中加强协作配合的通知	财政部、国家税务总局	财监字〔1995〕46号	1995年8月22日
207	关于施行《非贸易非经营性外汇财务管理暂行规定》的补充通知	财政部	财外字〔1994〕431号	1994年8月6日
208	关于征收机关提取、支付代扣、代收手续费具体问题的规定的通知	财政部	财预字〔1994〕217号	1994年7月12日
209	关于启用财政部购汇人民币限额专用章和统一报表格式的通知	财政部	财外字〔1994〕271号	1994年5月20日
210	关于使用统一的预算内非贸易非经营性用汇有关凭证的通知	财政部、中国人民银行	财外字〔1994〕239号	1994年5月17日

国库类

序号	文件名称	制定机关	文号	公布日期
211	关于地区间援助资金会计核算的通知	财政部	财库〔2012〕157号	2012年11月7日
212	关于开展储蓄国债〔电子式〕网上银行销售试点有关事宜的通知	财政部、中国人民银行	财库〔2012〕86号	2012年7月12日

续 表

序号	文件名称	制定机关	文号	公布日期
213	关于印发《统借自还主权外债会计核算暂行办法》的通知	财政部	财库〔2011〕183号	2011年12月30日
214	关于对中央单位申请单一来源采购实行审核前公示相关问题的通知	财政部	财库〔2011〕130号	2011年9月29日
215	关于预算外资金纳入预算管理后涉及有关财政专户管理资金会计核算问题的通知	财政部	财库〔2010〕141号	2010年12月20日
216	关于认真做好政府采购代理机构资格认定工作的通知	财政部	财库〔2010〕133号	2010年11月25日
217	关于预算执行细化管理后调整国库集中支付有关凭证和报表格式的通知	财政部	财库〔2009〕168号	2009年12月29日
218	财政部　中国人民银行关于印发《储蓄国债〔电子式〕管理办法〔试行〕》的通知	财政部、中国人民银行	财库〔2009〕73号	2009年6月10日
219	关于加快建立地方预算执行动态监控机制的指导意见	财政部	财库〔2009〕70号	2009年6月4日
220	财政部关于印发《中央财政非税收入收缴银行代理业务年度综合考评暂行办法》的通知	财政部	财库〔2009〕49号	2009年4月20日
221	关于印发《中央单位变更政府采购方式审批管理暂行办法》的通知	财政部	财库〔2009〕48号	2009年4月20日
222	关于印发《财政部代理发行地方政府债券财政总预算会计核算办法》的通知	财政部	财库〔2009〕19号	2009年3月13日

续 表

序号	文件名称	制定机关	文号	公布日期
223	关于预算外资金纳入预算管理后有关账务处理问题的通知	财政部	财库〔2008〕103号	2008年12月31日
224	财政部关于《中央财政国库集中支付银行代理业务综合考评暂行办法》的补充通知	财政部	财库〔2008〕62号	2008年9月4日
225	关于新型农村合作医疗补助资金国库集中支付会计核算有关事项的通知	财政部	财库〔2008〕59号	2008年8月22日
226	关于进一步加强预算执行管理的通知	财政部	财库〔2008〕1号	2008年1月18日
227	关于国有资本经营预算收支会计核算的通知	财政部	财库〔2007〕123号	2007年12月28日
228	关于应发未发国债和预算稳定调节基金会计核算的通知	财政部	财库〔2007〕117号	2007年12月26日
229	关于印发《自主创新产品政府采购合同管理办法》的通知	财政部	财库〔2007〕31号	2007年4月3日
230	关于印发《自主创新产品政府采购评审办法》的通知	财政部	财库〔2007〕30号	2007年4月3日
231	关于印发《自主创新产品政府采购预算管理办法》的通知	财政部	财库〔2007〕29号	2007年4月3日
232	关于实施促进自主创新政府采购政策的若干意见	财政部	财库〔2006〕47号	2006年6月13日
233	关于政府收支分类改革后调整国库集中收付有关凭证和报表格式的通知	财政部	财库〔2006〕43号	2006年6月2日

续 表

序号	文件名称	制定机关	文号	公布日期
234	关于印发《中央财政国库集中支付银行代理业务综合考评暂行办法》的通知	财政部	财库〔2006〕41号	2006年6月1日
235	关于印发《农村义务教育经费保障机制改革中央专项资金会计核算暂行办法》的通知	财政部	财库〔2006〕27号	2006年4月17日
236	关于政府收支分类改革后财政总预算会计 预算外资金财政专户会计核算问题的通知	财政部	财库〔2006〕25号	2006年4月13日
237	财政部 中国人民银行关于印发《储蓄国债〔电子式〕代销试点管理办法〔试行〕》的通知	财政部、中国人民银行	财库〔2006〕20号	2006年3月21日
238	关于调整国库集中支付有关支付凭证和报表格式的通知	财政部、中国人民银行	财库〔2004〕180号	2004年12月7日
239	关于中央单位政府采购评审专家库管理使用有关问题的通知	财政部	财办库〔2004〕80号	2004年10月27日
240	车辆购置税交通专项资金财政直接拨付管理暂行办法	财政部	财库〔2004〕16号	2004年3月4日
241	地方财政实施财政国库管理制度改革试点年终预算结余资金会计处理的暂行规定	财政部	财库〔2003〕126号	2003年12月26日
242	关于中央单位政府采购工作中有关执行问题的通知	财政部	财办库〔2003〕56号	2003年6月11日

续　表

序号	文件名称	制定机关	文号	公布日期
243	关于印发《中央财政国库集中收付代理银行招投标管理暂行办法》的通知	财政部、中国人民银行	财库〔2003〕15号	2003年3月7日
244	《财政国库管理制度改革试点会计核算暂行办法》补充规定	财政部	财库〔2002〕39号	2002年6月6日
245	行政事业单位会计决算报告制度	财政部	财统〔2002〕4号	2002年3月5日
246	财政预算资金拨付管理暂行办法	财政部	财库〔2001〕60号	2001年11月3日
247	财政国库管理制度改革试点会计核算暂行办法	财政部	财库〔2001〕54号	2001年7月27日
248	中央预算资金拨付管理暂行办法	财政部	财库〔2000〕18号	2000年11月4日
249	关于印发《政府采购品目分类表》的通知	财政部	财库〔2000〕10号	2000年9月28日
250	财政部关于印发中央预算外资金财政专户管理暂行办法的通知	财政部	财综字〔1996〕121号	1996年12月13日

行政政法类

序号	文件名称	制定机关	文号	公布日期
251	关于印发《中央财政监狱体制改革补助资金管理暂行办法》的通知	财政部、司法部	财行〔2013〕438号	2013年11月14日
252	关于印发《进口贴息资金管理办法》的通知	财政部、商务部	财企〔2012〕142号	2012年6月11日
253	关于印发《在华举办国际会议费用开支标准和财务管理办法》的通知	财政部	财行〔2012〕1号	2012年1月19日

续 表

序号	文件名称	制定机关	文号	公布日期
254	关于印发《中小企业国际市场开拓资金管理办法》的通知	财政部、商务部	财企〔2010〕87号	2010年5月24日
255	关于印发《中央专项彩票公益金法律援助项目实施与管理暂行办法》的通知	财政部、司法部	财行〔2009〕554号	2009年12月30日
256	关于印发《外经贸区域协调发展促进资金管理暂行办法》的通知	财政部、商务部	财企〔2008〕118号	2008年6月2日
257	关于印发《中央补助人民法院办案专款管理办法》的通知	财政部、最高人民法院	财行〔2007〕352号	2007年10月11日
258	关于印发《进口贴息资金管理暂行办法》的通知	财政部、商务部	财企〔2007〕205号	2007年9月22日
259	关于印发《中央国家机关和事业单位差旅费管理办法》的通知	财政部	财行〔2006〕313号	2006年11月13日
260	关于印发《中央国家机关出差和会议定点管理办法》的通知	财政部	财行〔2006〕312号	2006年11月13日
261	中央补助地方民主党派培训经费管理暂行办法	财政部	财行〔2006〕232号	2006年9月1日
262	关于印发《对外经济技术合作专项资金管理办法》的通知	财政部、商务部	财企〔2005〕255号	2005年12月9日
263	监狱劳教企业技术改造项目贷款财政贴息资金管理暂行办法	财政部、司法部	财行〔2004〕168号	2004年10月13日
264	中央纪委监察部派驻机构专项办案经费管理暂行办法	财政部、中央纪委、监察部	财行〔2004〕26号	2004年3月26日

续 表

序号	文件名称	制定机关	文号	公布日期
265	中央级行政经费项目支出绩效考评管理办法〔试行〕	财政部	财行〔2003〕108号	2003年9月30日
266	关于印发《中央补助地方侦办经济犯罪大要案件办案经费管理暂行办法》的通知	财政部、公安部	财行〔2003〕3号	2003年1月25日
267	中央补助地方监狱劳教专款管理办法	财政部	财行〔2002〕131号	2002年8月23日
268	关于印发《临时出国人员费用开支标准和管理办法》的通知	财政部、外交部	财行〔2001〕73号	2001年7月20日
269	旅游发展基金管理暂行办法	财政部、国家旅游局	财行〔2001〕24号	2001年4月23日
270	大案要案专项经费管理暂行办法	财政部	财行字〔2000〕186号	2000年9月29日
271	关于认真做好公、检、法、工商四部门“收支两条线”管理工作的通知	财政部	财公字〔1998〕106号	1998年10月9日
272	关于印发《对外援助支出预算资金管理办法》的通知	财政部	财外字〔1998〕308号	1998年6月24日
273	关于印发《行政单位财务分析指标》的通知	财政部	财文字〔1998〕9号	1998年1月26日
274	印发《关于接待外宾费用开支标准和管理办法的规定》的通知	财政部	〔97〕财外字第559号	1997年12月19日
275	关于印发《在华召开国际会议财务管理暂行规定》的通知	财政部	〔97〕财外字第543号	1997年12月12日
276	关于印发《外交支出经费管理暂行办法》的通知	财政部	财外字〔1996〕223号	1996年7月8日

续 表

序号	文件名称	制定机关	文号	公布日期
277	关于印发《保密业务经费管理暂行规定》的通知	财政部	〔94〕财文字第477号	1994年8月1日
278	颁发《关于对外赠送礼物金额标准的规定》的通知	财政部、外交部	〔93〕财外字第834号	1993年12月17日
279	关于出国实习培训人员费用开支标准和管理办法的规定	财政部、国家外国专家局	〔93〕财外字第600号	1993年8月30日
280	颁发《关于派往国际组织驻京机构任职人员生活待遇的暂行规定》的通知	财政部、外交部、人事部	〔93〕财外字第606号	1993年8月23日
281	转发《关于加强海外房地产管理工作的请示》的通知	财政部、外交部	〔87〕财外字第884号	1987年11月4日

教科文类

序号	文件名称	制定机关	文号	公布日期
282	关于印发《中央补助地方农村文化建设专项资金管理暂行办法》的通知	财政部	财教〔2013〕25号	2013年4月10日
283	关于印发《新疆文化艺术人才定向培养和培训计划专项资金管理暂行办法》的通知	财政部	财教〔2012〕439号	2012年11月28日
284	关于印发《应征入伍服义务兵役高等学校在校生学费补偿国家助学贷款代偿及退役复学后学费资助暂行办法》的通知	财政部、教育部、总参谋部	财教〔2011〕510号	2011年10月19日
285	关于印发《中央财政扶持城市学前教育发展奖补资金管理暂行办法》的通知	财政部、教育部	财教〔2011〕409号	2011年9月5日

续 表

序号	文件名称	制定机关	文号	公布日期
286	关于印发《中央财政扶持民办幼儿园发展奖补资金管理暂行办法》的通知	财政部、教育部	财教〔2011〕408号	2011年9月5日
287	关于印发支持中西部地区农村小学增设附属幼儿园实施方案	财政部、教育部	财教〔2011〕407号	2011年9月5日
288	关于印发支持中西部地区利用农村闲置校舍改建幼儿国实施方案的通知	财政部、教育部	财教〔2011〕406号	2011年9月5日
289	关于进一步加强中央文化部门预算执行管理的通知	财政部	财教〔2010〕82号	2010年5月12日
290	关于印发《中等职业学校免学费补助资金管理暂行办法》的通知	财政部、教育部、人力资源社会保障部	财教〔2010〕3号	2010年1月28日
291	关于印发《中央广播电视节目无线覆盖专项资金管理办法》的通知	财政部、广电总局	财教〔2009〕36号	2009年4月24日
292	关于印发《应征入伍服义务兵役高等学校毕业生学费补偿国家助学贷款代偿暂行办法》的通知	财政部、教育部、总参谋部	财教〔2009〕35号	2009年4月20日
293	关于印发《中央补助地方文化体育与传媒事业发展专项资金管理暂行办法》的通知	财政部	财教〔2008〕141号	2008年7月25日
294	关于印发农村电影公益放映场次补贴专项资金管理办法的通知	财政部、广电总局	财教〔2008〕135号	2008年7月16日
295	关于印发《农村文化以奖代补专项资金管理暂行办法》的通知	财政部	财教〔2008〕104号	2008年6月3日

续 表

序号	文件名称	制定机关	文号	公布日期
296	关于印发《民族文字出版专项资金管理暂行办法》的通知	财政部、新闻出版总署	财教〔2007〕258号	2007年10月12日
297	关于做好技工学校国家助学金发放管理工作的通知	财政部、劳动保障部	财教〔2007〕85号	2007年6月21日
298	关于印发《中等职业学校国家助学金管理暂行办法》的通知	财政部、教育部	财教〔2007〕84号	2007年6月21日
299	关于印发《电影精品专项资金管理办法》的通知	财政部	财教〔2007〕16号	2007年2月28日
300	关于印发《少数民族教育和特殊教育中央补助专项资金管理办法》的通知	财政部、教育部	财教〔2006〕243号	2006年11月21日
301	关于印发《科普惠农兴村计划专项资金管理办法〔试行〕》的通知	财政部、中国科协	财教〔2006〕140号	2006年9月13日
302	关于印发《国家电影事业发展专项资金管理办法》通知	财政部、广电总局	财教〔2006〕115号	2006年8月17日
303	关于印发《国家非物质文化遗产保护专项资金管理暂行办法》的通知	财政部、文化部	财教〔2006〕71号	2006年7月13日
304	关于印发《国家重点档案抢救和保护补助费管理办法》的通知	财政部、国家档案局	财教〔2006〕63号	2006年6月14日
305	关于印发《大遗址保护专项经费管理办法》的通知	财政部、国家文物局	财教〔2005〕135号	2005年8月25日
306	关于切实做好教育经费预算安排确保实现法定增长有关问题的通知	财政部	财教〔2004〕146号	2004年10月19日

续 表

序号	文件名称	制定机关	文号	公布日期
307	“985 工程”专项资金管理办法	财政部、教育部	财教〔2004〕117号	2004 年 9 月 27 日
308	中央补助地方科技基础条件专项资金管理办法	财政部	财教〔2004〕12号	2004 年 2 月 25 日
309	关于核定全国综合性体育运动会定额补助标准的通知	财政部、国家体育总局	财教〔2003〕108号	2003 年 8 月 25 日
310	国家杰出青年科学基金项目资助经费管理办法	财政部、国家自然科学基金委员会	财教〔2002〕64号	2002 年 6 月 7 日
311	国家自然科学基金项目资助经费管理办法	财政部、国家自然科学基金委员会	财教〔2002〕65号	2002 年 6 月 4 日
312	国家重点文物保护专项补助经费使用管理办法	财政部、国家文物局	财教〔2001〕351号	2001 年 12 月 11 日
313	对外汉语教材编写专项经费使用管理办法	财政部	财教〔2001〕148号	2001 年 9 月 28 日
314	关于做好农村中小学公用经费标准定额核定工作　确保学校正常运转有关问题的通知	财政部、教育部	财教〔2001〕38号	2001 年 7 月 9 日
315	关于废止《关于节约事业费开支的几项规定》的通知	财政部	财教〔2001〕5号	2001 年 1 月 22 日
316	关于印发《中央级干训费管理暂行规定》的通知	财政部	财公字〔2000〕57 号	2000 年 3 月 6 日
317	关于中央级文教事业单位提取专用基金比例问题的通知	财政部	财文字〔1998〕15 号	1998 年 3 月 6 日
318	关于颁发《广播电视事业单位财务制度》的通知	财政部、广播电影电视部	财文字〔1997〕553 号	1997 年 10 月 7 日

续　表

序号	文件名称	制定机关	文号	公布日期
319	关于印发《中小学校财务制度》的通知	财政部、国家教育委员会	财文字〔1997〕281 号	1997 年 6 月 23 日
320	关于印发《高等学校财务制度》的通知	财政部、国家教育委员会	财文字〔1997〕280 号	1997 年 6 月 23 日
321	关于颁发《文化事业单位财务制度》的通知	财政部、文化部	财文字〔1997〕271 号	1997 年 6 月 18 日
322	关于执行《科学事业单位财务制度》若干具体问题的通知	财政部、国家科学技术委员会	财文字〔1997〕256 号	1997 年 6 月 17 日
323	关于颁发《体育事业单位财务制度》的通知	财政部、国家体委	财文字〔1997〕273 号	1997 年 6 月 11 日
324	关于颁发《文物事业单位财务制度》的通知	财政部、国家文物局	财文字〔1997〕272 号	1997 年 6 月 10 日
325	关于财政部驻各地财政监察专员办事机构对中央级文教行政专项经费和单位实施财政监督具体范围的通知	财政部	财文字〔1997〕第 89 号	1997 年 5 月 4 日
326	关于确保财政教育经费投入和加强教育费附加征收工作的通知	财政部	财文字〔1997〕23 号	1997 年 3 月 20 日

经济建设类

序号	文件名称	制定机关	文号	公布日期
327	关于印发《江河湖泊生态环境保护项目资金管理办法》的通知	财政部、环境保护部	财建〔2013〕788 号	2013 年 11 月 12 日
328	关于印发 2013 年产粮〔油〕大县奖励办法的通知	财政部	财建〔2013〕483 号	2013 年 8 月 19 日

续 表

序号	文件名称	制定机关	文号	公布日期
329	关于修订《中央财政促进服务业发展专项资金管理办法》的通知	财政部、国家发展改革委、商务部、科技部、工商总局	财建〔2013〕469号	2013年8月15日
330	关于印发《中央补助地方粮食仓库维修改造资金分配办法》的通知	财政部、国家粮食局	财建〔2013〕472号	2013年8月13日
331	关于印发《农村老旧渡船报废更新中央专项奖励资金管理办法》的通知	财政部、交通运输部	财建〔2013〕121号	2013年4月11日
332	关于印发《中央财政促进服务业发展专项资金管理办法》的通知	财政部、商务部	财建〔2013〕4号	2013年1月17日
333	关于印发《节能减排财政政策综合示范城市奖励资金管理暂行办法》的通知	财政部、国家发展改革委	财建〔2012〕777号	2012年10月10日
334	关于印发《全国海域地名普查专项资金管理暂行办法》的通知	财政部、国家海洋局	财建〔2012〕705号	2012年9月20日
335	关于印发《三河三湖及松花江流域水污染防治项目资金管理办法》的通知	财政部、环境保护部	财建〔2012〕601号	2012年8月29日
336	关于印发《中央海岛保护专项资金管理办法》的通知	财政部、国家海洋局	财建〔2012〕580号	2012年8月16日
337	关于印发《中央公路水毁抢修保通补助资金管理暂行办法》的通知	财政部	财建〔2012〕494号	2012年7月24日
338	关于印发《循环经济发展专项资金管理暂行办法》的通知	财政部、国家发展改革委	财建〔2012〕616号	2012年7月20日

续 表

序号	文件名称	制定机关	文号	公布日期
339	关于印发《夏热冬冷地区既有居住建筑节能改造补助资金管理暂行办法》的通知	财政部	财建〔2012〕148号	2012年4月9日
340	关于印发《公路甩挂运输试点专项资金管理暂行办法》的通知	财政部、交通运输部	财建〔2012〕137号	2012年4月6日
341	关于印发《生猪调出大县奖励资金管理办法》的通知	财政部	财建〔2012〕24号	2012年1月31日
342	关于开展第一批绿色低碳重点小城镇试点示范工作的通知	财政部、住房城乡建设部、国家发展改革委	财建〔2011〕867号	2011年9月26日
343	关于印发《内河航道应急抢通补助资金管理办法》的通知	财政部、交通运输部	财建〔2011〕760号	2011年9月13日
344	关于印发《湖泊生态环境保护试点管理办法》的通知	财政部、环境保护部	财建〔2011〕464号	2011年6月30日
345	关于印发《节能技术改造财政奖励资金管理办法》的通知	财政部、国家发展改革委	财建〔2011〕367号	2011年6月21日
346	关于印发《交通运输节能减排专项资金管理暂行办法》的通知	财政部、交通运输部	财建〔2011〕374号	2011年6月20日
347	关于印发《基本建设贷款中央财政贴息资金管理办法》的通知	财政部	财建〔2011〕356号	2011年6月10日
348	关于绿色重点小城镇试点示范的实施意见	财政部、住房城乡建设部	财建〔2011〕341号	2011年6月3日
349	关于印发《淘汰落后产能中央财政奖励资金管理办法》的通知	财政部、工业和信息化部、国家能源局	财建〔2011〕180号	2011年4月20日

续 表

序号	文件名称	制定机关	文号	公布日期
350	关于印发《绿色能源示范县建设补助资金管理暂行办法》的通知	财政部、国家能源局、农业部	财建〔2011〕113号	2011年4月6日
351	关于印发《车辆购置税用于交通运输重点项目专项资金管理暂行办法》的通知	财政部、交通运输部	财建〔2011〕93号	2011年3月28日
352	关于印发《生猪调出大县奖励资金管理办法》的通知	财政部	财建〔2010〕498号	2010年8月18日
353	关于印发铁路机车车辆报废更新专项补贴资金管理暂行办法的通知	财政部	财建〔2010〕358号	2010年6月29日
354	关于印发《矿产资源节约与综合利用专项资金管理办法》的通知	财政部、国土资源部	财建〔2010〕312号	2010年6月17日
355	关于印发《合同能源管理项目财政奖励资金管理暂行办法》的通知	财政部、国家发展改革委	财建〔2010〕249号	2010年6月3日
356	关于印发《海洋可再生能源专项资金管理暂行办法》的通知	财政部、国家海洋局	财建〔2010〕171号	2010年5月18日
357	关于印发《渔业成品油价格补助专项资金管理暂行办法》的通知	财政部、农业部	财建〔2009〕1006号	2009年12月31日
358	关于印发《工业企业能源管理中心建设示范项目财政补助资金管理暂行办法》的通知	财政部、工业和信息化部	财建〔2009〕647号	2009年10月14日
359	关于印发《中央地勘基金持有探矿权采矿权价款折股股权管理暂行办法》	财政部、国土资源部	财建〔2009〕623号	2009年9月27日

续　表

序号	文件名称	制定机关	文号	公布日期
360	关于印发《新农村现代流通服务网络工程专项资金管理办法》的通知	财政部	财建〔2009〕630号	2009年9月23日
361	关于印发《海域使用金使用管理暂行办法》的通知	财政部、国家海洋局	财建〔2009〕491号	2009年8月18日
362	关于印发《特大型地质灾害防治专项资金管理暂行办法》的通知	财政部、国土资源部	财建〔2009〕463号	2009年8月6日
363	关于印发《无线电频率占用费管理办法》的通知	财政部、工业和信息化部	财建〔2009〕462号	2009年8月6日
364	关于做好金太阳示范工程实施工作的通知	财政部、科技部、国家能源局	财建〔2009〕397号	2009年7月16日
365	关于中央分成的新增建设用地土地有偿使用费分配使用及管理有关事项的通知	财政部、国土资源部	财建〔2009〕286号	2009年6月24日
366	关于印发《中小商贸企业发展专项资金管理暂行办法》的通知	财政部	财建〔2009〕229号	2009年5月26日
367	关于印发《农村物流服务体系发展专项资金管理办法》的通知	财政部	财建〔2009〕228号	2009年5月26日
368	关于印发《中央财政促进服务业发展专项资金管理办法》的通知	财政部	财建〔2009〕227号	2009年5月26日
369	关于印发《车辆购置税用于一般公路建设项目交通专项资金管理办法》的通知	财政部、交通运输部	财建〔2009〕230号	2009年5月15日
370	关于印发《中央农村环境保护专项资金管理暂行办法》的通知	财政部、环境保护部	财建〔2009〕165号	2009年4月21日

续表

序号	文件名称	制定机关	文号	公布日期
371	关于印发《太阳能光电建筑应用财政补助资金管理暂行办法》的通知	财政部	财建〔2009〕129号	2009年3月23日
372	关于做好支持搞活流通扩大消费有关资金管理的通知	财政部、商务部	财建〔2009〕16号	2009年2月5日
373	关于印发《秸秆能源化利用补助资金管理暂行办法》的通知	财政部	财建〔2008〕735号	2008年10月30日
374	关于调整中央集中排污费分配方式的通知	财政部、环境保护部	财建〔2008〕726号	2008年10月29日
375	关于印发《中央分成新增建设用地土地有偿使用费资金使用管理办法》的通知	财政部、国土资源部	财建〔2008〕157号	2008年4月21日
376	关于印发《民航机场管理建设费财政财务管理暂行办法》的通知	财政部、民航总局	财建〔2008〕1号	2008年1月2日
377	关于印发《淘汰落后产能中央财政奖励资金管理暂行办法》的通知	财政部	财建〔2007〕873号	2007年12月11日
378	关于印发《电子产业发展基金管理办法》的通知	财政部、信息产业部	财建〔2007〕866号	2007年12月10日
379	关于印发《中央财政促进服务业发展专项资金管理暂行办法》的通知	财政部	财建〔2007〕853号	2007年12月6日
380	关于贯彻落实生猪调出大县奖励政策的指导意见	财政部	财建〔2007〕747号	2007年11月22日
381	关于印发《生物燃料乙醇弹性补贴财政财务管理办法》的通知	财政部	财建〔2007〕724号	2007年11月20日

续 表

序号	文件名称	制定机关	文号	公布日期
382	关于印发《民族特需商品生产补助资金管理暂行办法》的通知	财政部	财建〔2007〕640号	2007年11月7日
383	关于印发《生物能源和生物化工原料基地补助资金管理暂行办法》的通知	财政部	财建〔2007〕435号	2007年9月20日
384	关于印发《生猪调出大县奖励政策资金管理办法》的通知	财政部	财建〔2007〕422号	2007年9月14日
385	关于印发《基本建设贷款中央财政贴息资金管理办法》的通知	财政部	财建〔2007〕416号	2007年9月11日
386	关于印发《节能技术改造财政奖励资金管理暂行办法》的通知	财政部、国家发展改革委	财建〔2007〕371号	2007年8月10日
387	关于印发《生物能源和生物化工非粮引导奖励资金管理暂行办法》的通知	财政部	财建〔2007〕282号	2007年7月12日
388	中国烟草总公司投资收益收取和使用管理办法〔暂行〕	财政部	财建〔2007〕214号	2007年6月6日
389	关于印发《中央财政主要污染物减排专项资金管理暂行办法》的通知	财政部、环保总局	财建〔2007〕112号	2007年4月17日
390	关于调整中央分成的新增建设用地土地有偿使用费分配方式的通知	财政部、国土资源部	财建〔2007〕84号	2007年3月26日
391	关于铁路运输企业出售国有资产变现收入管理有关问题的通知	财政部	财建〔2007〕75号	2007年3月25日
392	关于印发《电信普遍服务资金使用管理暂行办法》的通知	财政部	财建〔2006〕1005号	2006年12月21日

续 表

序号	文件名称	制定机关	文号	公布日期
393	关于加大对国有重点矿山企业财政政策扶持力度的指导意见	财政部、国土资源部	财建〔2006〕794号	2006年11月20日
394	关于印发《民族贸易企业网点改造和民族特需商品定点生产企业技术改造贷款财政贴息资金管理暂行办法》的通知	财政部、国家民委	财建〔2006〕699号	2006年10月30日
395	关于印发《以折股方式缴纳探矿权采矿权价款管理办法〔试行〕》的通知	财政部、国土资源部	财建〔2006〕695号	2006年10月25日
396	关于印发《危机矿山接替资源找矿专项资金管理暂行办法》的通知	财政部、国土资源部	财建〔2006〕367号	2006年8月1日
397	关于印发《中央地质勘查基金〔周转金〕管理暂行办法》的通知	财政部、国土资源部	财建〔2006〕342号	2006年7月14日
398	关于印发《中央地质勘查基金〔周转金〕管理暂行办法》的通知	财政部、国土资源部	财建〔2006〕342号	2006年7月13日
399	关于印发《可再生能源发展专项资金管理暂行办法》的通知	财政部	财建〔2006〕237号	2006年5月30日
400	烟花爆竹生产企业安全费用提取和使用管理办法	财政部	财建〔2006〕180号	2006年3月24日
401	关于印发《国家环境监测网络运行专项资金使用管理办法》的通知	财政部	财建〔2005〕765号	2005年11月19日
402	关于调整煤炭生产安全费用提取标准加强煤炭生产安全费用使用管理与监督的通知	财政部、国家发展改革委、国家安全生产监督管理总局、国家煤矿安全监察局	财建〔2005〕168号	2005年4月8日

续 表

序号	文件名称	制定机关	文号	公布日期
403	关于印发中央财政对产粮大县奖励办法的通知	财政部	财建〔2005〕153号	2005年4月8日
404	关于印发《集成电路产业研究与开发专项资金管理暂行办法》的通知	财政部、信息产业部、国家发展改革委	财建〔2005〕132号	2005年3月23日
405	关于印发《全国省际间海域勘界经费管理办法》的通知	财政部	财建〔2005〕62号	2005年2月17日
406	关于印发《近海海洋综合调查与评价专项经费管理办法》的通知	财政部	财建〔2005〕60号	2005年2月16日
407	关于铁路国有资产管理有关问题的通知	财政部	财建〔2004〕311号	2004年9月21日
408	国土资源调查专项资金管理暂行办法	财政部、国土资源部	财建〔2004〕192号	2004年7月12日
409	中小企业服务体系专项补助资金使用管理办法〔暂行〕	财政部	财建〔2004〕124号	2004年5月28日
410	探矿权采矿权使用费和价款使用管理办法〔试行〕	财政部、国土资源部	财建〔2003〕530号	2003年11月10日
411	黄金地质勘探资金管理办法	财政部	财建〔2003〕456号	2003年10月15日
412	老旧汽车报废更新补贴资金管理暂行办法	财政部、国家经贸委	财建〔2002〕742号	2002年12月20日
413	自然保护区专项资金使用管理办法	财政部	财建〔2001〕899号	2001年12月5日
414	矿产资源补偿费使用管理办法	财政部、国土资源部	财建〔2001〕809号	2001年11月22日

续 表

序号	文件名称	制定机关	文号	公布日期
415	地质勘查单位转产项目银行贷款财政贴息管理办法	财政部	财建〔2001〕574号	2001年9月30日
416	中央财政补助地方地质勘查项目专项资金管理暂行办法	财政部	财建〔2001〕177号	2001年4月18日
417	关于印发《港口建设费分成资金使用管理暂行办法》的通知	财政部、交通部	财工字〔1997〕141号	1997年5月30日
418	关于印发《矿产资源保护项目补助经费管理暂行办法》的通知	财政部	财基字〔1997〕146号	1997年4月28日
419	关于下发《国家储备棉财务管理办法》的通知	财政部、中华全国供销合作总社	财商字〔1997〕57号	1997年3月12日
420	关于印发《港口建设费管理办法》的通知	财政部	财工字〔1996〕446号	1997年1月6日
421	运输企业财务制度	财政部	〔92〕财工字第577号	1992年12月30日

农业类

序号	文件名称	制定机关	文号	公布日期
422	关于印发《农村综合改革示范试点考核评价试行办法》的通知	财政部	财农改〔2013〕10号	2013年9月30日
423	关于印发《中央财政统筹从土地出让收益中计提的农田水利建设资金使用管理办法》的通知	财政部、水利部	财农〔2013〕14号	2013年4月8日
424	关于印发《中央财政农业技术推广与服务补助资金管理办法》的通知	财政部	财农〔2012〕501号	2012年12月21日

续 表

序号	文件名称	制定机关	文号	公布日期
425	《三峡后续工作专项资金补助标准》	财政部、国务院三峡办	财企〔2012〕120号	2012年6月8日
426	关于修改《中央财政小型农田水利设施建设和国家水土保持重点建设工程补助专项资金管理办法》有关条文的通知	财政部、水利部	财农〔2012〕54号	2012年5月24日
427	关于印发《三峡后续工作专项资金使用管理暂行办法》的通知	财政部	财企〔2011〕400号	2011年12月15日
428	关于印发《中央财政补助中西部地区、贫困地区公益性水利工程维修养护经费使用管理暂行办法》的通知	财政部、水利部	财农〔2011〕463号	2011年11月29日
429	关于印发《中央财政现代农业生产发展资金管理办法》的通知	财政部	财农〔2011〕68号	2011年5月13日
430	关于印发《林业生产救灾资金管理暂行办法》的通知	财政部、国家林业局	财农〔2011〕10号	2011年2月10日
431	关于印发《森林抚育补助试点资金管理暂行办法》的通知	财政部、国家林业局	财农〔2010〕546号	2010年12月24日
432	关于扩大清理化解其他公益性乡村债务工作的意见	国务院农村综合改革工作小组	国农改〔2010〕20号	2010年6月9日
433	关于开展清理化解其他公益性乡村债务工作的意见	国务院农村综合改革工作小组	国农改〔2009〕21号	2009年12月21日
434	关于印发《全国重点地区中小河流治理项目管理暂行办法》的通知	财政部、水利部	财建〔2009〕819号	2009年11月25日

续 表

序号	文件名称	制定机关	文号	公布日期
435	关于印发《中央财政森林生态效益补偿基金管理办法》的通知	财政部、国家林业局	财农〔2009〕381号	2009年11月23日
436	关于进一步完善《对种粮农民直接补贴工作经费管理办法》的通知	财政部	财建〔2009〕801号	2009年11月17日
437	关于印发《中央财政新增农资综合补贴资金集中用于粮食基础能力建设暂行管理办法》的通知	财政部	财建〔2009〕786号	2009年11月16日
438	关于印发《中央财政小型农田水利设施建设和国家水土保持重点建设工程补助专项资金管理办法》的通知	财政部、水利部	财农〔2009〕335号	2009年11月6日
439	关于印发《中央财政现代农业生产发展资金使用管理办法》的通知	财政部	财农〔2009〕342号	2009年10月28日
440	关于印发《林业贷款中央财政贴息资金管理办法》的通知	财政部、国家林业局	财农〔2009〕291号	2009年9月23日
441	关于印发《林业国家级自然保护区补助资金管理暂行办法》的通知	财政部、国家林业局	财农〔2009〕290号	2009年9月22日
442	关于印发《中央财政林业科技推广示范资金管理暂行办法》的通知	财政部、国家林业局	财农〔2009〕289号	2009年9月22日
443	关于进一步完善农资综合补贴动态调整机制的实施意见的通知	财政部、发展改革委、农业部	财建〔2009〕492号	2009年8月19日
444	关于印发《中央财政现代农业生产发展资金绩效考评试行办法》的通知	财政部	财农〔2009〕4号	2009年2月4日

续　表

序号	文件名称	制定机关	文号	公布日期
445	关于印发《中央专项彩票公益金支持扶贫事业项目管理办法》的通知	财政部、国务院扶贫办	财农〔2008〕340号	2008年11月4日
446	关于印发《县级财政支农资金整合工作考评暂行办法》的通知	财政部	财农〔2008〕144号	2008年6月19日
447	关于印发《大中型水库移民后期扶持政策实施工作专项补助经费使用管理暂行办法》的通知	财政部	财企〔2008〕37号	2008年2月27日
448	关于印发《对种粮农民直接补贴工作经费管理办法》的通知	财政部	财建〔2006〕975号	2006年12月14日
449	关于印发《中央财政农作物病虫害防治补助资金管理暂行办法》的通知	财政部、农业部	财农〔2006〕287号	2006年12月6日
450	关于印发《天然林保护工程财政资金管理规定》的通知	财政部	财农〔2006〕223号	2006年10月25日
451	关于印发《测土配方施肥试点补贴资金管理暂行办法》的通知	财政部、农业部	财农〔2005〕101号	2005年7月11日
452	关于印发《林业有害生物防治补助费管理办法》的通知	财政部、国家林业局	财农〔2005〕44号	2005年5月25日
453	印发《关于进一步完善对种粮农民直接补贴政策的意见》的通知	财政部、国家发展改革委、农业部、国家粮食局、中国农业发展银行	财建〔2005〕59号	2005年2月3日
454	中央级防汛物资管理办法	财政部、水利部	财农〔2004〕241号	2004年12月10日
455	中央财政飞播种草补助费管理暂行规定	财政部、农业部	财农〔2004〕139号	2004年9月6日

续 表

序号	文件名称	制定机关	文号	公布日期
456	中央财政农民专业合作组织发展资金管理暂行办法	财政部	财农〔2004〕87号	2004年7月16日
457	中央财政支持农业产业化资金管理暂行办法	财政部	财农〔2004〕88号	2004年7月16日
458	农业科技推广示范项目资金管理办法	财政部	财农〔2004〕81号	2004年7月7日
459	海洋捕捞渔民转产转业专项资金使用管理规定	财政部、农业部	财办农〔2003〕116号	2003年9月18日
460	关于切实加强农业财政资金管理监督的意见	财政部	财农〔2003〕90号	2003年7月28日
461	农业科技推广与服务专项资金管理办法	财政部	财农〔2001〕231号	2001年12月12日
462	关于印发《农业科技成果转化资金项目管理暂行办法》的通知	财政部、科技部	国科办财字〔2001〕417号	2001年8月28日
463	特大防汛抗旱补助费分配暂行规定	财政部、水利部	财农〔2001〕30号	2001年4月13日
464	财政扶贫项目管理费管理办法〔试行〕	财政部、国家扶贫开发领导小组、国家计委	财农字〔2000〕18号	2000年5月30日
465	关于颁发《农业事业单位财务制度》的通知	财政部	财农字〔1997〕197号	1997年6月17日
466	关于印发《引进国际先进农业科学技术资金管理办法》的通知	财政部、农业部、林业部、水利部	财农字〔1996〕51号	1996年4月4日
467	关于下发《关于财政支持农业技术推广的若干意见》的通知	财政部	财农字〔1995〕329号	1996年1月2日
468	关于印发《关于农业企业制定内部财务管理办法的指导意见》的通知	财政部	财农字〔1995〕8号	1995年3月20日

社会保障类

序号	文件名称	制定机关	文号	公布日期
469	关于印发国家临床重点专科建设项目资金管理暂行办法的通知	财政部、国家卫生计生委、国家中医药局	财社〔2013〕245号	2013年12月24日
470	关于印发《军队离退休干部服务管理机构用房建设专项补助资金使用管理办法》的通知	财政部、民政部	财社〔2013〕16号	2013年3月25日
471	关于印发《1级至4级分散供养残疾退役士兵购〔建〕房资金使用管理办法》的通知	财政部、民政部	财社〔2013〕15号	2013年3月25日
472	关于印发《优抚事业单位专项补助资金使用管理办法》的通知	财政部、民政部	财社〔2013〕14号	2013年3月25日
473	关于印发《全国重点军供站维修改造及设备更新项目资金使用管理办法》的通知	财政部、民政部	财社〔2013〕13号	2013年3月25日
474	关于调整城镇居民基本医疗保险和新型农村合作医疗地方财政补助资金考核办法的通知	财政部、人力资源社会保障部、卫生部	财社〔2012〕223号	2012年11月30日
475	关于印发《城乡最低生活保障资金管理办法》的通知	财政部、民政部	财社〔2012〕171号	2012年9月28日
476	关于印发《零散烈士纪念设施抢救保护专项补助资金使用管理办法》的通知	财政部、民政部	财社〔2012〕71号	2012年6月29日

续　表

序号	文件名称	制定机关	文号	公布日期
477	关于调整中央财政城镇居民基本医疗保险和新型农村合作医疗补助资金申报审核有关问题的通知	财政部、人力资源社会保障部、卫生部	财社〔2011〕285号	2011年11月30日
478	关于完善人口和计划生育投入保障机制的意见	财政部、人口计生委	财教〔2011〕558号	2011年11月16日
479	关于印发《中央财政流浪乞讨人员救助补助资金管理办法》的通知	财政部、民政部	财社〔2011〕190号	2011年9月14日
480	关于进一步做好质量技术监督部门食品安全监管经费保障工作的通知	财政部、质检总局	财行〔2011〕183号	2011年6月13日
481	关于进一步加强就业专项资金管理有关问题的通知	财政部、人力资源社会保障部	财社〔2011〕64号	2011年5月31日
482	关于印发《退役士兵职业教育和技能培训资金使用管理办法》通知	财政部、民政部	财社〔2011〕35号	2011年4月13日
483	关于印发《基本公共卫生服务项目补助资金管理办法的通知	财政部、卫生部	财社〔2010〕311号	2010年12月31日
484	关于印发《国家免费孕前优生健康检查项目试点专项资金管理办法〔试行〕》的通知	财政部、人口计生委	财教〔2010〕333号	2010年9月14日
485	关于印发《全国计划生育家庭特别扶助专项资金管理暂行办法》的通知	财政部、人口计生委	财教〔2010〕244号	2010年7月22日
486	关于印发《西部地区计划生育"少生快富"工程专项资金管理暂行办法》的通知	财政部、人口计生委	财教〔2010〕242号	2010年7月22日

续　表

序号	文件名称	制定机关	文号	公布日期
487	关于调整中央财政新型农村合作医疗补助资金拨付办法有关问题的通知	财政部、卫生部	财社〔2010〕46号	2010年5月4日
488	关于中央财政新型农村社会养老保险试点专项补助资金管理有关问题的通知	财政部、人力资源社会保障部	财社〔2009〕211号	2009年11月10日
489	关于印发《农村孕产妇住院分娩专项补助资金管理暂行办法》的通知	财政部、卫生部	财社〔2009〕36号	2009年6月1日
490	关于就业专项资金使用管理及有关问题的通知	财政部、人力资源社会保障部	财社〔2008〕269号	2008年11月19日
491	关于印发《城市社区公共卫生服务专项补助资金管理办法》的通知	财政部、卫生部	财社〔2008〕2号	2008年1月7日
492	关于印发《残疾人事业专项彩票公益金使用管理办法》的通知	财政部	财社〔2007〕79号	2007年7月9日
493	关于印发《中国红十字会总会彩票公益金管理办法》的通知	财政部、中国红十字会总会	财社〔2007〕52号	2007年5月14日
494	关于印发《全国农村部分计划生育家庭奖励扶助专项资金管理办法〔试行〕》的通知	财政部、人口计生委	财教〔2005〕77号	2005年8月2日
495	关于印发《军队移交政府离退休人员安置经费使用管理办法》的通知	财政部、民政部	财社〔2005〕52号	2005年7月1日
496	关于加强城市医疗救助基金管理的意见	财政部、民政部	财社〔2005〕39号	2005年6月8日
497	中央补助地方卫生事业专项资金管理暂行办法	财政部、卫生部	财社〔2004〕24号	2004年5月2日

续 表

序号	文件名称	制定机关	文号	公布日期
498	农村医疗救助基金管理试行办法	财政部、民政部	财社〔2004〕1号	2004年1月5日
499	中国残疾人事业五年计划纲要专项资金管理办法	财政部、中国残联	财社〔2003〕27号	2003年4月11日
500	关于农村卫生事业补助政策的若干意见	财政部、国家计委、卫生部	财社〔2003〕14号	2003年2月14日
501	财政部、国家计委、卫生部关于农村卫生事业补助政策的若干意见	财政部、国家计委、卫生部	财社〔2003〕14号	2003年2月14日
502	中央补助地方计划生育事业专项经费使用管理办法	财政部、国家计生委	财教〔2002〕25号	2002年3月21日
503	中央补助地方药品监督机构建设专项经费管理办法	财政部、国家药品监督管理局	财社〔2002〕6号	2002年1月31日
504	关于加强就业经费管理工作的通知	财政部、劳动和社会保障部	财社字〔1999〕157号	1999年10月8日
505	关于颁发《计划生育事业单位财务制度》的通知	财政部、国家计生委	财文字〔1997〕274号	1997年6月9日

资产管理类

序号	文件名称	制定机关	文号	公布日期
506	关于印发《中央国有资本经营预算重点产业转型升级与发展资金管理办法》的通知	财政部	财企〔2013〕389号	2013年11月29日
507	关于印发《国有冶金矿山企业发展专项资金管理办法》的通知	财政部	财企〔2012〕362号	2012年11月7日

续 表

序号	文件名称	制定机关	文号	公布日期
508	关于印发《中央国有资本经营预算安全生产保障能力建设专项资金管理暂行办法》的通知	财政部、国家安监总局	财企〔2011〕239号	2011年8月26日
509	关于印发《中央国有资本经营预算节能减排资金管理暂行办法》的通知	财政部	财企〔2011〕92号	2011年5月9日
510	关于豁免国有创业投资机构和国有创业投资引导基金国有股转持义务有关审核问题的通知	财政部	财企〔2011〕14号	2011年2月22日
511	关于豁免国有创业投资机构和国有创业投资引导基金国有股转持义务有关问题的通知	财政部	财企〔2010〕278号	2010年10月13日
512	关于中央行政事业单位所属企业国有资产监管工作归口管理的通知	财政部	财办〔2010〕35号	2010年8月26日
513	关于印发《中央国有资本经营预算重大技术创新及产业化资金管理办法》的通知	财政部	财企〔2010〕153号	2010年7月13日
514	关于印发《中央管理企业灾后恢复重建贷款贴息资金管理办法补充规定》的通知	财政部	财企〔2010〕130号	2010年6月25日
515	关于认真做好资产评估收费制度改革工作的通知	财政部	财企〔2009〕268号	2009年12月4日
516	关于提高化学矿山维持简单再生产费用标准的通知	财政部	财企〔2009〕240号	2009年11月13日

续 表

序号	文件名称	制定机关	文号	公布日期
517	关于印发《中央国有资本经营预算重大技术创新及产业化资金管理办法》的通知	财政部	财企〔2009〕220号	2009年10月27日
518	关于印发《中央管理企业灾后恢复重建贷款贴息资金管理办法》的通知	财政部	财企〔2009〕154号	2009年8月6日
519	关于做好地方国有资本经营预算季报统计工作的通知	财政部	财企〔2009〕34号	2009年3月19日
520	关于印发《中央国有资本经营预算节能减排资金管理暂行办法》的通知	财政部	财企〔2008〕438号	2008年12月24日
521	关于加强资产评估机构后续管理有关问题的通知	财政部	财企〔2008〕62号	2008年4月3日
522	关于做好资产评估机构过渡期末有关工作的通知	财政部	财企〔2008〕43号	2008年3月4日
523	关于印发《中央国有资本经营预算编报试行办法》的通知	财政部	财企〔2007〕304号	2007年11月20日
524	关于印发《高危行业企业安全生产费用财务管理暂行办法》的通知	财政部、国家安全生产监督管理总局	财企〔2006〕478号	2006年12月8日
525	关于贯彻实施《资产评估机构审批管理办法》认真做好资产评估机构管理工作的通知	财政部	财企〔2005〕90号	2005年6月25日
526	关于取消外商投资企业预分利润审批事项的通知	财政部	财企〔2004〕133号	2004年8月9日

续　表

序号	文件名称	制定机关	文号	公布日期
527	关于外商投资企业对外投资资产评估增减值财务处理问题的通知	财政部	财企〔2003〕181号	2003年7月4日
528	施工新技术研究与开发资金管理办法	财政部	财企〔2002〕438号	2002年10月23日
529	关于进一步加强外商投资企业财政登记管理工作有关问题的通知	财政部	财办企〔2002〕166号	2002年9月30日
530	冶金独立矿山专项扶持资金管理办法	财政部	财企〔2001〕345号	2001年5月11日
531	企业年度汇总会计信息报告制度	财政部	财统〔2000〕12号	2000年12月6日
532	财政部关于企业技术改造贴息资金财务处理的函	财政部	财企〔2000〕485号	2000年10月31日
533	关于中长期出口信贷项下应收外汇帐款汇兑损益财务处理问题的通知	财政部	财商字〔1997〕535号	1997年10月28日
534	关于发布《森林资源资产评估技术规范〔试行〕》的通知	国资局、林业部	国资办发〔1996〕第59号	1996年12月16日
535	外商投资企业财政登记管理办法	财政部	财工字〔1996〕126号	1996年5月8日
536	关于企业进出口商品有关外币费用财务处理的函	财政部	财商字〔1995〕620号	1995年12月28日
537	关于印发《行政事业单位国有资产处置管理实施办法》的通知	国家国有资产管理局	国资事发〔1995〕106号	1995年9月5日

续 表

序号	文件名称	制定机关	文号	公布日期
538	关于外商投资企业筹建期财政财务管理有关规定的通知	财政部	财工字〔1995〕223 号	1995 年 6 月 27 日
539	关于印发《行政事业单位国有资产产权登记实施办法》的通知	国家国有资产管理局	〔95〕国资事发第 31 号	1995 年 3 月 25 日

金融类

序号	文件名称	制定机关	文号	公布日期
540	关于印发《中央金融企业负责人职务消费管理暂行办法》的通知	财政部、监察部、审计署	财金〔2012〕125 号	2012 年 10 月 10 日
541	关于印发《中央财政农村金融机构定向费用补贴资金管理暂行办法》的通知	财政部	财金〔2010〕42 号	2010 年 5 月 18 日
542	关于印发《金融类国有及国有控股企业绩效评价实施细则》的通知	财政部	财金〔2009〕169 号	2009 年 12 月 25 日
543	关于印发《中央财政新型农村金融机构定向费用补贴资金管理暂行办法》的通知	财政部	财金〔2009〕31 号	2009 年 4 月 22 日
544	关于印发《财政县域金融机构涉农贷款增量奖励资金管理暂行办法》的通知	财政部	财金〔2009〕30 号	2009 年 4 月 22 日
545	关于金融类国有及国有控股企业绩效评价相关事项的通知	财政部	财金〔2009〕27 号	2009 年 4 月 16 日

续 表

序号	文件名称	制定机关	文号	公布日期
546	关于印发《金融类国有及国有控股企业绩效评价暂行办法》的通知	财政部	财金〔2009〕3号	2009年1月13日
547	关于国有金融企业试行企业年金制度有关问题的通知	财政部	财金〔2006〕18号	2006年3月29日
548	关于呆账准备提取有关问题的通知	财政部	财金〔2005〕90号	2005年9月5日
549	关于印发《金融企业呆帐准备提取管理办法》的通知	财政部	财金〔2005〕49号	2005年5月17日
550	关于印发出口信用保险国家〔地区〕风险分类和国家限额表的通知	财政部	财金〔2004〕10号	2004年2月12日
551	关于印发金融企业国有资产产权登记证〔正、副本〕有关事项的通知	财政部	财金〔2003〕8号	2003年1月6日
552	关于金融企业国有资产产权登记报表及填报说明的通知	财政部	财金函〔2002〕42号	2002年4月27日

国际财金合作类

序号	文件名称	制定机关	文号	公布日期
553	关于改进部分地区国际金融组织转贷款项目外汇管理方式的通知	财政部、国家外汇管理局	财际〔2010〕7号	2010年2月25日
554	关于印发《国际金融组织项目绩效评价管理暂行办法》的通知	财政部	财际〔2008〕48号	2008年4月21日

续 表

序号	文件名称	制定机关	文号	公布日期
555	财政部关于由财政部金融司出具外国政府贷款证明书和外国政府、国际组织无偿赠送及我国履行国际条约进口物资证明的函	财政部	财金〔2000〕13号	2006年6月28日
556	关于印发《国际金融组织贷款和赠款项目城市间交通费管理办法》的通知	财政部	财国际〔2003〕16号	2003年1月20日
557	关于日本国际协力银行不附带条件贷款管理工作有关问题的通知	财政部	财金〔2000〕121号	2000年11月8日
558	关于国际金融组织贷款项目外汇管理若干问题的通知	财政部、国家外汇管理局	财际字〔1999〕188号	1999年11月9日
559	关于印发《国际金融组织贷款转贷会计制度》的通知	财政部	财际字〔1999〕165号	1999年7月19日
560	关于印发《外国政府贷款项下采购工作管理暂行规定》的通知	财政部	财债字〔1999〕34号	1999年2月14日
561	关于颁发《世界银行和亚洲开发银行贷款项目国际招标代理机构委托指南》的通知	财政部、中国人民银行、国家计划委员会	财世字〔1994〕26号	1994年2月7日

会计及注册会计师管理类

序号	文件名称	制定机关	文号	公布日期
562	关于印发《企业会计准则通用分类标准编报规则》的通知	财政部	财会〔2013〕11号	2013年5月29日

续　表

序号	文件名称	制定机关	文号	公布日期
563	注册会计师全国统一考试免试管理办法	财政部	财考〔2012〕5号	2012年8月28日
564	关于发布《会计师事务所综合评价办法〔修订〕》的通知	中国注册会计师协会	会协〔2012〕132号	2012年5月25日
565	关于印发石油和天然气行业扩展分类标准的通知	财政部	财会〔2011〕22号	2011年12月16日
566	关于印发《注册会计师专业方向院校考核办法》的通知	中国注册会计师协会	会协〔2011〕118号	2011年12月15日
567	关于印发《注册会计师专业方向资助资金使用管理暂行办法》的通知	中国注册会计师协会	会协〔2011〕107号	2011年11月19日
568	关于发布《会计师事务所综合评价办法〔修订〕》的通知	中国注册会计师协会	会协〔2011〕41号	2011年7月22日
569	关于印发《企业会计准则通用分类标准编报规则》的通知	财政部	财会〔2011〕12号	2011年5月16日
570	关于发布企业会计准则通用分类标准的通知	财政部	财会〔2010〕20号	2010年10月19日
571	关于印发《注册会计师全国统一考试考务工作规则》《注册会计师全国统一考试监考人员工作规则》和《注册会计师全国统一考试应考人员考场守则》的通知	中国注册会计师协会	财考〔2010〕6号	2010年8月18日
572	关于印发《注册会计师全国统一考试管理工作指南》的通知	财政部	财考办〔2010〕136号	2010年8月18日

续 表

序号	文件名称	制定机关	文号	公布日期
573	关于印发《香港特别行政区、澳门特别行政区、台湾地区居民及外国人参加注册会计师全国统一考试办法》的通知	财政部	财会〔2009〕4号	2009年4月7日
574	财政部关于印发《香港特别行政区、澳门特别行政区、台湾地区居民及外国人参加中华人民共和国注册会计师全国统一考试办法》的通知	财政部	财会〔2009〕4号	2009年4月7日
575	关于延长港澳地区会计师事务所来内地临时执行审计业务许可证有效期的通知	财政部	财会〔2008〕12号	2008年9月16日
576	关于印发《注册会计师考试管理工作指南》《注册会计师全国统一考试监考人员工作规则》和《注册会计师全国统一考试应考人员考场守则》的通知	中国注册会计师协会	会协〔2008〕60号	2008年8月13日
577	财政部关于印发《注册会计师全国统一考试考务工作规则》的通知	财政部	财考〔2008〕7号	2008年8月1日
578	中国注册会计师协会关于印发《中国注册会计师协会注册管理委员会工作规则》及委员会组成人员名单的通知	中国注册会计师协会	会协〔2007〕103号	2007年11月30日
579	中国注册会计师协会关于印发《注册会计师专业方向考核资助办法〔试行〕的通知	中国注册会计师协会	会协〔2007〕64号	2007年9月29日

续　表

序号	文件名称	制定机关	文号	公布日期
580	财政部　证监会关于会计师事务所从事证券 期货相关业务有关问题的通知	财政部	财会〔2007〕6号	2007年4月9日
581	中国注册会计师协会关于印发《注册会计师全国统一考试应考人员违规行为处理工作规程〔试行〕》的通知	中国注册会计师协会	会协〔2007〕11号	2007年3月2日
582	关于印发《会计人员继续教育规定》的通知	财政部	财会〔2006〕19号	2006年11月20日
583	中国注册会计师协会关于发布《会计师事务所综合评价办法〔试行〕》的通知	中国注册会计师协会	会协〔2006〕74号	2006年11月3日
584	中国注册会计师协会关于印发《外汇收支情况表审核指导意见》的通知	中国注册会计师协会	会协〔2005〕2号	2005年1月13日
585	财政部关于印发《信托业务会计核算办法》的通知	财政部	财会〔2005〕1号	2005年1月5日
586	小型工业企业执行《小企业会计制度》衔接规定	财政部	财会〔2004〕16号	2004年10月27日
587	印发《关于加强〈小企业会计制度〉贯彻实施工作的通知	财政部、国家税务总局	财会〔2004〕15号	2004年10月22日
588	《港、澳、台地区会计师事务所来内地临时执行审计业务的暂行规定》的补充规定	财政部	财会〔2003〕33号	2003年11月26日
589	《注册会计师执行证券、期货相关业务许可证管理规定》的补充规定	财政部、中国证监会	财会〔2003〕22号	2003年7月30日

续 表

序号	文件名称	制定机关	文号	公布日期
590	《关于使用新版临时执行审计业务许可证书的通知》	财政部	财办会〔2003〕10号	2003年3月10日
591	关于印发《注册会计师全国统一考试试卷评阅工作规则》的通知	财政部	财办会〔2003〕5号	2003年1月31日
592	关于印发《注册会计师考试成绩核查试行办法》的通知	财政部	财考〔2001〕22号	2001年12月20日
593	关于印发《注册会计师考试成绩核查试行工作规程》的通知	财政部	财考〔2001〕169号	2001年12月18日
594	关于彩票发行与销售机构执行《事业单位会计制度》有关问题的通知	财政部	财会〔2001〕63号	2001年12月17日
595	关于印发《企业会计准则——固定资产》、《企业会计准则——存货》的通知	财政部	财会〔2001〕57号	2001年11月9日
596	财政部注册会计师考试委员会办公室关于转发《国家计委关于注册会计师考试收费标准问题的通知》的通知	财政部	财考办〔2001〕13号	2001年4月24日
597	关于印发《企业会计准则——无形资产》等8项准则的通知	财政部	财会〔2001〕7号	2001年1月18日
598	关于印发《注册会计师执行证券期货相关业务许可证管理规定》的通知	财政部、中国证监会	财协字〔2000〕56号	2000年6月10日
599	企业会计准则——或有事项	财政部	财会字〔2000〕6号	2000年4月27日

续 表

序号	文件名称	制定机关	文号	公布日期
600	关于物业管理企业执行《房地产开发企业会计制度》有关问题的通知	财政部	财会字〔1999〕44号	1999年12月1日
601	中国注册会计师协会关于发放注册会计师证书及事务所执业证书有关事项的通知	中国注册会计师协会	会协〔1999〕1号	1999年1月1日
602	中国注册会计师协会《关于涉外会计师事务所分支机构的注册会计师资格管理等问题的答复》	中国注册会计师协会	会协字〔1998〕370号	1998年11月27日
603	关于对契税会计处理办法请示的复函	财政部	财会字〔1998〕36号	1998年10月14日
604	关于印发《企业兼并有关会计处理问题暂行规定》的通知	财政部	财会字〔1997〕30号	1997年8月7日
605	关于发布《事业单位会计准则〔试行〕》的通知	财政部	财预字〔1997〕286号	1997年5月28日
606	关于印发汽车运输企业内部单车承包租赁产权转让经营会计核算办法〔试行〕的通知	财政部、交通部	财会字〔1996〕65号	1996年12月9日
607	关于"优化资本结构"试点城市国有工业企业补充流动资本会计处理规定的补充通知	财政部	财会字〔1996〕13号	1996年5月19日
608	关于印发《中外合作会计师事务所管理暂行办法》的通知	财政部	财会协字〔1996〕24号	1996年3月28日
609	关于允许国际会计师事务所在中国境内发展多个成员所的通知	财政部	财会协字〔1996〕9号	1996年1月22日

续 表

序号	文件名称	制定机关	文号	公布日期
610	关于进出口企业向海关报送有关会计报表的补充通知	财政部	财会字〔1995〕72 号	1995 年 12 月 7 日
611	关于中外合作经营企业归还投资有关会计处理问题的复函	财政部	财会字〔1995〕36 号	1995 年 10 月 5 日
612	关于优势国有企业兼并困难国有工业生产企业后有关银行贷款利息会计处理的通知	财政部	财会字〔1995〕19 号	1995 年 5 月 31 日
613	关于旅行社缴纳质量保证金有关会计处理的通知	财政部	财会字〔1995〕13 号	1995 年 3 月 6 日
614	关于印发企业缴纳残疾人就业保障金有关会计处理规定的通知	财政部	财会字〔1995〕10 号	1995 年 2 月 17 日
615	关于对外经济合作企业若干会计处理问题的通知	财政部	财会字〔1995〕8 号	1995 年 2 月 4 日
616	关于"优化资本结构"试点城市国有工业企业补充流动资本会计处理规定的通知	财政部	财会字〔1995〕3 号	1995 年 1 月 4 日
617	关于印发《企业执行现行会计制度有关问题的解答》的通知	财政部	财会字〔1994〕第 31 号	1994 年 7 月 6 日
618	关于印发《港、澳、台地区会计师事务所来内地临时执行审计业务的暂行规定》的通知	财政部	财会协字〔1994〕81 号	1994 年 5 月 26 日
619	关于《外国会计师事务所在中国境内临时执行审计业务的暂行规定》的补充规定的通知	财政部	〔93〕财会协字第 134 号	1993 年 12 月 27 日

续 表

序号	文件名称	制定机关	文号	公布日期
620	关于印发《外国会计师事务所在中国境内临时执行审计业务的暂行规定》的通知	财政部	〔93〕财会协字第119号	1993年12月6日
621	关于工业企业会计制度若干问题的补充规定	财政部	〔93〕财会字第029号	1993年6月10日
622	关于科技企业执行新的行业会计制度有关问题的通知	财政部	〔93〕财会字第22号	1993年5月25日
623	关于印发《对外经济合作企业会计制度》的通知	财政部	〔93〕财会字第03号	1993年1月15日
624	关于印发《运输〔交通〕企业会计制度》的通知	财政部	〔93〕财会字第01号	1993年1月15日
625	房地产开发企业会计制度	财政部	〔93〕财会字第02号	1993年1月7日
626	工业企业会计制度	财政部	〔92〕财会字第67号	1992年12月31日
627	商品流通企业会计制度	财政部	〔92〕财会字第69号	1992年12月30日
628	关于印发旅游、饮食服务企业会计制度的通知	财政部	〔92〕财会字第68号	1992年12月30日
629	外商投资旅游企业会计科目和会计报表	财政部、国家旅游局	财会字〔1992〕61号	1992年11月5日

农业综合开发类

序号	文件名称	制定机关	文号	公布日期
630	国家农业综合开发办公室关于印发《国家农业综合开发项目评审暂行办法》的通知	国家农业综合开发办公室	国农办〔2011〕298号	2011年12月31日

续表

序号	文件名称	制定机关	文号	公布日期
631	关于印发《国家农业综合开发综合检查办法》的通知	财政部	财发〔2011〕31号	2011年6月28日
632	关于印发国家农业综合开发产业化经营财政补助项目龙头企业可行性研究报告编写参考大纲的通知	国家农业综合开发办公室	国农办〔2010〕188号	2010年8月12日
633	关于降低农业综合开发农民筹资投劳比例的通知	国家农业综合开发办公室	国农办〔2010〕143号	2010年6月13日
634	关于规范部门项目申报和评审工作的通知	国家农业综合开发办公室	国农办〔2010〕4号	2010年1月21日
635	关于印发《农业综合开发资金若干投入比例的规定》的通知	财政部	财发〔2008〕52号	2008年8月21日
636	关于地方各级财政部门要积极参与中央农口部门项目管理的通知	国家农业综合开发办公室	国农办〔2006〕214号	2006年8月25日
637	关于印发《国家农业综合开发项目评估办法》的通知	国家农业综合开发办公室	国农办〔2006〕26号	2006年3月29日
638	关于印发《国家农业综合开发县管理办法》的通知	国家农业综合开发办公室	国农办〔2006〕14号	2006年2月8日
639	关于印发《农业综合开发财政资金违规违纪行为处理暂行办法》的通知	财政部	财发〔2005〕68号	2005年12月14日
640	关于外资项目出国培训考察有关问题的通知	国家农业综合开发办公室	国农办〔2005〕254号	2005年10月10日
641	关于印发《国家农业综合开发部门项目管理办法》的通知	国家农业综合开发办公室	国农办〔2005〕30号	2005年3月11日

续 表

序号	文件名称	制定机关	文号	公布日期
642	关于进一步加强农业综合开发资金县级报账工作的通知	国家农业综合开发办公室	国农办〔2004〕17号	2004年2月19日
643	关于农业综合开发招标投标暂行办法	国家农业综合开发办公室	国农办〔2001〕224号	2001年12月31日
644	农业综合开发资金报账实施办法	财政部	财发〔2001〕11号	2001年6月12日
645	关于农业综合开发资金存款利息使用问题的复函	财政部	财农综字〔1997〕24号	1997年8月1日
646	关于农业综合开发资金管理有关问题请示的复函	财政部	财农综字〔1994〕4号	1994年11月29日
647	关于颁发新的农业综合开发报表的通知	国家农业综合开发办公室	国农综字〔1994〕第138号	1994年9月2日
648	对"关于农垦农业综合开发资金有关问题的请示"的复函	国家农业综合开发办公室	国农综字〔1994〕第139号	1994年8月30日
649	关于对少数地区地方财政资金配套比例和中央财政资金有偿无偿投入比例具体规定的通知	财政部	财农综字〔1994〕3号	1994年7月16日
650	关于印发《国家农业综合开发资金管理办法》的通知	财政部	财农综字〔1994〕2号	1994年6月9日
651	对海南省农业综合开发资金使用管理中一些问题的意见	国家农业综合开发领导小组办公室	国农综字〔1991〕第83号	1991年9月25日
652	关于农业开发资金中科技费用有关问题的请示的复函	国家农业综合开发领导小组办公室	国农综字〔1991〕第50号	1991年8月15日

续 表

序号	文件名称	制定机关	文号	公布日期
653	关于《河北省农业综合开发办公室、林业厅关于坝上生态农业工程防护林体系建设总体设计费的请示》的答复	国家农业综合开发领导小组办公室	国农综办字〔1991〕第14号	1991年4月4日
654	关于不得用农业发展基金发奖金的通知	国家农业综合开发领导小组办公室	国农综办字〔1991〕第6号	1991年2月12日
655	关于国家农业发展基金有偿部分回收期限和计算方法的规定	国家农业综合开发领导小组办公室	国农综字〔1990〕第62号	1990年11月5日
656	关于在地方配套资金中提取项目管理费的意见	国家土地开发建设基金管理领导小组办公室	国土基字〔1989〕第3号	1989年2月28日

四、失效的财政规范性文件目录(571件)

综合类

序号	文件名称	制定机关	文号	公布日期
1	关于加强中央单位财政票据工本费结算管理的通知	财政部	财综〔2011〕33号	2011年5月7日
2	关于印发《中央行政事业单位住房改革支出决算工作考核评比暂行办法》的通知	财政部	财综〔2009〕73号	2009年11月13日
3	关于印发《中央专项彩票公益金支持青少年学生校外活动场所建设管理办法》的通知	财政部、教育部	财综〔2008〕80号	2008年11月26日

续 表

序号	文件名称	制定机关	文号	公布日期
4	关于出租国有资产使用财政票据相关问题的复函	财政部	财办综〔2007〕9号	2007年2月1日
5	关于统一印制公安边防检查行政事业性收费票据的复函	财政部	财综字〔1998〕155号	1998年10月26日
6	关于统一监制海关系统行政事业性收费票据的通知	财政部	〔96〕财综字第126号	1996年12月20日
7	关于统一全国进出口商品检验收费收据的复函	财政部	〔95〕财综字第4号	1995年1月18日

法治类

序号	文件名称	制定机关	文号	公布日期
8	关于印发全国财政"五五"法制宣传教育考核验收方案的通知	财政部	财法〔2010〕4号	2010年3月8日
9	关于印发《财政部行政审批工作规程》的通知	财政部	财法〔2008〕16号	2008年12月23日
10	关于印发《全国财政"五五"法制宣传教育考核评比办法》及相关计分标准检查方案的通知	财政部	财法〔2008〕1号	2008年1月14日
11	关于印发全国财政法制宣传教育第五个五年规划的通知	财政部	财法〔2006〕4号	2006年4月30日
12	关于严格执行《预算法》并切实加强执法监督检查有关问题的通知	财政部	财法字〔1998〕5号	1998年2月23日
13	关于财政部门贯彻实施《中华人民共和国国家赔偿法》若干具体问题的通知	财政部	财法字〔1995〕17号	1995年3月15日

序号	文件名称	制定机关	文号	公布日期
14	关于加强财税法规草案保密工作的通知	财政部	财法字〔1995〕3号	1995年1月18日
15	关于重申财政部门不得为经济合同提供担保的通知	财政部	〔88〕财法字第56号	1988年11月20日

税收及非税收入类

序号	文件名称	制定机关	文号	公布日期
16	关于经营高校学生公寓和食堂有关税收政策的通知	财政部、国家税务总局	财税〔2013〕83号	2013年11月12日
17	关于期货投资者保障基金有关税收政策继续执行的通知	财政部、国家税务总局	财税〔2013〕80号	2013年10月28日
18	关于部分国家储备商品有关税收政策的通知	财政部、国家税务总局	财税〔2013〕59号	2013年9月18日
19	关于中国兵器工业集团公司和中国兵器装备集团公司所属企业城镇土地使用税政策的通知	财政部、国家税务总局	财税〔2013〕60号	2013年9月17日
20	关于印发《中央补助地方仓库维修改造资金重点支持省份的评审办法》的通知	财政部、国家粮食局	财建〔2013〕471号	2013年8月13日
21	关于对城市公交站场道路客运站场免征城镇土地使用税的通知	财政部、国家税务总局	财税〔2013〕20号	2013年3月30日
22	关于铁路房建生活单位营业税政策的通知	财政部、国家税务总局	财税〔2012〕94号	2012年12月18日

续 表

序号	文件名称	制定机关	文号	公布日期
23	关于农产品批发市场、农贸市场、房产税、城镇土地使用税政策的通知	财政部、国家税务总局	财税〔2012〕68号	2012年9月3日
24	关于扶持动漫产业发展增值税 营业税政策的通知	财政部、国家税务总局	财税〔2011〕119号	2011年12月27日
25	关于继续执行供热企业增值税、房产税、城镇土地使用税优惠政策的通知	财政部、国家税务总局	财税〔2011〕118号	2011年11月24日
26	关于延长金融企业涉农贷款和中小企业贷款损失准备金税前扣除政策执行期限的通知	财政部、国家税务总局	财税〔2011〕104号	2011年10月19日
27	关于部分国家储备商品有关税收政策的通知	财政部、国家税务总局	财税〔2011〕94号	2011年10月19日
28	关于金融机构与小型微型企业签订借款合同免征印花税的通知	财政部、国家税务总局	财税〔2011〕105号	2011年10月17日
29	关于继续对邮政企业代办金融业务免征营业税的通知	财政部、国家税务总局	财税〔2011〕66号	2011年8月31日
30	关于中国兵器工业集团公司和中国兵器装备集团公司所属企业城镇土地使用税政策的通知	财政部、国家税务总局	财税〔2011〕67号	2011年8月29日
31	关于延长国家大学科技园和科技企业孵化器税收政策执行期限的通知	财政部、国家税务总局	财税〔2011〕59号	2011年8月11日
32	关于暂停部分玉米深加工企业购进玉米增值税抵扣政策的通知	财政部、国家税务总局	财税〔2011〕34号	2011年4月19日

续 表

序号	文件名称	制定机关	文号	公布日期
33	关于邮政企业代办邮政速递物流业务免征营业税的通知	财政部、国家税务总局	财税〔2011〕24号	2011年4月14日
34	关于2010年上海世博会有关税收政策问题的补充通知	财政部、国家税务总局	财税〔2011〕9号	2011年1月31日
35	关于继续实施小型微利企业所得税优惠政策的通知	财政部、国家税务总局	财税〔2011〕4号	2011年1月27日
36	关于第三届亚洲沙滩运动会税收政策的通知	财政部、海关总署、国家税务总局	财税〔2011〕11号	2011年1月19日
37	关于中国农业银行三农金融事业部涉农贷款营业税政策的通知	财政部、国家税务总局	财税〔2010〕116号	2010年12月31日
38	关于部分省市有线数字电视基本收视维护费免征营业税的通知	财政部、国家税务总局	财税〔2010〕122号	2010年12月24日
39	关于发布第五批免征营业税的改制铁路房建生活单位名单的通知	财政部、国家税务总局	财税〔2010〕120号	2010年12月24日
40	关于支持和促进就业有关税收政策的通知	财政部、国家税务总局	财税〔2010〕84号	2010年10月22日
41	关于支持公共租赁住房建设和运营有关税收优惠政策的通知	财政部、国家税务总局	财税〔2010〕88号	2010年9月27日
42	关于部分省市有线数字电视基本收视维护费免征营业税的通知	财政部、国家税务总局	财税〔2010〕33号	2010年8月31日
43	关于上海世博会台湾馆和台北城市最佳试验区项目享受增值税退税政策的通知	财政部、国家税务总局	财税〔2010〕73号	2010年8月13日

续 表

序号	文件名称	制定机关	文号	公布日期
44	关于支持玉树地震灾后恢复重建有关税收政策问题的通知	财政部、海关总署、国家税务总局	财税〔2010〕59号	2010年7月23日
45	关于同意收取助理广告师和广告师职业水平考试考务费等有关问题的通知	财政部、国家发展改革委	财综〔2010〕47号	2010年6月11日
46	关于中国银联股份有限公司特别风险准备金税前扣除问题的通知	财政部、国家税务总局	财税〔2010〕25号	2010年5月14日
47	关于农村金融有关税收政策的通知	财政部、国家税务总局	财税〔2010〕4号	2010年5月13日
48	关于在天津市开展融资租赁船舶出口退税试点的通知	财政部、国家税务总局、海关总署	财税〔2010〕24号	2010年3月30日
49	关于首次购买普通住房有关契税政策的通知	财政部、国家税务总局	财税〔2010〕13号	2010年3月29日
50	关于延长下岗失业人员再就业有关税收政策审批期限的通知	财政部、国家税务总局	财税〔2010〕10号	2010年3月4日
51	关于汶川地震灾区农村信用社企业所得税有关问题的通知	财政部、国家税务总局	财税〔2010〕3号	2010年1月5日
52	关于减征1.6升及以下排量乘用车车辆购置税的通知	财政部、国家税务总局	财税〔2009〕154号	2009年12月22日
53	关于民贸企业和边销茶有关增值税政策的通知	财政部、国家税务总局	财税〔2009〕141号	2009年12月7日
54	关于小型微利企业有关企业所得税政策的通知	财政部、国家税务总局	财税〔2009〕133号	2009年12月2日

续 表

序号	文件名称	制定机关	文号	公布日期
55	关于延长部分税收优惠政策执行期限的通知	财政部、国家税务总局	财税〔2009〕131号	2009年11月27日
56	关于保险公司提取农业巨灾风险准备金企业所得税税前扣除问题的通知	财政部、国家税务总局	财税〔2009〕110号	2009年8月21日
57	关于金融企业涉农贷款和中小企业贷款损失准备金税前扣除政策的通知	财政部、国家税务总局	财税〔2009〕99号	2009年8月21日
58	关于第16届亚洲运动会等三项国际综合运动会税收政策的通知	财政部、海关总署、国家税务总局	财税〔2009〕94号	2009年8月10日
59	关于部分行业广告费和业务宣传费税前扣除政策的通知	财政部、国家税务总局	财税〔2009〕72号	2009年7月31日
60	关于中小企业信用担保机构有关准备金税前扣除问题的通知	财政部、国家税务总局	财税〔2009〕62号	2009年6月1日
61	关于金融企业贷款损失准备金企业所得税税前扣除有关问题的通知	财政部、国家税务总局	财税〔2009〕64号	2009年4月30日
62	关于保险公司准备金支出企业所得税税前扣除有关问题的通知	财政部、国家税务总局	财税〔2009〕48号	2009年4月17日
63	关于2009年母亲健康快车项目流动医疗车免征车辆购置税的通知	财政部、国家税务总局	财税〔2009〕46号	2009年4月15日
64	关于加快落实地方财政耕地占用税和契税征管职能划转工作的通知	财政部、国家税务总局	财税〔2009〕37号	2009年4月13日

续 表

序号	文件名称	制定机关	文号	公布日期
65	关于免征部分省市有线数字电视收入营业税的通知	财政部、国家税务总局	财税〔2009〕38号	2009年4月9日
66	关于证券行业准备金支出企业所得税税前扣除有关问题的通知	财政部、国家税务总局	财税〔2009〕33号	2009年4月9日
67	关于支持文化企业发展若干税收政策问题的通知	财政部、海关总署、国家税务总局	财税〔2009〕31号	2009年3月27日
68	关于文化体制改革中经营性文化事业单位转制为企业的若干税收优惠政策问题的通知	财政部、国家税务总局	财税〔2009〕34号	2009年3月26日
69	关于延长下岗失业人员再就业有关税收政策的通知	财政部、国家税务总局	财税〔2009〕23号	2009年3月3日
70	关于继续执行供热企业增值税 房产税 城镇土地使用税优惠政策的通知	财政部、国家税务总局	财税〔2009〕11号	2009年2月10日
71	关于物业管理师资格考试收费等问题的通知	财政部、国家发展改革委	财综〔2009〕7号	2009年2月2日
72	关于减征1.6升及以下排量乘用车车辆购置税的通知	财政部、国家税务总局	财税〔2009〕12号	2009年1月16日
73	关于自然人与其个人独资企业或一人有限责任公司之间土地房屋权属划转有关契税问题的通知	财政部、国家税务总局	财税〔2008〕142号	2008年11月17日
74	关于支持汶川地震灾后恢复重建有关税收政策问题的通知	财政部、海关总署、国家税务总局	财税〔2008〕104号	2008年7月30日

续 表

序号	文件名称	制定机关	文号	公布日期
75	关于中国证券投资者保护基金有限责任公司有关税收问题的补充通知	财政部、国家税务总局	财税〔2008〕78号	2008年7月14日
76	关于新疆有线数字电视收入免征营业税的通知	财政部、国家税务总局	财税〔2008〕80号	2008年6月16日
77	关于国家大学科技园有关税收政策问题的通知	财政部、国家税务总局	财税〔2007〕120号	2007年8月20日
78	关于科技企业孵化器有关税收政策问题的通知	财政部、国家税务总局	财税〔2007〕121号	2007年8月20日
79	关于减免监狱布局调整建设项目有关行政事业性收费的通知	财政部、国家发展改革委	财综〔2007〕45号	2007年7月18日
80	关于继续免征国产抗艾滋病病毒药品增值税的通知	财政部、国家税务总局	财税〔2007〕49号	2007年4月17日
81	关于证券投资者保护基金有关营业税问题的通知	财政部、国家税务总局	财税〔2006〕169号	2006年12月19日
82	关于继续执行供热企业相关税收优惠政策的通知	财政部、国家税务总局	财税〔2006〕117号	2006年11月27日
83	关于继续对民族贸易企业销售的货物及国家定点企业生产和经销单位经销的边销茶实行增值税优惠政策的通知	财政部、国家税务总局	财税〔2006〕103号	2006年8月7日
84	关于同意设立菲律宾船员检查费收费项目等有关问题的通知	财政部、国家发展改革委	财综〔2006〕28号	2006年7月13日
85	关于中国兵器工业集团公司和兵器装备集团公司所属企业城镇土地使用税政策的通知	财政部、国家税务总局	财税〔2006〕92号	2006年7月7日

续 表

序号	文件名称	制定机关	文号	公布日期
86	关于2010年上海世博会有关税收政策问题的通知	财政部、国家税务总局	财税〔2005〕180号	2005年12月31日
87	关于文化体制改革试点中支持文化产业发展若干税收政策问题的通知	财政部、海关总署、国家税务总局	财税〔2005〕2号	2005年3月29日
88	关于供热企业有关增值税问题的补充通知	财政部、国家税务总局	财税〔2004〕223号	2004年12月30日
89	关于合作开发房地产权属转移征免契税的批复	财政部、国家税务总局	财税〔2004〕91号	2004年6月10日
90	关于供热企业税收问题的通知	财政部、国家税务总局	财税〔2004〕28号	2004年2月5日
91	关于企业改制重组若干契税政策的通知	财政部、国家税务总局	财税〔2003〕184号	2003年8月20日
92	关于中国兵器工业集团公司和兵器装备集团公司所属专门生产枪炮弹等企业继续免征城镇土地使用税的通知	财政部、国家税务总局	财税〔2002〕186号	2002年12月13日
93	关于经营高校学生公寓有关税收政策的通知	财政部、国家税务总局	财税〔2002〕147号	2002年10月8日
94	关于西部大开发税收优惠政策问题的通知	财政部、国家税务总局、海关总署	财税〔2001〕202号	2001年12月30日
95	关于企业改革中有关契税政策的通知	财政部、国家税务总局	财税〔2001〕161号	2001年10月31日
96	关于对监狱劳教企业有关企业所得税城镇土地使用税政策问题的通知	财政部、国家税务总局	财税〔2001〕56号	2001年4月28日
97	关于继续对国家定点企业生产和经销单位经销的边销茶免征增值税的通知	财政部、国家税务总局	财税〔2001〕71号	2001年4月20日

续 表

序号	文件名称	制定机关	文号	公布日期
98	关于中国储备粮管理总公司有关税收政策的通知	财政部、国家税务总局	财税〔2001〕13号	2001年2月26日
99	关于鼓励软件产业和集成电路产业发展有关税收政策问题的通知	财政部、国家税务总局、海关总署	财税〔2000〕25号	2000年9月22日
100	关于校办企业有关税收政策问题的通知	财政部、国家税务总局	财税字〔2000〕33号	2000年3月23日
101	关于土地增值税优惠政策延期的通知	财政部、国家税务总局	财税字〔1999〕293号	1999年12月24日
102	关于暂停征收固定资产投资方向调节税的通知	财政部、国家税务总局、国家发展计划委员会	财税字〔1999〕299号	1999年12月17日
103	关于对中国兵器工业集团公司和兵器装备集团公司所属专门生产枪炮弹等企业继续免征城镇土地使用税的通知	财政部、国家税务总局	财税字〔1999〕309号	1999年12月10日
104	关于对中国农业发展银行契税征免政策的通知	财政部、国家税务总局	财税字〔1998〕123号	1998年8月10日
105	关于对监狱、劳教企业继续免征城镇土地使用税、固定资产投资方向调节税的通知	财政部、国家税务总局	财税字〔1998〕37号	1998年3月23日
106	关于对中国兵器工业总公司所属专门生产枪炮弹等企业继续免征城镇土地使用税的通知	财政部、国家税务总局	财税字〔1997〕104号	1997年7月30日
107	关于对监狱、劳教企业继续免征城镇土地使用税、固定资产投资方向调节税的通知	财政部、国家税务总局	财税字〔1996〕64号	1996年7月17日

续 表

序号	文件名称	制定机关	文号	公布日期
108	关于吉林省遭受自然灾害企业减免城镇土地使用税问题的批复	财政部、国家税务总局	财税字〔1995〕54号	1995年6月6日
109	关于铁道部“八五”后两年有关财务税收问题的通知	财政部、国家税务总局	财税字〔1994〕005号	1994年4月7日
110	国家税务局关于司法部所属的劳改、劳教单位征免土地使用税问题的通知	财政部	国税函发〔1993〕411号	1993年3月6日
111	国家税务局关于石油企业生产用地适用税额问题的通知	财政部	国税函发〔1992〕1442号	1992年10月10日
112	国家税务局关于中国物资储运总公司所属物资储运企业征免土地使用税问题的通知	财政部	国税函发〔1992〕1272号	1992年8月17日
113	国家税务局关于军队房地产经营管理机构管理的营房用地征免土地使用税的通知	财政部	国税函发〔1992〕902号	1992年6月9日
114	国家税务局关于林业系统的林区贮木场、水运码头用地征免土地使用税的通知	财政部	国税函发〔1992〕733号	1992年5月13日
115	国家税务局关于以外币为记账本位币的外商投资企业计算缴纳房产税问题的批复	财政部	国税函发〔1991〕1264号	1991年9月23日
116	国家税务局关于煤炭企业生产用地土地使用税税额标准问题的通知	财政部	国税函发〔1991〕484号	1991年4月5日

续 表

序号	文件名称	制定机关	文号	公布日期
117	国家税务局关于石油生产建设用地土地使用税税额标准问题的通知	财政部	国税函发〔1991〕485号	1991年4月5日
118	国家税务局关于中国物资储运总公司所属物资储运企业土地使用税问题的通知	财政部	国税函发〔1991〕200号	1991年1月19日
119	国家税务局关于对司法部所属的劳改劳教单位的生产经营用地暂免征收土地使用税问题的通知	财政部	国税函发〔1990〕280号	1990年3月17日
120	国家税务局关于对邮电部门所属企业征免城镇土地使用税问题的通知	财政部	〔89〕国税地字第129号	1989年11月29日
121	关于如何确定铁道部所属单位免征房产税和车船使用税问题的批复	财政部、国家税务总局	〔87〕财税地字第20号	1987年9月19日
122	关于邮电部门所属企业征免房产税和车船使用税问题的通知	财政部	〔87〕财税字第55号	1987年4月15日
123	关于对军队房地产经营管理机构管理的房产暂免征房产税的通知	财政部	〔87〕财税字第33号	1987年3月7日
124	关于对国营华侨农〔林〕场、工厂暂免征房产税等地方税的答复	财政部、国家税务总局	〔87〕财税地字第1号	1987年2月13日
125	关于“七五”期间铁道部所属单位征免房产税和车船使用税的补充通知	财政部	〔86〕财税字第340号	1986年12月1日
126	关于“七五”期间铁道部所属单位征免房产税和车船使用税的通知	财政部	〔86〕财税字第326号	1986年11月14日

关税类

序号	文件名称	制定机关	文号	公布日期
127	关于2014年关税实施方案的通知	国务院关税税则委员会	税委会〔2013〕36号	2013年12月11日
128	关于中国—阿拉伯国家博览会等展会相关留购展品免征进口关税的通知	财政部	财关税〔2013〕64号	2013年9月9日
129	关于2013年度营运国际航线和港澳航线及支线航线的国内航空公司进口维修用航空器材税收问题的通知	财政部	财关税〔2013〕8号	2013年2月22日
130	关于2013年关税实施方案的通知	国务院关税税则委员会	税委会〔2012〕22号	2012年12月10日
131	关于进一步扶持新型显示器件产业发展有关税收优惠政策的通知	财政部、海关总署、国家税务总局	财关税〔2012〕16号	2012年4月9日
132	关于鼓励科普事业发展的进口税收政策的通知	财政部、海关总署、国家税务总局	财关税〔2012〕4号	2012年1月17日
133	关于2012年关税实施方案的通知	国务院关税税则委员会	税委会〔2011〕27号	2011年12月9日
134	关于"十二五"期间第一批享受进口税收优惠政策的中资"方便旗"船舶清单的通知	财政部、海关总署、国家税务总局	财关税〔2011〕78号	2011年11月30日
135	关于印发《"十二五"期间进口种子种源免税政策管理办法》的通知	财政部、海关总署、国家税务总局	财关税〔2011〕76号	2011年11月23日
136	关于来料加工企业转型为法人企业进口设备税收政策有关问题的通知	财政部、商务部、海关总署、国家税务总局	财关税〔2011〕66号	2011年11月14日

续　表

序号	文件名称	制定机关	文号	公布日期
137	关于“十二五”期间中资“方便旗”船回国登记进口税收政策问题的通知	财政部、海关总署、国家税务总局	财关税〔2011〕63号	2011年10月19日
138	关于“十二五”期间在我国海洋开采石油〔天然气〕进口物资免征进口税收的通知	财政部、海关总署、国家税务总局	财关税〔2011〕32号	2011年8月8日
139	关于“十二五”期间在我国陆上特定地区开采石油〔天然气〕进口物资税收政策的通知	财政部、海关总署、国家税务总局	财关税〔2011〕31号	2011年8月8日
140	关于“十二五”期间煤层气勘探开发项目进口物资免征进口税收的通知	财政部、海关总署、国家税务总局	财关税〔2011〕30号	2011年8月8日
141	关于实施中国—哥斯达黎加自由贸易协定税率的通知	国务院关税税则委员会	税委会〔2011〕13号	2011年6月24日
142	关于种子〔苗〕种畜〔禽〕鱼种〔苗〕和种用野生动植物种源免征进口环节增值税政策及2011年进口计划的通知	财政部、海关总署、国家税务总局	财关税〔2011〕36号	2011年6月24日
143	关于2011年下半年对内地与港澳更紧密经贸关系的安排〔CEPA〕项下部分货物实施零关税的通知	国务院关税税则委员会	税委会〔2011〕10号	2011年6月12日
144	关于印发《动漫企业进口动漫开发生产用品免征进口税收的暂行规定》的通知	财政部、海关总署、国家税务总局	财关税〔2011〕27号	2011年5月19日

续　表

序号	文件名称	制定机关	文号	公布日期
145	对原产于美国的排气量超过2.5升的进口小轿车和越野车暂缓征收反倾销税和反补贴税的决定	国务院关税税则委员会	税委会〔2011〕5号	2011年5月3日
146	关于中央储备粮油2009年至2010年进口税收政策的通知	财政部、国家税务总局	关税〔2011〕16号	2011年4月6日
147	关于“十二五”期间进口种子〔苗〕种畜〔禽〕鱼种〔苗〕和种用野生动植物种源税收问题的通知	财政部、国家税务总局	财关税〔2011〕9号	2011年3月17日
148	关于第七批享受进口税收优惠政策的中资“方便旗”船舶清单的通知	财政部	财关税〔2011〕20号	2011年3月16日
149	关于“十二五”期间中国—东盟博览会留购展品免征进口关税的通知	财政部	财关税〔2011〕8号	2011年2月28日
150	关于“十二五”期间中国—吉林·东北亚投资贸易博览会留购展品免征进口关税的通知	财政部	财关税〔2011〕7号	2011年2月28日
151	关于营运支线航线的国内航空公司维修航空器材进口税收问题的通知	财政部、海关总署、国家税务总局	财关税〔2010〕58号	2010年12月9日
152	关于2011年关税实施方案的通知	国务院关税税则委员会	税委会〔2010〕26号	2010年12月2日
153	关于调整2010年化肥出口关税的通知	国务院关税税则委员会	税委会〔2010〕25号	2010年11月29日
154	关于调整部分进口燃料油消费税政策的通知	财政部	财关税〔2010〕56号	2010年11月18日

续 表

序号	文件名称	制定机关	文号	公布日期
155	关于2010年度远洋船及船用关键设备和部件进口税收问题的通知	财政部	财关税〔2010〕51号	2010年10月18日
156	关于第六批享受进口税收优惠政策的中资方便旗船舶清单的通知	财政部	财关税〔2010〕46号	2010年8月20日
157	关于2010年下半年对内地与港澳更紧密经贸关系的安排〔CEPA〕项下部分货物实施零关税的通知	国务院关税税则委员会	税委会〔2010〕14号	2010年6月11日
158	对原产于赤道几内亚部分商品实施零关税的通知	国务院关税税则委员会	税委会〔2010〕13号	2010年6月9日
159	对埃塞俄比亚等32个最不发达国家部分商品实施零关税的通知	国务院关税税则委员会	税委会〔2010〕11号	2010年6月1日
160	关于水合肼反倾销措施期终复审期间继续征收反倾销税的决定	国务院关税税则委员会	税委会〔2010〕10号	2010年5月27日
161	关于有机发光二极管显示面板生产企业进口物资税收政策的通知	财政部	财关税〔2010〕20号	2010年5月10日
162	关于氯丁橡胶反倾销措施期终复审期间继续征收反倾销税的决定	国务院关税税则委员会	税委会〔2010〕9号	2010年4月27日
163	关于原产于美国的进口白羽肉鸡征收临时反补贴税保证金的决定	国务院关税税则委员会	税委会〔2010〕8号	2010年4月21日
164	关于原产于美国和俄罗斯的进口取向性硅电钢征收反倾销税和原产于美国进口取向性硅电钢征收反补贴税的决定	国务院关税税则委员会	税委会〔2010〕6号	2010年4月10日

续 表

序号	文件名称	制定机关	文号	公布日期
165	关于停止征收原产于美国进口取向性硅电工钢临时补贴保证金的通知	国务院关税税则委员会	税委会〔2010〕7号	2010年4月6日
166	关于农业部2010年度种子〔苗〕种畜〔禽〕鱼种〔苗〕和种用野生动植物种源免税进口计划的通知	财政部、国家税务总局	财关税〔2010〕11号	2010年3月26日
167	关于国家林业局2010年度种子〔苗〕和种用野生动植物种源免税进口计划的通知	财政部、国家税务总局	财关税〔2010〕9号	2010年3月11日
168	关于2010年上海世博会境外官方参展者首批进口物资税收问题的通知	财政部	财关税〔2010〕10号	2010年3月10日
169	关于原产日本韩国美国和台湾地区的进口苯酚继续征收反倾销税决定	国务院关税税则委员会	税委会〔2010〕1号	2010年1月19日
170	关于2010年度营运国际航线和港澳航线的国内航空公司进口维修航空器材税收问题的通知	财政部	财关税〔2010〕5号	2010年1月14日
171	关于等离子显示面板生产企业进口物资税收政策的通知	财政部	财关税〔2009〕72号	2009年12月22日
172	关于2010年关税实施方案的通知	国务院关税税则委员会	税委会〔2009〕28号	2009年12月8日
173	对原产于菲律宾老挝和柬埔寨的产品实施中国—东盟自贸区2009年协定税率的通知	国务院关税税则委员会	税委会〔2009〕60号	2009年9月22日

续　表

序号	文件名称	制定机关	文号	公布日期
174	关于印发《种子〔苗〕种畜〔禽〕鱼种〔苗〕和种用野生动植物种源进口税收优惠政策暂行管理办法》的通知	财政部、海关总署、国家税务总局	财关税〔2009〕50号	2009年8月10日
175	关于来料加工装配厂转型为法人企业进口设备税收问题的通知	财政部	财关税〔2009〕48号	2009年7月16日
176	对进口原产于菲律宾的产品实施中国—东盟自贸区2007年协定税率的通知	国务院关税税则委员会	税委会〔2009〕7号	2009年6月24日
177	关于2009年下半年对CEPA项下部分货物实施零关税的通知	国务院关税税则委员会	税委会〔2009〕5号	2009年6月15日
178	关于扶持新型显示器件产业发展有关进口税收优惠政策的通知	财政部	财关税〔2009〕32号	2009年5月19日
179	关于新型显示器件生产企业进口物资税收政策的通知	财政部	财关税〔2009〕31号	2009年5月19日
180	关于对原产于韩国和泰国的进口初级形态二甲基环体硅氧烷征收反倾销税的决定	国务院关税税则委员会	税委会〔2009〕3号	2009年5月11日
181	关于延长中资"方便旗"船回国登记进口税收政策问题的通知	财政部	财关税〔2009〕28号	2009年5月6日
182	关于第四批享受进口税收优惠政策的中资"方便旗"船舶清单的通知	财政部	财关税〔2009〕25号	2009年4月21日
183	关于2009－2011年鼓励科普事业发展的进口税收政策的通知	财政部	财关税〔2009〕22号	2009年4月1日

续　表

序号	文件名称	制定机关	文号	公布日期
184	关于对原产于马来西亚新加坡和印度尼西亚的进口丙烯酸酯继续征收反倾销税的决定	国务院关税税则委员会	税委会〔2009〕2号	2009年3月30日
185	关于日本援建四川省地震受灾学校进口轻钢组织教室进口税收问题的通知	财政部	财关税〔2009〕17号	2009年3月16日
186	关于苯酚反倾销措施期终复审期间继续征收反倾销税的决定	国务院关税税则委员会	税委会〔2009〕1号	2009年1月13日
187	关于调整成品油进口环节消费税的通知	财政部　国家税务总局	财关税〔2008〕103号	2008年12月26日
188	关于给予非洲塞内加尔共和国第二批对华出口商品零关税待遇的通知	国务院关税税则委员会	税委会〔2008〕38号	2008年11月25日
189	关于第三批享受进口税收优惠政策的中资“方便旗”船舶清单的通知	财政部	财关税〔2008〕92号	2008年11月11日
190	关于日本王子制纸株式会社适用的铜版纸反倾销税税率的决定	国务院关税税则委员会	税委会〔2008〕34号	2008年10月20日
191	关于给予东帝汶民主共和国等三国部分对华出口商品零关税待遇的通知	国务院关税税则委员会	税委会〔2008〕31号	2008年9月8日
192	关于进口抗震救灾物资免税通关问题的通知	财政部	财关税〔2008〕70号	2008年8月4日
193	关于调整成品油进口环节消费税的通知	财政部、国家税务总局	财关税〔2008〕12号	2008年2月25日
194	关于给予安哥拉共和国第二批对华出口商品零关税待遇的通知	国务院关税税则委员会	税委会〔2007〕29号	2007年12月28日

续 表

序号	文件名称	制定机关	文号	公布日期
195	关于调整原产于韩国锦湖石油化学株式会社的进口丁苯橡胶反倾销税税率的决定	国务院关税税则委员会	税委会〔2007〕23号	2007年11月16日
196	关于第一批享受进口税收优惠政策的中资“方便旗”船舶清单的通知	财政部	财关税〔2007〕75号	2007年10月22日
197	关于远洋渔船进口税收问题的通知	财政部	财关税〔2007〕60号	2007年8月14日
198	对原产于英国 美国 荷兰 德国 韩国的进口二氯甲烷继续征收反倾销税的决定	国务院关税税则委员会	税委会〔2007〕18号	2007年8月10日
199	关于2007年－2010年三峡重庆库区进口沥青税收优惠政策及2007年安排的通知	财政部	财关税〔2007〕39号	2007年4月24日
200	关于增补上海世界博览会进口税收政策享受主体的通知	财政部	财关税〔2007〕27号	2007年2月15日
201	关于对原产于美国和欧盟的进口耐磨纸征收反倾销税的决定	国务院关税税则委员会	税委会〔2006〕31号	2006年11月28日
202	关于驻外使领馆工作人员离任回国所携自用车辆进口税收政策有关调整事项的通知	财政部	财关税〔2006〕60号	2006年9月18日
203	关于韩国LG公司新出口商复审有关问题的决定	国务院关税税则委员会	税委会〔2006〕21号	2006年8月16日
204	关于调整部分俄罗斯企业进口的丁苯橡胶反倾销税税率的决定	国务院关税税则委员会	税委会〔2006〕20号	2006年8月11日

续 表

序号	文件名称	制定机关	文号	公布日期
205	关于2006年度营运国际航线和港澳航线的国内航空公司进口维修用航空器材税收问题的通知	财政部	财关税〔2006〕52号	2006年7月28日
206	关于对原产于日本和台湾地区的进口PBT树脂征收反倾销税的决定	国务院关税税则委员会	税委会〔2006〕16号	2006年7月5日
207	关于给予塞内加尔和阿富汗部分商品零关税待遇的通知	国务院关税税则委员会	税委会〔2006〕15号	2006年6月26日
208	关于扩大“十一五”期间进口种子〔苗〕种畜〔禽〕鱼种〔苗〕和种用野生动植物种源免税范围的通知	财政部、国家税务总局	财关税〔2006〕38号	2006年5月24日
209	关于“十一五”期间中国—吉林·东北亚投资贸易博览会留购展品免征进口关税的通知	财政部	财关税〔2006〕36号	2006年5月16日
210	关于“十一五”期间云南省进口花卉种苗 种球 种籽免征进口税收有关问题的函	财政部、海关总署、国家税务总局	财关税函〔2006〕1号	2006年1月26日
211	关于“十一五”期间进口种子〔苗〕种畜〔禽〕鱼种〔苗〕和种用野生动植物种源税收问题的通知	财政部、国家税务总局	财关税〔2006〕3号	2006年1月23日
212	关于对原产于韩国的进口聚酯薄膜继续征收反倾销税的决定	国务院关税税则委员会	税委会〔2005〕34号	2005年12月21日
213	关于实施中国—东盟自由贸易区协定税率的通知	国务院关税税则委员会	税委会〔2005〕22号	2005年7月18日

续　表

序号	文件名称	制定机关	文号	公布日期
214	关于对原产于欧盟 韩国美国 印度的进口三氯甲烷征收反倾销税的决定	国务院关税税则委员会	税委会〔2004〕17号	2004年11月19日
215	关于对原产于日本 美国伊朗 马来西亚 墨西哥和台湾地区的进口乙醇胺征收反倾销税的决定	国务院关税税则委员会	税委会〔2004〕16号	2004年11月2日
216	关于对原产于加拿大、美国、韩国的进口新闻纸继续征收反倾销税的决定	国务院关税税则委员会	税委会〔2004〕9号	2004年6月25日
217	关于对原产于日本、韩国、美国和台湾地区的进口苯酚征收反倾销税的决定	国务院关税税则委员会	税委会〔2004〕1号	2004年1月15日
218	关于对原产于日本、韩国、美国的进口甲苯二异氰酸酯〔TDI〕征收反倾销税的决定	国务院关税税则委员会	税委会〔2003〕22号	2003年11月10日
219	关于对原产于俄罗斯、韩国、日本的部分进口丁苯橡胶征收反倾销税的决定	国务院关税税则委员会	税委会〔2003〕19号	2003年9月8日
220	关于对原产于韩国、日本和印度的进口邻苯二甲酸酐征收反倾销税的决定	国务院关税税则委员会	税委会〔2003〕17号	2003年8月19日
221	关于对原产于欧盟的进口邻苯二酚征收反倾销税的决定	国务院关税税则委员会	税委会〔2003〕16号	2003年8月14日
222	关于对原产于韩国和日本进口铜版纸征收反倾销税的决定	国务院关税税则委员会	税委会〔2003〕14号	2003年8月4日

续表

序号	文件名称	制定机关	文号	公布日期
223	关于对原产于英国、美国、荷兰、德国和韩国的进口二氯甲烷征收反倾销税的通知	国务院关税税则委员会	税委会〔2002〕3号	2002年6月18日
224	关于不锈钢冷轧薄板反倾销案中签订价格承诺协议公司保证金问题的通知	国务院关税税则委员会	税委会〔2001〕4号	2001年6月6日
225	关于聚脂薄膜反倾销案中韩国东世公司反倾销税率权利继承问题的通知	国务院关税税则委员会	税委会〔2001〕2号	2001年5月23日
226	扶贫、慈善性捐赠物资免征进口税收暂行办法	财政部、国家税务总局、海关总署	财税〔2000〕152号	2001年1月15日

预算类

序号	文件名称	制定机关	文号	公布日期
227	关于贯彻国务院关于加强地方政府融资平台公司管理有关问题的通知相关事项的通知	财政部、国家发展改革委、中国人民银行、银监会	财预〔2010〕412号	2010年7月30日
228	关于压缩2009年出国费等三项经费预算支出的通知	财政部、审计署	财预〔2009〕23号	2009年3月10日
229	关于明确办理再生资源增值税退税程序的补充通知	财政部	财监〔2009〕7号	2009年2月13日
230	关于修订2009年政府收支分类科目的通知	财政部、中国人民银行、国家税务总局	财预〔2009〕3号	2009年1月9日
231	财政部关于全力配合税务机关做好成品油销售税收监管的通知	财政部	财监〔2008〕63号	2008年12月23日

续 表

序号	文件名称	制定机关	文号	公布日期
232	关于调整和加强财政监察专员办事处中央非税收入监缴工作的意见	财政部	财监〔2008〕56号	2008年10月8日
233	关于印发《汶川地震灾后恢复重建资金〔基金〕预算管理办法》的通知	财政部	财预〔2008〕389号	2008年9月3日
234	关于印发《化解农村义务教育"普九"债务试点补助办法》的通知	财政部	财预〔2008〕26号	2008年2月18日
235	关于出口退税负担机制调整后有关预算管理问题的通知	财政部、国家税务总局、中国人民银行	财预〔2005〕438号	2005年8月22日
236	财政部关于印发《财政监察专员办事处实施中央政府非税收入监管工作操作规程〔试行〕》的通知	财政部	财监〔2005〕86号	2005年7月20日
237	财政监察专员办事处实施中央财政非税收入监督管理暂行办法	财政部	财监〔2004〕15号	2004年1月13日
238	关于出口退税机制改革后有关预算管理问题的通知	财政部、国家税务总局、中国人民银行	财预明电〔2003〕1号	2003年12月19日
239	财政监察专员办事处对国有企业关闭破产费用预案审核操作规程	财政部	财监〔2003〕97号	2003年9月24日
240	关于印发《中央对地方财政部门自身建设补助资金管理暂行办法》的通知	财政部	财预〔2002〕608号	2002年12月10日
241	关于印发《西藏自治区自用物资进口关税返还管理办法》的通知	财政部、中国人民银行、国家计委、海关总署	财预〔2000〕392号	2000年12月18日

续表

序号	文件名称	制定机关	文号	公布日期
242	关于中外合作开采陆上石油资源缴纳矿区使用费有关预算管理问题的通知	财政部	财预字〔1999〕33号	1999年1月15日
243	关于支付税务违章案件告发人奖金问题的通知	财政部	财预字〔1996〕37号	1996年2月17日
244	关于改进中央预算收入对帐办法的通知	财政部	财监字〔1995〕87号	1995年9月26日
245	关于一些地方国税局从海关缴库的代征税款中提取手续费问题的通知	财政部	财预字〔1995〕264号	1995年7月6日
246	关于经济技术开发区的预算收支全部纳入同级财政总预算的通知	财政部	〔88〕财地字第129号	1988年10月29日
247	关于因公临时出国团组携带外汇币别的通知	财政部	〔87〕财外字第913号	1987年10月31日

国库类

序号	文件名称	制定机关	文号	公布日期
248	关于编制2013年度中央和地方财政决算〔草案〕的通知	财政部	财库〔2013〕207号	2013年12月6日
249	关于调整公布第十四期节能产品政府采购清单的通知	财政部、国家发展改革委	财库〔2013〕89号	2013年7月26日
250	关于调整公布第十二期环境标志产品政府采购清单的通知	财政部、环境保护部	财库〔2013〕90号	2013年7月19日
251	关于2013年财税库银税收收入电子缴库横向联网有关工作事项的通知	财政部、国家税务总局、中国人民银行	财库〔2013〕48号	2013年4月26日

续 表

序号	文件名称	制定机关	文号	公布日期
252	财政部　中国人民银行关于做好国库集中支付电子化管理第二批试点有关工作的通知	财政部	财库〔2013〕45号	2013年4月15日
253	关于调整公布第十一期环境标志产品政府采购清单的通知	财政部、环境保护部	财库〔2013〕14号	2013年1月30日
254	关于调整公布第十三期节能产品政府采购清单的通知	财政部、国家发展改革委	财库〔2013〕12号	2013年1月30日
255	关于印发2013年记账式国债招标发行规则的通知	财政部	财库〔2012〕180号	2012年12月27日
256	关于编制2012年度中央和地方财政决算〔草案〕的通知	财政部	财库〔2012〕170号	2012年11月29日
257	关于中央预算单位2013年预算执行管理有关问题的通知	财政部	财库〔2012〕169号	2012年11月20日
258	关于印发2012年度部门决算报表及编制说明的通知	财政部	财库〔2012〕160号	2012年11月12日
259	关于调整公布第十二期节能产品政府采购清单的通知	财政部、国家发展改革委	财库〔2012〕141号	2012年9月16日
260	关于调整公布第十期环境标志产品政府采购清单的通知	财政部、环境保护部	财库〔2012〕140号	2012年9月12日
261	关于加强代理发行地方政府债券发行远程招标现场管理与监督有关事宜的通知	财政部、中国人民银行	财库〔2012〕84号	2012年7月19日

续 表

序号	文件名称	制定机关	文号	公布日期
262	关于印发《财政部代理发行2012年地方政府债券招标发行规则》的通知	财政部	财库〔2012〕48号	2012年5月8日
263	关于2012年财税库银税收收入电子缴库横向联网推广工作有关事宜的通知	财政部、国家税务总局、中国人民银行	财库〔2012〕40号	2012年4月17日
264	关于印发2012年中央国库现金管理商业银行定期存款招投标规则的通知	财政部、中国人民银行	财库〔2012〕34号	2012年4月12日
265	关于调整公布第十一期节能产品政府采购清单的通知	财政部、国家发展改革委	财库〔2012〕9号	2012年1月20日
266	关于调整公布第九期环境标志产品政府采购清单的通知	财政部、环境保护部	财库〔2012〕8号	2012年1月19日
267	关于印发2012年记账式国债招标发行规则的通知	财政部	财库〔2011〕179号	2011年12月27日
268	关于编制2011年度中央和地方财政决算〔草案〕的通知	财政部	财库〔2011〕150号	2011年11月11日
269	关于印发2011年度部门决算报表及编制说明的通知	财政部	财库〔2011〕147号	2011年11月8日
270	关于开展政府采购信用担保试点工作的通知	财政部	财库〔2011〕124号	2011年9月5日
271	关于调整公布第十期节能产品政府采购清单的通知	财政部、国家发展改革委	财库〔2011〕109号	2011年7月29日

续 表

序号	文件名称	制定机关	文号	公布日期
272	关于调整公布第八期环境标志产品政府采购清单的通知	财政部、环境保护部	财库〔2011〕108号	2011年7月28日
273	关于2011年财税库银税收收入电子缴库横向联网推广工作有关事宜的通知	财政部、国家税务总局、中国人民银行	财库〔2011〕67号	2011年4月28日
274	关于印发《财政部代理发行2011年地方政府债券招标发行和考核规则》的通知	财政部	财库〔2011〕57号	2011年4月7日
275	关于调整公布第七期环境标志产品政府采购清单的通知	财政部、环境保护部	财库〔2011〕21号	2011年1月30日
276	关于调整公布第九期节能产品政府采购清单的通知	财政部、国家发展改革委	财库〔2011〕20号	2011年1月30日
277	关于印发2011年记账式国债招标发行规则的通知	财政部	财库〔2011〕4号	2011年1月4日
278	关于中央预算单位2011年深化国库集中支付改革若干问题的通知	财政部	财库〔2010〕138号	2010年12月8日
279	关于编制2010年度中央和地方财政决算〔草案〕的通知	财政部	财库〔2010〕127号	2010年11月16日
280	关于2010年财税库银税收收入电子缴库横向联网第三批上线工作的通知	财政部、国家税务总局、中国人民银行	财库〔2010〕113号	2010年10月11日
281	关于调整环境标志产品政府采购清单的通知	财政部、环境保护部	财库〔2010〕107号	2010年9月30日

续 表

序号	文件名称	制定机关	文号	公布日期
282	关于调整节能产品政府采购清单的通知	财政部、国家发展改革委	财库〔2010〕82号	2010年7月30日
283	关于2010年财税库银税收收入电子缴库横向联网第二批上线工作的通知	财政部、国家税务总局、中国人民银行	财库〔2010〕67号	2010年6月29日
284	关于2010年财税库银税收收入电子缴库横向联网推广工作有关事宜的通知	财政部、国家税务总局、中国人民银行	财库〔2010〕32号	2010年4月2日
285	关于印发财政部代理发行2010年地方政府债券招投标和考核规则的通知	财政部	财库〔2010〕34号	2010年3月31日
286	关于调整环境标志产品政府采购清单的通知	财政部、环境保护部	财库〔2010〕31号	2010年3月30日
287	关于调整节能产品政府采购清单的通知	财政部、国家发展改革委	财库〔2010〕17号	2010年2月20日
288	关于中央预算单位2010年深化国库集中支付改革若干问题的通知	财政部	财库〔2009〕157号	2009年12月7日
289	关于调整环境标志产品政府采购清单的通知	财政部、环境保护部	财库〔2009〕111号	2009年8月31日
290	关于2009年财税库银税收收入电子缴库横向联网试点工作的通知	财政部、国家税务总局、中国人民银行	财库〔2009〕94号	2009年7月17日
291	关于调整节能产品政府采购清单的通知	财政部、国家发展改革委	财库〔2009〕102号	2009年7月1日
292	关于2009年财政部门与人民银行国库横向联网接口软件上线试点有关问题的通知	财政部办公厅、中国人民银行办公厅	财办库〔2009〕50号	2009年4月3日

续 表

序号	文件名称	制定机关	文号	公布日期
293	关于调整节能产品政府采购清单的通知	财政部、国家发展改革委	财库〔2009〕10号	2009年1月16日
294	关于中央单位2009年深化国库集中支付改革若干问题的通知	财政部	财库〔2008〕83号	2008年11月25日
295	关于财税库银税收收入电子缴库横向联网2008年试点工作的通知	财政部、国家税务总局、中国人民银行	财库〔2008〕69号	2008年10月10日
296	关于调整环境标志产品政府采购清单的通知	财政部、环境保护部	财库〔2008〕50号	2008年7月3日
297	关于2008年财税库银税收收入电子缴库横向联网试点安排有关问题的通知	财政部办公厅	财办库〔2008〕60号	2008年4月8日
298	关于印发《化解农村义务教育“普九”债务资金国库集中支付管理暂行办法》的通知	财政部	财库〔2008〕28号	2008年4月7日
299	关于2008年中央预算部门全面推行公务卡改革试点有关事项的通知	财政部	财库〔2008〕17号	2008年2月28日
300	关于2007年财税库银税收收入电子缴库横向联网〔地税系统〕试点工作的通知	财政部、国家税务总局、中国人民银行	财库〔2007〕110号	2007年12月10日
301	关于调整节能产品政府采购清单的通知	财政部、国家发展改革委	财库〔2007〕98号	2007年12月1日
302	关于中央单位2008年深化国库集中支付改革若干问题的通知	财政部	财库〔2007〕101号	2007年11月29日
303	关于2007年财税库银税收收入电子缴库横向联网〔国税系统〕扩大试点工作的通知	财政部、国家税务总局、中国人民银行	财库〔2007〕93号	2007年11月15日

续　表

序号	文件名称	制定机关	文号	公布日期
304	关于调整环境标志产品政府采购清单的通知	财政部、环境保护部	财库〔2007〕20号	2007年3月14日
305	关于中央单位2007年深化国库集中支付改革若干问题的通知	财政部	财库〔2006〕102号	2006年12月6日
306	关于调整节能产品政府采购清单的通知	财政部、国家发展改革委	财库〔2006〕57号	2006年7月1日
307	关于调整节能产品政府采购清单的通知	财政部、国家发展改革委	财库〔2005〕159号	2005年4月16日
308	关于中央预算单位银行账户财政审批有关事项的通知	财政部办公厅	财办库〔2002〕56号	2002年11月13日
309	关于印发《中央单位财政国库管理制度改革试点部内相关工作管理暂行办法》财政部	财政部	财办〔2001〕30号	2001年7月27日
310	关于不准汇总更正预算收入入库数字的通知	财政部、中国人民银行、国家税务总局	财预字〔1996〕408号	1996年11月20日
311	关于税务机构分设后有关税收收入收纳、划分和报解问题的规定的通知	财政部、国家税务总局、中国人民银行	〔94〕财预字第252号	1994年7月27日
312	关于严禁占压预算资金，确保预算收入及时入库的紧急通知	财政部、中国人民银行、国家税务总局	〔93〕财预字第112号	1993年8月17日

行政政法类

序号	文件名称	制定机关	文号	公布日期
313	关于做好2011年对外劳务合作服务平台支持资金管理工作的通知	财政部、商务部	财企〔2011〕228号	2011年8月12日

续 表

序号	文件名称	制定机关	文号	公布日期
314	关于严格控制在华举办国际会议的通知	财政部、外交部	财行〔2011〕2号	2011年1月31日
315	关于做好2010年对外经济技术合作专项资金申报工作的通知	财政部、商务部	财企〔2010〕77号	2010年5月7日
316	关于做好2009年度支持承接国际服务外包业务发展资金管理工作的通知	财政部、商务部	财企〔2009〕44号	2009年3月27日
317	关于印发《华侨农场土地确权登记办证中央财政奖补资金实施办法》的通知	财政部、国务院侨务办公室	财行〔2007〕212号	2007年8月1日
318	关于制定国内公务接待相关开支标准问题的通知	财政部、国务院机关事务管理局、中直机关事务管理局	财行〔2006〕376号	2006年12月1日
319	出口商品配额招标收入纳入预算管理的有关问题通知	财政部	财商字〔1994〕170号	1994年4月5日

教科文类

序号	文件名称	制定机关	文号	公布日期
320	关于扩大中央级事业单位科技成果处置权和收益权管理改革试点范围和延长试点期限的通知	财政部	财教〔2013〕306号	2013年9月6日
321	关于贯彻落实十七届六中全会精神做好财政支持文化改革发展工作的通知	财政部	财教〔2012〕33号	2012年4月24日

续 表

序号	文件名称	制定机关	文号	公布日期
322	关于印发《国家教育考试标准化考点建设中央财政奖励资金管理办法》的通知	财政部、教育部	财教〔2012〕2号	2012年1月11日
323	关于印发中央教育费附加管理暂行办法的通知	财政部、教育部	财教〔2011〕501号	2011年10月12日
324	关于在中关村国家自主创新示范区开展中央级事业单位科技成果收益权管理改革试点的意见	财政部	财教〔2011〕127号	2011年5月4日
325	关于加强美术馆 公共图书馆 文化馆〔站〕免费开放经费保障工作的通知	财政部	财教〔2011〕31号	2011年3月7日
326	关于在中关村国家自主创新示范区进行中央级事业单位科技成果处置权改革试点的通知	财政部	财教〔2011〕18号	2011年2月22日
327	关于印发《扫盲教育中央专项资金管理暂行办法》的通知	财政部、教育部	财教〔2007〕382号	2007年12月20日
328	关于印发《第三次全国文物普查专项经费使用管理办法》的通知	财政部、国家文物局	财教〔2007〕154号	2007年8月23日
329	关于印发《中央教育费附加支出管理暂行办法》的通知	财政部、教育部	财教〔2006〕325号	2006年12月22日
330	关于印发《广播电视扶贫救灾专项资金管理办法》的通知	财政部、广电总局	财教〔2006〕139号	2006年9月13日
331	关于加强“两免一补”宣传工作的通知	财政部、中宣部、教育部	财教〔2005〕60号	2005年6月7日
332	职业教育实训基地建设专项资金管理暂行办法	财政部	财教〔2004〕85号	2004年7月21日

续 表

序号	文件名称	制定机关	文号	公布日期
333	关于印发《中小学布局调整专项资金管理办法》的通知	财政部	财教〔2003〕47号	2003年6月11日
334	关于支持做好中小学生课外活动工作有关问题的通知	财政部	财公字〔2000〕21号	2000年3月16日
335	关于中央级在京事业单位统一执行国务院机关事务管理局制定的有关开支标准和制度的通知	财政部	〔86〕财文字第67号	1986年4月11日

经济建设类

序号	文件名称	制定机关	文号	公布日期
336	关于停止高效节能通风机 清水离心泵 容积式空气压缩机 配电变压器 单元式空气调节机和冷水机组推广政策的通知	财政部、国家发展改革委、工业和信息化部	财建〔2013〕923号	2013年12月20日
337	关于印发《采购东北地区2013年新产粳稻和玉米费用补贴管理办法》的通知	财政部、国家发展改革委、国家粮食局、中国农业发展银行	财建〔2013〕826号	2013年11月25日
338	关于停止高效节能台式微型计算机推广政策的通知	财政部、国家发展改革委、工业和信息化部	财建〔2013〕774号	2013年10月25日
339	关于印发《2013年中央补助地方粮食仓库维修改造资金分配管理方案》的通知	财政部、国家粮食局	财建〔2013〕453号	2013年8月6日
340	关于简化节能家电 高效电机补贴兑付信息管理及加强高效节能工业产品组织实施等工作的通知	财政部、国家发展改革委、工业和信息化部	财建〔2013〕8号	2013年1月25日

续 表

序号	文件名称	制定机关	文号	公布日期
341	关于印发《节能产品惠民工程高效节能配电变压器推广实施细则》的通知	财政部、国家发展改革委、工业和信息化部	财建〔2012〕854号	2012年11月6日
342	关于印发《节能产品惠民工程高效节能清水离心泵推广实施细则》的通知	财政部、国家发展改革委、工业和信息化部	财建〔2012〕853号	2012年11月6日
343	关于印发《节能产品惠民工程高效节能通风机推广实施细则》的通知	财政部、国家发展改革委、工业和信息化部	财建〔2012〕852号	2012年11月6日
344	关于印发《节能产品惠民工程高效节能容积式空气压缩机推广实施细则》的通知	财政部、国家发展改革委、工业和信息化部	财建〔2012〕851号	2012年11月6日
345	关于认真做好节能家电推广工作的通知	财政部、国家发展改革委、工业和信息化部	财建〔2012〕779号	2012年10月9日
346	关于印发《节能产品惠民工程高效单元式空气调节机和冷水机组推广实施细则》的通知	财政部、国家发展改革委、工业和信息化部	财建〔2012〕782号	2012年9月24日
347	关于印发《节能产品惠民工程高效节能台式微型计算机推广实施细则》的通知	财政部、国家发展改革委、工业和信息化部	财建〔2012〕702号	2012年9月24日
348	关于扩大混合动力公交客车示范推广范围有关工作的通知	财政部、科技部、工业和信息化部、国家发展改革委	财建〔2012〕633号	2012年8月6日
349	关于印发《节能产品惠民工程高效节能家用热水器推广实施细则》的通知	财政部、国家发展改革委、工业和信息化部	财建〔2012〕278号	2012年6月4日
350	关于印发《节能产品惠民工程高效节能电动洗衣机推广实施细则》的通知	财政部、国家发展改革委、工业和信息化部	财建〔2012〕277号	2012年6月4日

续表

序号	文件名称	制定机关	文号	公布日期
351	关于印发《节能产品惠民工程高效节能家用电冰箱推广实施细则》的通知	财政部、国家发展改革委、工业和信息化部	财建〔2012〕276号	2012年6月4日
352	关于印发《节能产品惠民工程高效节能房间空气调节器推广实施细则》的通知	财政部、国家发展改革委、工业和信息化部	财建〔2012〕260号	2012年5月25日
353	关于印发《节能产品惠民工程高效节能平板电视推广实施细则》的通知	财政部、国家发展改革委、工业和信息化部	财建〔2012〕259号	2012年5月25日
354	关于印发《资助向国外申请专利专项资金管理办法》的通知	财政部	财建〔2012〕147号	2012年4月14日
355	关于印发《国家级经济技术开发区 国家级边境经济合作区基础设施项目贷款中央财政贴息资金管理办法》的通知	财政部	财建〔2012〕94号	2012年3月19日
356	关于做好2012年金太阳示范工作的通知	财政部、科技部、国家能源局	财建〔2012〕21号	2012年1月18日
357	关于进一步加强家电下乡监管等有关问题的通知	财政部、商务部、工业和信息化部	财建明电〔2011〕6号	2011年12月2日
358	关于加强太阳能光电建筑应用示范后续工作管理的通知	财政部、住房城乡建设部	财建〔2011〕623号	2011年8月12日
359	关于做好2011年金太阳示范工作的通知	财政部、科技部、国家能源局	财建〔2011〕380号	2011年6月22日
360	关于印发《交通运输科研经费管理暂行办法》的通知	财政部	财建〔2011〕322号	2011年5月27日

续 表

序号	文件名称	制定机关	文号	公布日期
361	关于印发《“十二五”期间城镇污水处理设施配套管网建设项目资金管理办法》的通知	财政部、住房城乡建设部	财建〔2011〕266号	2011年5月23日
362	关于印发《家电下乡政策执行监管及违规处理办法》的通知	财政部、商务部、工业和信息化部	财建〔2011〕151号	2011年4月12日
363	关于汽车以旧换新政策到期后停止执行等有关问题的通知	财政部、商务部、环境保护部	财建〔2010〕1021号	2010年12月30日
364	关于汽车下乡政策到期后停止执行等有关问题的通知	财政部、国家发展改革委、工业和信息化部、公安部、商务部、工商总局、质检总局	财建〔2010〕1014号	2010年12月29日
365	关于加强金太阳示范工程和太阳能光电建筑应用示范工程建设管理的通知	财政部、科技部、住房城乡建设部、国家能源局	财建〔2010〕662号	2010年9月21日
366	关于延长实施汽车以旧换新政策的通知	财政部、商务部、环境保护部	财建〔2010〕304号	2010年6月18日
367	关于印发《国内油脂加工企业收购加工2010年度国产油菜籽补贴管理办法》的通知	财政部、国家发展改革委、国家粮食局	财建〔2010〕273号	2010年6月4日
368	关于做好家电下乡补贴兑付工作 防止骗补有关问题的通知	财政部、商务部、工业和信息化部	财建〔2010〕271号	2010年6月4日
369	关于扩大公共服务领域节能与新能源汽车示范推广有关工作的通知	财政部、科技部、工业和信息化部、国家发展改革委	财建〔2010〕227号	2010年5月31日
370	关于开展私人购买新能源汽车补贴试点的通知	财政部、科技部、工业和信息化部、国家发展改革委	财建〔2010〕230号	2010年5月31日

续表

序号	文件名称	制定机关	文号	公布日期
371	关于调整高效节能空调推广财政补贴政策的通知	财政部、国家发展改革委	财建〔2010〕119号	2010年4月30日
372	关于印发《中西部等地区国家级经济技术开发区基础设施项目贷款财政贴息资金管理办法》的通知	财政部	财建〔2010〕48号	2010年3月15日
373	关于印发《长江干线船型标准化补贴资金管理办法》的通知	财政部、交通运输部	财建〔2010〕46号	2010年3月10日
374	关于家电以旧换新运费补贴的补充通知	财政部	财建〔2010〕44号	2010年3月5日
375	关于加强中央基建投资预算执行管理工作的通知	财政部	财建〔2010〕3号	2010年1月8日
376	关于允许汽车以旧换新补贴与车辆购置税减征政策同时享受的通知	财政部、商务部	财建〔2010〕1号	2010年1月4日
377	关于调整汽车以旧换新补贴标准有关事项的通知	财政部、商务部	财建〔2009〕995号	2009年12月25日
378	关于进一步加大家电下乡政策实施力度的通知	财政部、商务部、工业和信息化部	财建〔2009〕972号	2009年12月22日
379	关于印发《东北大豆压榨企业收购加工2009年度国产大豆补贴管理办法》的通知	财政部、国家发展改革委、国家粮食局、中国农业发展银行	财建〔2009〕854号	2009年11月27日
380	关于印发《南方饲料消费省份采购东北地区2009年新产玉米费用补贴财务管理办法》的通知	财政部、国家发展改革委、国家粮食局、中国农业发展银行	财建〔2009〕853号	2009年11月27日

续 表

序号	文件名称	制定机关	文号	公布日期
381	关于印发《农村老旧渡船更新专项奖励资金管理办法》的通知	财政部、交通运输部	财建〔2009〕837号	2009年11月23日
382	关于做好金太阳示范工程实施工作的通知	财政部、科技部、国家能源局	财建〔2009〕718号	2009年11月9日
383	关于规范地方政府消费券发放使用管理的指导意见	财政部、商务部	财建〔2009〕649号	2009年10月13日
384	关于加快落实中央扩大内需投资项目地方配套资金等有关问题的通知	财政部	财建〔2009〕631号	2009年10月12日
385	关于进一步加强中央建设投资项目预算管理等有关问题的通知	财政部、国家发展改革委	财建〔2009〕552号	2009年9月17日
386	关于明确2009年部分国家临时存储玉米定向销售补贴政策的通知	财政部	财建〔2009〕566号	2009年9月8日
387	关于加强节能产品惠民工程管理工作的通知	财政部、国家发展改革委	财建〔2009〕536号	2009年9月6日
388	关于进一步加强中央建设投资预算执行管理的通知	财政部	财建〔2009〕549号	2009年9月2日
389	关于印发《城镇污水处理设施配套管网建设以奖代补专项资金管理办法》的通知	财政部	财建〔2009〕501号	2009年8月26日
390	关于进一步改进家电下乡补贴资金审核兑付工作的通知	财政部	财建〔2009〕458号	2009年8月14日
391	关于印发《汽车以旧换新实施办法》的通知	财政部、商务部、中宣部、国家发展改革委、工业和信息化部、公安部、环境保护部、交通运输部、工商总局、质检总局	财建〔2009〕333号	2009年7月13日

续 表

序号	文件名称	制定机关	文号	公布日期
392	关于印发《家电以旧换新实施办法》的通知	财政部、商务部、国家发展改革委、工业和信息化部、环境保护部、工商总局、质检总局	财建〔2009〕298号	2009年6月28日
393	关于印发《国内油脂加工企业收购加工2009年度国产油菜籽补贴管理办法》的通知	财政部、国家发展改革委、国家粮食局	财建〔2009〕252号	2009年6月9日
394	关于印发《汽车摩托车下乡操作细则》的通知	财政部、国家发展改革委、工业和信息化部、公安部、商务部、工商总局、质检总局	财建〔2009〕248号	2009年6月4日
395	关于加大汽车下乡政策实施力度的通知	财政部、国家发展改革委、工业和信息化部、公安部、商务部、工商总局、质检总局	财建〔2009〕247号	2009年6月4日
396	关于印发《"节能产品惠民工程"高效节能房间空调推广实施细则》的通知	财政部、国家发展改革委	财建〔2009〕214号	2009年5月18日
397	关于开展"节能产品惠民工程"的通知	财政部、国家发展改革委	财建〔2009〕213号	2009年5月18日
398	关于印发《国家级风景名胜区和历史文化名城保护补助资金使用管理办法》的通知	财政部	财建〔2009〕195号	2009年5月4日
399	关于印发《家电下乡操作细则》的通知	财政部、商务部、工业和信息化部、国家发展改革委、中宣部、农业部、环境保护部、供销总社、国家税务总局、工商总局、质检总局	财建〔2009〕155号	2009年4月16日

续 表

序号	文件名称	制定机关	文号	公布日期
400	关于加强扩大内需投资财政财务管理有关问题的通知	财政部	财建〔2009〕133号	2009年3月23日
401	关于加快推进太阳能光电建筑应用的实施意见	财政部、住房城乡建设部	财建〔2009〕128号	2009年3月23日
402	关于印发《2009年地方政府债券资金项目安排管理办法》的通知	财政部	财建〔2009〕121号	2009年3月18日
403	关于印发《汽车摩托车下乡实施方案》的通知	财政部、国家发展改革委、工业和信息化部、公安部、商务部、工商总局、质检总局	财建〔2009〕104号	2009年3月10日
404	关于加大家电下乡政策实施力度的通知	财政部、商务部、工业和信息化部	财建〔2009〕48号	2009年2月26日
405	关于印发《国家级边境经济合作区基础设施项目贷款财政贴息资金管理办法》的通知	财政部	财建〔2009〕36号	2009年2月25日
406	关于开展节能与新能源汽车示范推广试点工作的通知	财政部、科技部	财建〔2009〕6号	2009年1月23日
407	关于全国推广家电下乡工作的通知	财政部、商务部、工业和信息化部	财建〔2008〕862号	2008年11月28日
408	关于印发《中央财政地震灾后恢复重建基金地方包干资金使用管理办法》的通知	财政部	财建〔2008〕861号	2008年11月26日
409	财政部关于印发《中央财政地震灾后恢复重建基金地方包干资金使用管理办法》的通知	财政部	财建〔2008〕861号	2008年11月16日

续 表

序号	文件名称	制定机关	文号	公布日期
410	关于印发《关内企业采购2008年新产东北粳稻〔大米〕入关运费补贴财务管理办法》的通知	财政部、国家发展改革委、国家粮食局、中国农业发展银行	财建〔2008〕699号	2008年10月22日
411	关于印发《再生节能建筑材料财政补助资金管理暂行办法》的通知	财政部	财建〔2008〕677号	2008年10月14日
412	关于印发《出疆棉移库费用补贴管理暂行办法》的通知	财政部	财建〔2008〕396号	2008年6月23日
413	财政部 住房城乡建设部关于印发《地震灾区过渡安置房建设资金管理办法》的通知	财政部、住房城乡建设部	财建〔2008〕360号	2008年6月2日
414	关于印发《第一次全国污染源普查专项资金使用管理办法》的通知	财政部、环境保护部	财建〔2008〕144号	2008年4月15日
415	关于印发《第二次全国土地调查专项经费管理办法》的通知	财政部	财建〔2008〕134号	2008年4月9日
416	关于印发《关于对关内销区采购东北粳稻〔大米〕入关运费补贴财务管理办法》的通知	财政部	财建〔2008〕17号	2008年2月20日
417	关于印发《高效照明产品推广财政补贴资金管理暂行办法》的通知	财政部、国家发展改革委	财建〔2007〕1027号	2007年12月28日
418	关于印发《三河三湖及松花江流域水污染防治财政专项补助资金管理暂行办法》的通知	财政部	财建〔2007〕739号	2007年11月23日

续 表

序号	文件名称	制定机关	文号	公布日期
419	关于印发《中西部等地区国家级经济技术开发区基础设施项目贷款财政贴息资金管理办法》的通知	财政部	财建〔2007〕323号	2007年8月1日
420	关于印发《国家西部1:5万地形图空白区测图工程专项经费管理办法》的通知	财政部	财建〔2006〕887号	2006年12月24日
421	关于印发《2006年中央财政对产粮大县奖励办法》的通知	财政部	财建〔2006〕649号	2006年10月18日
422	关于发展生物能源和生物化工财税扶持政策的实施意见	财政部、国家发展改革委、农业部、国家税务总局、国家林业局	财建〔2006〕702号	2006年9月30日
423	关于印发《可再生能源建筑应用示范项目评审办法》的通知	财政部、建设部	财建〔2006〕459号	2006年9月4日
424	关于印发《采取切实措施 促进化肥生产 稳定化肥市场的意见》的紧急通知	财政部、国家发展改革委、农业部、铁道部、供销合作总社	财建〔2005〕231号	2005年6月6日
425	交通建设发展前期工作经费管理办法	财政部	财建〔2003〕362号	2003年8月29日
426	西部交通建设科技经费管理暂行办法	财政部、交通部	财建〔2003〕48号	2003年3月13日
427	关于做好中央直属储备粮库项目工程结算决算审核工作的通知	财政部	财基字〔1999〕746号	1999年11月9日
428	关于中华棉花总公司库存新疆棉财政补贴款拨付办法的通知	财政部、中国人民银行	财经字〔1999〕819号	1999年10月13日

续 表

序号	文件名称	制定机关	文号	公布日期
429	关于印发《水利基本建设资金管理办法》的通知	财政部、水利部	财基字〔1999〕139号	1999年5月25日
430	关于印发《国家储备粮油补贴资金专户管理办法》的通知	财政部、中国农业发展银行、国家粮食储备局	财经字〔1999〕81号	1999年3月24日
431	关于制发《国债转贷地方政府管理办法》	财政部	财预字〔1998〕267号	1998年8月14日
432	关于加强供销合作社财务管理的通知	财政部、国家税务总局	财商字〔1997〕64号	1997年3月13日
433	关于财政部驻各地财政监察专员办事机构对中央级基本建设实施财政监督和财务管理的通知	财政部	财基字〔1995〕6号	1995年1月19日

农业类

序号	文件名称	制定机关	文号	公布日期
434	关于印发《国务院南水北调工程建设委员会办公室经常性专项业务费管理办法〔试行〕》的通知	财政部	财农〔2011〕435号	2011年11月7日
435	关于调整生猪屠宰环节病害猪无害化处理补贴标准的通知	财政部	财建〔2011〕599号	2011年7月29日
436	关于开展2011年林木良种补贴试点工作的意见	财政部、国家林业局	财农〔2011〕96号	2011年6月8日
437	关于印发《中央分成水资源费使用管理暂行办法》的通知	财政部、水利部	财农〔2011〕24号	2011年3月30日
438	关于切实加强农机购置补贴政策实施监管工作的通知	财政部	财农〔2011〕17号	2011年2月23日

续 表

序号	文件名称	制定机关	文号	公布日期
439	关于印发《第一次全国水利普查经费使用管理办法》的通知	财政部、水利部	财农〔2011〕9号	2011年2月16日
440	关于做好财政支持抗旱保春耕和促进粮食生产有关工作的通知	财政部	财农〔2011〕11号	2011年2月11日
441	关于进一步做好清理化解农村义务教育债务工作的通知	国务院农村综合改革工作小组	国农改〔2009〕20号	2009年12月21日
442	关于做好清理化解中央直属垦区、林区和新疆生产建设兵团义务教育"普九"债务试点工作的通知	国务院农村综合改革工作小组	国农改〔2008〕25号	2008年7月21日
443	关于印发《清理化解农村义务教育"普九"债务试点工作考核验收办法》的通知	国务院农村综合改革工作小组	国农改〔2008〕21号	2008年7月10日
444	关于印发《三峡库区电力扶持专项资金征收使用管理办法》的通知	财政部	财企〔2008〕46号	2008年3月11日
445	关于做好清理化解农村义务教育"普九"债务试点工作的通知	国务院农村综合改革工作小组	国农改〔2008〕3号	2008年2月14日
446	关于印发《屠宰环节病害猪无害化处理财政补贴资金管理暂行办法》的通知	财政部	财建〔2007〕608号	2007年10月26日
447	关于印发《财政扶贫资金管理监测信息系统管理暂行办法》的通知	财政部、国家发展改革委、国家民委、国务院扶贫办、国家统计局	财农〔2007〕43号	2007年3月12日
448	关于印发《三峡库区产业发展基金使用管理办法》的通知	财政部	财企〔2006〕382号	2006年10月26日

续 表

序号	文件名称	制定机关	文号	公布日期
449	关于修订《三峡库区三期地质灾害防治资金管理办法》的通知	财政部	财企〔2006〕295号	2006年8月25日
450	关于支持血吸虫病重点防治地区开展“以机代牛”工作的通知	财政部	财农〔2006〕73号	2006年6月8日
451	关于做好“十一五”时期农业财政工作的指导性意见	财政部	财农〔2006〕5号	2006年2月10日
452	节水灌溉贷款中央财政贴息资金管理暂行办法	财政部、水利部	财农〔2005〕279号	2005年12月9日
453	关于废止《三峡工程建设资金使用管理暂行办法》的通知	财政部	财企〔2004〕132号	2004年8月9日
454	关于重新明确破产企业三峡工程建设基金征收管理中有关问题的通知	财政部	财企〔2003〕155号	2003年5月16日
455	财政农业专项资金调整和改革方案	财政部	财农〔2001〕35号	2001年4月30日
456	关于切实加强天然林保护经费管理与监督的通知	财政部	财农字〔2000〕16号	2000年3月24日
457	关于做好森工企业下岗职工一次性安置工作的通知	财政部、国家林业局	财农〔2000〕83号	2000年3月24日
458	关于印发《农业行业标准专项经费管理办法》的通知	财政部、农业部	财农字〔1999〕418号	1999年12月9日
459	关于印发《三峡电网建设基金使用监督管理暂行办法》的通知	财政部、电力工业部	财工字〔1997〕491号	1997年12月9日
460	关于发布《国家救灾备荒种子储备贷款贴息资金管理办法》的通知	财政部、农业部	财农字〔1996〕202号	1996年8月9日

续 表

序号	文件名称	制定机关	文号	公布日期
461	关于三峡工程建设基金征缴工作中有关问题的通知	财政部、电力工业部	财工字〔1995〕237号	1995年6月19日
462	关于三峡工程建设基金解缴入库问题的通知	财政部	〔93〕财工字第176号	1993年5月15日
463	关于筹集三峡工程建设基金的紧急通知	财政部、国家计委、能源局、国家物价局	〔92〕财工字第576号	1992年12月30日
464	关于国有林区森工企业财务改革若干问题的补充规定	财政部、林业部	〔87〕财农字第252号	1987年7月29日
465	关于国有林区森林工业企业财务改革若干问题的规定	财政部、林业部	〔87〕财农字第2号	1987年2月4日
466	颁发气象事业费使用管理的暂行规定的通知	财政部、中央气象局	〔64〕财农王317号〔64〕中气计张51号	1964年6月1日

社会保障类

序号	文件名称	制定机关	文号	公布日期
467	关于开展就业专项资金绩效评价试点工作有关问题的通知	财政部、人力资源社会保障部	财社〔2012〕17号	2012年4月6日
468	关于做好财政社会保障资金预算执行管理工作的通知	财政部	财社〔2012〕14号	2012年4月1日
469	关于加强城乡最低生活保障资金预算执行管理工作的通知	财政部、民政部	财社〔2011〕37号	2011年4月18日

续 表

序号	文件名称	制定机关	文号	公布日期
470	关于做好2011年财政社会保障资金预算执行管理工作的通知	财政部	财社〔2011〕38号	2011年4月14日
471	关于中央管理企业特定就业政策2010年清算及2011年补助有关问题的通知	财政部、人力资源社会保障部	财社〔2010〕285号	2010年12月24日
472	关于印发《2010－2011年基层医疗卫生机构实施国家基本药物制度和综合改革以奖代补专项资金管理办法》的通知	财政部、国家发展改革委、人力资源社会保障部、卫生部	财社〔2010〕202号	2010年9月21日
473	关于印发《2009年基层医疗卫生机构实施国家基本药物制度和综合改革以奖代补专项资金管理办法》的通知	财政部、国家发展改革委、人力资源社会保障部、卫生部	财社〔2010〕21号	2010年2月12日
474	关于开展政府购买社区公共卫生服务试点工作的指导意见	财政部	财社〔2007〕267号	2007年12月24日
475	关于印发中央财政补助地方残疾人事业“十一五”发展纲要专项资金补助项目及标准的通知	财政部	财社〔2007〕80号	2007年7月9日
476	关于城市社区卫生服务补助政策的意见	财政部、国家发展改革委、卫生部	财社〔2006〕61号	2006年7月13日
477	关于将中西部地区部分市辖区纳入新型农村合作医疗中央财政补助范围的通知	财政部、卫生部	财社〔2005〕2号	2005年1月14日
478	关于农民和城镇困难群众非典型肺炎患者救治有关问题的通知	财政部、卫生部	〔2003〕财社明传5号	2003年4月29日

续 表

序号	文件名称	制定机关	文号	公布日期
479	关于妥善解决非典型肺炎患者救治费用有关问题的紧急通知	财政部、卫生部、劳动保障部	〔2003〕财社明传1号	2003年4月18日
480	关于门诊药房脱离医院补偿办法的意见	财政部、国家计委、卫生部	财社〔2003〕10号	2003年2月1日
481	关于切实做好自主择业的军队转业干部退役金发放工作的意见	财政部	财行〔2002〕2号	2002年1月11日
482	关于完善城镇医疗机构补偿机制、落实补偿政策的若干意见	财政部、国家计委、卫生部、国家中医药管理局	财社〔2001〕60号	2001年10月25日
483	关于补发中央军工企业拖欠离退休人员基本养老金有关问题的通知	财政部、劳动保障部、国防科工委	财社〔2001〕5号	2001年2月12日
484	关于补发原行业统筹企业拖欠离退休人员基本养老金有关问题的通知	财政部、劳动和社会保障部	财社字〔2000〕74号	2000年10月10日
485	关于国家税务局系统公费医疗管理问题的通知	财政部、卫生部	〔95〕财社字第90号	1995年8月29日

资产管理类

序号	文件名称	制定机关	文号	公布日期
486	关于印发《中央财政关闭小企业补助资金管理办法》的通知	财政部、工业和信息化部	财企〔2010〕231号	2010年9月17日
487	关于印发《中央财政整顿关闭小煤矿专项资金管理办法》的通知	财政部、国家安全监管总局、煤矿安监局	财企〔2009〕175号	2009年8月20日
488	关于当前应对金融危机加强企业财务管理的若干意见	财政部	财企〔2009〕52号	2009年4月9日

续 表

序号	文件名称	制定机关	文号	公布日期
489	关于印发《企业财会信息资料统计补助经费管理办法》的通知	财政部	财企〔2007〕58号	2007年4月11日
490	关于切实加强国有企业政策性关闭破产管理工作的通知	财政部	财企〔2007〕30号	2007年2月25日
491	关于印发《中央财政关闭小企业专项补助资金管理办法》的通知	财政部	财企〔2006〕339号	2006年9月28日
492	关于国有大中型企业主辅分离辅业改制分流安置富余人员有关财务问题的通知	财政部	财企〔2005〕78号	2005年5月17日
493	关于第二批中央企业分离办社会职能单位过渡期补助经费承担比例的通知	财政部	财企〔2005〕25号	2005年2月25日
494	关于企业关闭破产中央财政补助资金利息收入处理有关问题的通知	财政部	财企〔2004〕263号	2004年12月6日
495	关于做好中央企业分离办社会职能试点工作有关问题的通知	财政部、国资委	财企〔2004〕98号	2004年6月10日
496	关于国有企业执行《企业会计制度》有关财务政策问题的通知	财政部	财企〔2002〕310号	2002年7月26日
497	关于加强企业关闭破产费用预案审核工作的通知	财政部	财企〔2001〕660号	2001年11月7日
498	非资源枯竭矿山企业关闭破产费用测算办法	财政部	财企〔2001〕175号	2001年3月13日

续 表

序号	文件名称	制定机关	文号	公布日期
499	关于加强对企业关闭破产中央财政补助资金管理的通知	财政部	财企〔2001〕92号	2001年2月13日
500	资源枯竭矿山企业关闭破产费用测算办法	财政部	财企〔2000〕631号	2000年11月24日
501	国有企业试行破产有关财务问题的暂行规定	财政部	财工字〔1996〕226号	1996年8月20日

金融类

序号	文件名称	制定机关	文号	公布日期
502	关于再次延长原料奶收购贷款中央财政贴息政策期限的通知	财政部	财金〔2009〕64号	2009年7月9日
503	关于延长原料奶收购贷款中央财政贴息政策期限的通知	财政部	财金〔2009〕22号	2009年3月9日
504	关于印发《汶川地震灾后恢复重建贷款中央财政贴息管理办法》的通知	财政部	财金〔2008〕97号	2008年8月22日

国际财金合作类

序号	文件名称	制定机关	文号	公布日期
505	关于印发《中国经济改革实施技术援助项目管理暂行办法》的通知	财政部	财际〔2006〕89号	2006年9月22日
506	财政部关于加快外国政府贷款项目实施进程有关问题的通知	财政部	财金〔2002〕76号	2002年6月20日

续 表

序号	文件名称	制定机关	文号	公布日期
507	关于日元贷款植树造林项目有关问题的通知	财政部	财金便函〔2002〕36号	2002年2月5日
508	关于2001年度日元贷款备选项目采购公司招标工作有关问题的通知	财政部	财办金〔2001〕104号	2001年4月30日
509	外国政府贷款转贷垫款周转金管理办法	财政部	财债字〔1999〕197号	1999年9月20日
510	关于世界银行硬贷款实施新的货币政策的通知	财政部	财世字〔1996〕91号	1996年7月16日
511	关于利用国际复兴开发银行贷款承担货币总库制外汇损益的通知	财政部	〔88〕财外字第810号	1988年9月5日
512	关于世界银行贷款项目采购设备中索赔收入的处理意见	财政部	〔86〕财外字第637号	1986年7月14日

会计及注册会计师管理类

序号	文件名称	制定机关	文号	公布日期
513	关于印发铁路系统会计从业资格管理职能移交工作实施方案的通知	财政部	财会〔2013〕10号	2013年5月16日
514	关于做好2013年企业会计准则通用分类标准实施工作的通知	财政部、国资委、银监会、保监会、国标委	财会〔2013〕4号	2013年3月20日
515	关于继续做好企业会计准则通用分类标准实施工作的通知	财政部	财会〔2012〕10号	2012年5月7日
516	关于银行业金融机构实施企业会计准则通用分类标准的通知	财政部	财会〔2012〕7号	2012年4月26日

续　表

序号	文件名称	制定机关	文号	公布日期
517	关于地方国有大中型企业实施企业会计准则通用分类标准的通知	财政部	财会〔2012〕4号	2012年2月28日
518	中国注册会计师协会执业质量检查人员和检查组工作质量考核评价办法	中国注册会计师协会	会协办〔2011〕18号	2011年8月29日
519	关于实施企业会计准则通用分类标准的通知	财政部	财会〔2010〕23号	2010年12月9日
520	关于印发《注册会计师业务指导目录〔2010年〕》的通知	中国注册会计师协会	会协〔2010〕38号	2010年5月13日
521	关于转发国家外汇管理局综合司《关于进一步完善2010年外商投资企业外汇年检工作有关问题的通知》的通知	中国注册会计师协会	会协〔2010〕23号	2010年3月24日
522	关于中央级事业单位 社会团体及企业财政拨款结转和结余资金会计核算有关事项的通知	财政部	财会〔2010〕5号	2010年3月3日
523	关于印发《中国注册会计师协会执业质量兼职检查员管理办法》的通知	中国注册会计师协会	会协〔2009〕66号	2009年11月24日
524	关于印发《会计师事务所执业质量检查制度》的通知	中国注册会计师协会	会协〔2009〕46号	2009年7月28日

续 表

序号	文件名称	制定机关	文号	公布日期
525	关于印发《中国注册会计师协会会员执业违规行为惩戒办法》《中国注册会计师协会惩戒委员会暂行规则》《中国注册会计师协会申诉委员会暂行规则》的通知	中国注册会计师协会	会协〔2008〕73号	2008年10月14日
526	中国注册会计师协会关于规范注册会计师执行企业年度检验审计业务的通知	中国注册会计师协会	会协〔2007〕17号	2007年4月5日
527	关于政府收支分类改革后事业单位会计核算问题的通知	财政部	财会〔2006〕10号	2006年5月25日
528	财政部注册会计师考试委员会办公室《关于注册会计师考试组织工作考评等级》的通知	财政部	财考办〔2005〕10号	2005年1月23日
529	中国注册会计师协会章程	中国注册会计师协会	会协〔2004〕96号	2004年12月15日
530	村集体经济组织新旧会计制度有关衔接问题的处理规定	财政部	财会〔2004〕21号	2004年12月13日
531	关于印发《民航基础设施建设基金有关会计处理规定》及《民航机场管理建设费征收管理方式改革后有关会计处理规定》的通知	财政部	财会〔2004〕8号	2004年9月13日
532	关于印发《内部会计控制规范—担保〔试行〕》和《内部会计控制规范—对外投资〔试行〕》的通知	财政部	财会〔2004〕6号	2004年8月19日

续 表

序号	文件名称	制定机关	文号	公布日期
533	中国注册会计师协会维权委员会暂行规则	中国注册会计师协会	会协〔2004〕14号	2004年2月16日
534	关于印发《内部会计控制规范——工程项目〔试行〕》的通知	财政部	财会〔2003〕30号	2003年10月22日
535	关于事业单位住房补贴会计处理补充规定的通知	财政部	财会〔2003〕28号	2003年9月30日
536	关于印发《内部会计控制规范——采购与付款〔试行〕》和《内部会计制度控制规范——销售与收款〔试行〕》的通知	财政部	财会〔2002〕21号	2002年12月23日
537	中国注册会计师协会关于建立重大事项通报制度的通知	中国注册会计师协会	会协〔2002〕125号	2002年5月20日
538	关于修改事业单位事业支出核算内容的通知	财政部	财会〔2002〕3号	2002年1月14日
539	财政部注册会计师考试委员会办公室关于发布《注册会计师考试档案管理办法》的通知	财政部	财考办〔2001〕174号	2001年12月24日
540	关于印发《内部会计控制规范——基本规范〔试行〕》、《内部会计控制规范——货币资金〔试行〕》的通知	财政部	财会〔2001〕41号	2001年6月22日
541	关于外国、港澳台会计师事务所申请在深圳设立代表处、合作所、成员所等涉外机构及有关事项审批程序进行变更的通知	财政部	财会〔2000〕1038号	2000年12月1日

续 表

序号	文件名称	制定机关	文号	公布日期
542	关于印发就业机构就业经费会计处理规定的通知	财政部	财会字〔1999〕46号	1999年12月27日
543	关于印发《境外会计师事务所常驻代表机构管理暂行办法》的通知	财政部	财会协字〔1996〕1号	1996年1月4日

监督检查类

序号	文件名称	制定机关	文号	公布日期
544	关于印发《"小金库"治理工作举报奖励办法》的通知	中共中央纪委、财政部、监察部、审计署	财监〔2009〕26号	2009年5月31日
545	关于进一步做好扩大内需促进经济增长政策落实和资金监管工作的通知	财政部	财监〔2009〕2号	2009年1月14日
546	关于做好扩大内需促进经济增长政策落实和资金监管工作的通知	财政部	财监〔2008〕59号	2008年11月24日
547	关于进一步做好抗震救灾资金监管工作的通知	财政部	财监〔2008〕29号	2008年6月19日
548	关于加强抗震救灾资金物资监管的紧急通知	财政部	财办〔2008〕26号	2008年5月22日
549	关于印发《财政监督统计工作暂行规定》的通知	财政部	财监字〔1998〕216号	1998年9月22日

农业综合开发类

序号	文件名称	制定机关	文号	公布日期
550	关于2014年新增国家农业综合开发县立项条件的意见	国家农业综合开发办公室	国农办〔2013〕186号	2013年9月10日

续 表

序号	文件名称	制定机关	文号	公布日期
551	关于进一步下放项目审批权限的通知	国家农业综合开发办公室	国农办〔2012〕62号	2012年5月30日
552	关于开展国家农业综合开发高标准农田建设示范工程的指导意见	国家农业综合开发办公室	国农办〔2009〕163号	2009年7月29日
553	国家农业综合开发高标准农田建设示范工程建设标准〔试行〕	国家农业综合开发办公室	国农办〔2009〕163号	2009年7月29日
554	关于2009年农业综合开发产业化经营项目实行财政补贴的指导意见	国家农业综合开发办公室	国农办〔2008〕208号	2008年11月27日
555	关于印发《国家农业综合开发投资参股国有股权收益收缴管理办法》补充规定的通知	财政部	财发〔2008〕3号	2008年3月4日
556	关于印发《关于开展膜下滴灌节水技术推广试点工作的指导意见》的通知	国家农业综合开发办公室	国农办〔2006〕234号	2006年11月7日
557	关于印发《农业综合开发土地治理项目切块内资金安排中型灌区节水配套改造项目试点办法》的通知	国家农业综合开发办公室	国农办〔2006〕178号	2006年7月5日
558	关于印发《利用世界银行贷款农业科技项目采购管理办法》的通知	国家农业综合开发办公室	国农办〔2006〕68号	2006年5月22日
559	关于印发《利用世界银行贷款农业科技项目财务管理办法》的通知	国家农业综合开发办公室	国农办〔2006〕65号	2006年5月22日
560	关于印发《利用世界银行贷款农业科技项目会计核算办法》的通知	国家农业综合开发办公室	国农办〔2006〕67号	2006年5月22日

续 表

序号	文件名称	制定机关	文号	公布日期
561	关于印发《利用世界银行贷款农业科技项目提款报账管理办法》的通知	国家农业综合开发办公室	国农办〔2006〕66号	2006年5月22日
562	关于印发《利用世界银行贷款加强灌溉农业三期项目工程管理办法》的通知	国家农业综合开发办公室	国农办〔2006〕69号	2006年5月19日
563	关于印发《利用世界银行贷款加强灌溉农业三期项目采购管理办法》的通知	国家农业综合开发办公室	国农办〔2006〕70号	2006年5月19日
564	关于印发《利用世界银行贷款加强灌溉农业三期项目财务管理办法》的通知	国家农业综合开发办公室	国农办〔2006〕71号	2006年5月19日
565	关于印发《利用世界银行贷款加强灌溉农业三期项目提款报账管理办法》的通知	国家农业综合开发办公室	国农办〔2006〕72号	2006年5月19日
566	关于印发《利用世界银行贷款加强灌溉农业三期项目会计核算办法》的通知	国家农业综合开发办公室	国农办〔2006〕73号	2006年5月19日
567	关于印发《利用世界银行贷款加强灌溉农业三期项目管理办法》的通知	财政部	财发〔2006〕2号	2006年3月15日
568	关于印发《利用世界银行贷款农业科技项目管理办法》的通知	财政部	财发〔2005〕70号	2005年12月27日
569	关于印发《利用英国国家发展部赠款实施面向贫困人口农村水利改革项目管理暂行办法》的通知	国家农业综合开发办公室	国农办〔2005〕13号	2005年2月1日

续 表

序号	文件名称	制定机关	文号	公布日期
570	农业综合开发财政资金配套保障试点办法	财政部	财发〔2004〕71号	2004年12月7日
571	关于编报农业综合开发区水资源条件鉴定意见有关事项的通知	国家农业综合开发办公室	国农办〔2000〕134号	2000年9月27日

商务部关于废止和修改部分规章和规范性文件的决定

（2016年8月18日商务部令2016年第2号公布　自公布之日起施行）

为推进政府职能转变，进一步激发市场活力和发展动力，商务部对有关规章和规范性文件进行了清理。经过清理，商务部决定废止和修改部分规章和规范性文件，具体如下：

一、对5件规章予以废止

（一）废止《中华人民共和国进出口企业代码管理办法》（〔1997〕外经贸办发第498号）

（二）废止《中华人民共和国进出口企业代码管理办法实施细则》（〔1997〕外经贸办发第498号）

（三）废止《中华人民共和国进出口企业代码管理办法外商投资企业实施细则》（〔1997〕外经贸办发第498号）

（四）经商海关总署、税务总局、外汇局同意，废止《关于设立外商投资出口采购中心管理办法》（商务部、海关总署、税务总局、外汇局令2003年第3号）

（五）废止《流通领域食品安全管理办法》（商务部令2007年第1号）

二、对5件规章和规范性文件的部分条款予以修改

（一）删去《对外贸易经营者备案登记办法》（商务部令2004年第14号）第五条第二款第三项第三目。

（二）删去《国际货运代理企业备案（暂行）办法》（商务部令2005年第9

号）第五条第二款第三项第三目。

将国际货运代理企业备案表（一）中的“工商登记注册号”修改为“统一社会信用代码”。

删去国际货运代理企业备案表（一）中的“组织机构代码”。

将国际货运代理企业备案表（二）中的“工商登记注册号”修改为“统一社会信用代码”。

将国际货运代理企业备案表（二）中的“母公司组织机构代码”修改为“母公司统一社会信用代码”。

删去中华人民共和国国际货运代理企业业务备案表（三）中的“取得国际货代资格证书人数”。

（三）删去《单用途商业预付卡管理办法（试行）》（商务部令 2012 年第 9 号）第八条第一款第三项。

删去第十五条第二款中的“税务登记证、组织机构代码证”。

（四）删去《商务部办公厅关于印发〈超市食品安全操作规范（试行）〉的通知》（商运字〔2006〕122 号）第八条第二款第一项中的“税务登记证”、“组织机构代码（集团化公司有其所属分、子公司使用集团组织机构代码的情况）”。

（五）删去《第三方电子商务交易平台服务规范》（商务部公告 2011 年第 18 号）第五条第三款第一项中的“组织机构代码证、税务登记证”。

删去第六条第一款第三项中的“税务登记证”。

此外，对相关规章和规范性文件的条文顺序作相应调整。

超限运输车辆行驶公路管理规定

（2016 年 8 月 19 日交通运输部令 2016 年第 62 号公布　自 2016 年 9 月 21 日起施行）

第一章　总　　则

第一条　为加强超限运输车辆行驶公路管理，保障公路设施和人民生命财产安全，根据《公路法》《公路安全保护条例》等法律、行政法规，制定本规定。

第二条　超限运输车辆通过公路进行货物运输，应当遵守本规定。

第三条　本规定所称超限运输车辆，是指有下列情形之一的货物运输车辆：

（一）车货总高度从地面算起超过 4 米；

（二）车货总宽度超过 2.55 米；

（三）车货总长度超过18.1米；

（四）二轴货车，其车货总质量超过18000千克；

（五）三轴货车，其车货总质量超过25000千克；三轴汽车列车，其车货总质量超过27000千克；

（六）四轴货车，其车货总质量超过31000千克；四轴汽车列车，其车货总质量超过36000千克；

（七）五轴汽车列车，其车货总质量超过43000千克；

（八）六轴及六轴以上汽车列车，其车货总质量超过49000千克，其中牵引车驱动轴为单轴的，其车货总质量超过46000千克。

前款规定的限定标准的认定，还应当遵守下列要求：

（一）二轴组按照二个轴计算，三轴组按照三个轴计算；

（二）除驱动轴外，二轴组、三轴组以及半挂车和全挂车的车轴每侧轮胎按照双轮胎计算，若每轴每侧轮胎为单轮胎，限定标准减少3000千克，但安装符合国家有关标准的加宽轮胎的除外；

（三）车辆最大允许总质量不应超过各车轴最大允许轴荷之和；

（四）拖拉机、农用车、低速货车，以行驶证核定的总质量为限定标准；

（五）符合《汽车、挂车及汽车列车外廓尺寸、轴荷及质量限值》（GB1589）规定的冷藏车、汽车列车、安装空气悬架的车辆，以及专用作业车，不认定为超限运输车辆。

第四条　交通运输部负责全国超限运输车辆行驶公路的管理工作。

县级以上地方人民政府交通运输主管部门负责本行政区域内超限运输车辆行驶公路的管理工作。

公路管理机构具体承担超限运输车辆行驶公路的监督管理。

县级以上人民政府相关主管部门按照职责分工，依法负责或者参与、配合超限运输车辆行驶公路的监督管理。交通运输主管部门应当在本级人民政府统一领导下，与相关主管部门建立治理超限运输联动工作机制。

第五条　各级交通运输主管部门应当组织公路管理机构、道路运输管理机构建立相关管理信息系统，推行车辆超限管理信息系统、道路运政管理信息系统联网，实现数据交换与共享。

第二章　大件运输许可管理

第六条　载运不可解体物品的超限运输（以下称大件运输）车辆，应当依法办理有关许可手续，采取有效措施后，按照指定的时间、路线、速度行驶公路。未经许可，不得擅自行驶公路。

第七条 大件运输的托运人应当委托具有大型物件运输经营资质的道路运输经营者承运,并在运单上如实填写托运货物的名称、规格、重量等相关信息。

第八条 大件运输车辆行驶公路前,承运人应当按下列规定向公路管理机构申请公路超限运输许可:

(一)跨省、自治区、直辖市进行运输的,向起运地省级公路管理机构递交申请书,申请机关需要列明超限运输途经公路沿线各省级公路管理机构,由起运地省级公路管理机构统一受理并组织协调沿线各省级公路管理机构联合审批,必要时可由交通运输部统一组织协调处理;

(二)在省、自治区范围内跨设区的市进行运输,或者在直辖市范围内跨区、县进行运输的,向该省级公路管理机构提出申请,由其受理并审批;

(三)在设区的市范围内跨区、县进行运输的,向该市级公路管理机构提出申请,由其受理并审批;

(四)在区、县范围内进行运输的,向该县级公路管理机构提出申请,由其受理并审批。

第九条 各级交通运输主管部门、公路管理机构应当利用信息化手段,建立公路超限运输许可管理平台,实行网上办理许可手续,并及时公开相关信息。

第十条 申请公路超限运输许可的,承运人应当提交下列材料:

(一)公路超限运输申请表,主要内容包括货物的名称、外廓尺寸和质量,车辆的厂牌型号、整备质量、轴数、轴距和轮胎数,载货时车货总体的外廓尺寸、总质量、各车轴轴荷,拟运输的起讫点、通行路线和行驶时间;

(二)承运人的道路运输经营许可证,经办人的身份证件和授权委托书;

(三)车辆行驶证或者临时行驶车号牌。

车货总高度从地面算起超过 4.5 米,或者总宽度超过 3.75 米,或者总长度超过 28 米,或者总质量超过 100000 千克,以及其他可能严重影响公路完好、安全、畅通情形的,还应当提交记录载货时车货总体外廓尺寸信息的轮廓图和护送方案。

护送方案应当包含护送车辆配置方案、护送人员配备方案、护送路线情况说明、护送操作细则、异常情况处理等相关内容。

第十一条 承运人提出的公路超限运输许可申请有下列情形之一的,公路管理机构不予受理:

(一)货物属于可分载物品的;

(二)承运人所持有的道路运输经营许可证记载的经营资质不包括大件运输的;

(三)承运人被依法限制申请公路超限运输许可未满限制期限的;

（四）法律、行政法规规定的其他情形。

载运单个不可解体物品的大件运输车辆，在不改变原超限情形的前提下，加装多个品种相同的不可解体物品的，视为载运不可解体物品。

第十二条 公路管理机构受理公路超限运输许可申请后，应当对承运人提交的申请材料进行审查。属于第十条第二款规定情形的，公路管理机构应当对车货总体外廓尺寸、总质量、轴荷等数据和护送方案进行核查，并征求同级公安机关交通管理部门意见。

属于统一受理、集中办理跨省、自治区、直辖市进行运输的，由起运地省级公路管理机构负责审查。

第十三条 公路管理机构审批公路超限运输申请，应当根据实际情况组织人员勘测通行路线。需要采取加固、改造措施的，承运人应当按照规定要求采取有效的加固、改造措施。公路管理机构应当对承运人提出的加固、改造措施方案进行审查，并组织验收。

承运人不具备加固、改造措施的条件和能力的，可以通过签订协议的方式，委托公路管理机构制定相应的加固、改造方案，由公路管理机构进行加固、改造，或者由公路管理机构通过市场化方式选择具有相应资质的单位进行加固、改造。

采取加固、改造措施所需的费用由承运人承担。相关收费标准应当公开、透明。

第十四条 采取加固、改造措施应当满足公路设施安全需要，并遵循下列原则：

（一）优先采取临时措施，便于实施、拆除和可回收利用；

（二）采取永久性或者半永久性措施的，可以考虑与公路设施的技术改造同步实施；

（三）对公路设施采取加固、改造措施仍无法满足大件运输车辆通行的，可以考虑采取修建临时便桥或者便道的改造措施；

（四）有多条路线可供选择的，优先选取桥梁技术状况评定等级高和采取加固、改造措施所需费用低的路线通行；

（五）同一时期，不同的超限运输申请，涉及对同一公路设施采取加固、改造措施的，由各承运人按照公平、自愿的原则分担有关费用。

第十五条 公路管理机构应当在下列期限内作出行政许可决定：

（一）车货总高度从地面算起未超过4.2米、总宽度未超过3米、总长度未超过20米且车货总质量、轴荷未超过本规定第三条、第十七条规定标准的，自受理申请之日起2个工作日内作出，属于统一受理、集中办理跨省、自治区、直辖市大件运输的，办理的时间最长不得超过5个工作日；

（二）车货总高度从地面算起未超过4.5米、总宽度未超过3.75米、总长度未超过28米且总质量未超过100000千克的，属于本辖区内大件运输的，自受理申请之日起5个工作日内作出，属于统一受理、集中办理跨省、自治区、直辖市大件运输的，办理的时间最长不得超过10个工作日；

（三）车货总高度从地面算起超过4.5米，或者总宽度超过3.75米，或者总长度超过28米，或者总质量超过100000千克的，属于本辖区内大件运输的，自受理申请之日起15个工作日内作出，属于统一受理、集中办理跨省、自治区、直辖市大件运输的，办理的时间最长不得超过20个工作日。

采取加固、改造措施所需时间不计算在前款规定的期限内。

第十六条 受理跨省、自治区、直辖市公路超限运输申请后，起运地省级公路管理机构应当在2个工作日内向途经公路沿线各省级公路管理机构转送其受理的申请资料。

属于第十五条第一款第二项规定的情形的，途经公路沿线各省级公路管理机构应当在收到转送的申请材料起5个工作日内作出行政许可决定；属于第十五条第一款第三项规定的情形的，应当在收到转送的申请材料起15个工作日内作出行政许可决定，并向起运地省级公路管理机构反馈。需要采取加固、改造措施的，由相关省级公路管理机构按照本规定第十三条执行；上下游省、自治区、直辖市范围内路线或者行驶时间调整的，应当及时告知承运人和起运地省级公路管理机构，由起运地省级公路管理机构组织协调处理。

第十七条 有下列情形之一的，公路管理机构应当依法作出不予行政许可的决定：

（一）采用普通平板车运输，车辆单轴的平均轴荷超过10000千克或者最大轴荷超过13000千克的；

（二）采用多轴多轮液压平板车运输，车辆每轴线（一线两轴8轮胎）的平均轴荷超过18000千克或者最大轴荷超过20000千克的；

（三）承运人不履行加固、改造义务的；

（四）法律、行政法规规定的其他情形。

第十八条 公路管理机构批准公路超限运输申请的，根据大件运输的具体情况，指定行驶公路的时间、路线和速度，并颁发《超限运输车辆通行证》。其中，批准跨省、自治区、直辖市运输的，由起运地省级公路管理机构颁发。

《超限运输车辆通行证》的式样由交通运输部统一制定，各省级公路管理机构负责印制和管理。申请人可到许可窗口领取或者通过网上自助方式打印。

第十九条 同一大件运输车辆短期内多次通行固定路线，装载方式、装载物品相同，且不需要采取加固、改造措施的，承运人可以根据运输计划向公路管理机构申请办理行驶期限不超过6个月的《超限运输车辆通行证》。运输计划发生变化的,需按原许可机关的有关规定办理变更手续。

第二十条 经批准进行大件运输的车辆,行驶公路时应当遵守下列规定:

(一)采取有效措施固定货物,按照有关要求在车辆上悬挂明显标志,保证运输安全;

(二)按照指定的时间、路线和速度行驶;

(三)车货总质量超限的车辆通行公路桥梁,应当匀速居中行驶,避免在桥上制动、变速或者停驶;

(四)需要在公路上临时停车的,除遵守有关道路交通安全规定外,还应当在车辆周边设置警告标志,并采取相应的安全防范措施;需要较长时间停车或者遇有恶劣天气的,应当驶离公路,就近选择安全区域停靠;

(五)通行采取加固、改造措施的公路设施,承运人应当提前通知该公路设施的养护管理单位,由其加强现场管理和指导;

(六)因自然灾害或者其他不可预见因素而出现公路通行状况异常致使大件运输车辆无法继续行驶的,承运人应当服从现场管理并及时告知作出行政许可决定的公路管理机构,由其协调当地公路管理机构采取相关措施后继续行驶。

第二十一条 大件运输车辆应当随车携带有效的《超限运输车辆通行证》,主动接受公路管理机构的监督检查。

大件运输车辆及装载物品的有关情况应当与《超限运输车辆通行证》记载的内容一致。

任何单位和个人不得租借、转让《超限运输车辆通行证》,不得使用伪造、变造的《超限运输车辆通行证》。

第二十二条 对于本规定第十条第二款规定的大件运输车辆,承运人应当按照护送方案组织护送。

承运人无法采取护送措施的,可以委托作出行政许可决定的公路管理机构协调公路沿线的公路管理机构进行护送,并承担所需费用。护送收费标准由省级交通运输主管部门会同同级财政、价格主管部门按规定制定,并予以公示。

第二十三条 行驶过程中,护送车辆应当与大件运输车辆形成整体车队,并保持实时、畅通的通讯联系。

第二十四条 经批准的大件运输车辆途经实行计重收费的收费公路时,对其按照基本费率标准收取车辆通行费,但车辆及装载物品的有关情况与《超限运输车辆通行证》记载的内容不一致的除外。

第二十五条 公路管理机构应当加强与辖区内重大装备制造、运输企业的联系,了解其制造、运输计划,加强服务,为重大装备运输提供便利条件。

大件运输需求量大的地区,可以统筹考虑建设成本、运输需求等因素,适当提高通行路段的技术条件。

第二十六条 公路管理机构、公路经营企业应当按照有关规定，定期对公路、公路桥梁、公路隧道等设施进行检测和评定，并为社会公众查询其技术状况信息提供便利。

公路收费站应当按照有关要求设置超宽车道。

第三章 违法超限运输管理

第二十七条 载运可分载物品的超限运输（以下称违法超限运输）车辆，禁止行驶公路。

在公路上行驶的车辆，其车货总体的外廓尺寸或者总质量未超过本规定第三条规定的限定标准，但超过相关公路、公路桥梁、公路隧道限载、限高、限宽、限长标准的，不得在该公路、公路桥梁或者公路隧道行驶。

第二十八条 煤炭、钢材、水泥、砂石、商品车等货物集散地以及货运站等场所的经营人、管理人（以下统称货运源头单位），应当在货物装运场（站）安装合格的检测设备，对出场（站）货运车辆进行检测，确保出场（站）货运车辆合法装载。

第二十九条 货运源头单位、道路运输企业应当加强对货运车辆驾驶人的教育和管理，督促其合法运输。

道路运输企业是防止违法超限运输的责任主体，应当按照有关规定加强对车辆装载及运行全过程监控，防止驾驶人违法超限运输。

任何单位和个人不得指使、强令货运车辆驾驶人违法超限运输。

第三十条 货运车辆驾驶人不得驾驶违法超限运输车辆。

第三十一条 道路运输管理机构应当加强对政府公布的重点货运源头单位的监督检查。通过巡查、技术监控等方式督促其落实监督车辆合法装载的责任，制止违法超限运输车辆出场（站）。

第三十二条 公路管理机构、道路运输管理机构应当建立执法联动工作机制，将违法超限运输行为纳入道路运输企业质量信誉考核和驾驶人诚信考核，实行违法超限运输“黑名单”管理制度，依法追究违法超限运输的货运车辆、车辆驾驶人、道路运输企业、货运源头单位的责任。

第三十三条 公路管理机构应当对货运车辆进行超限检测。超限检测可以采取固定站点检测、流动检测、技术监控等方式。

第三十四条 采取固定站点检测的，应当在经省级人民政府批准设置的公路超限检测站进行。

第三十五条 公路管理机构可以利用移动检测设备，开展流动检测。经流动检测认定的违法超限运输车辆,应当就近引导至公路超限检测站进行处理。

流动检测点远离公路超限检测站的,应当就近引导至县级以上地方交通运输主管部门指定并公布的执法站所、停车场、卸载场等具有停放车辆及卸载条件的地点或者场所进行处理。

第三十六条 经检测认定违法超限运输的,公路管理机构应当责令当事人自行采取卸载等措施,消除违法状态;当事人自行消除违法状态确有困难的,可以委托第三人或者公路管理机构协助消除违法状态。

属于载运不可解体物品,在接受调查处理完毕后,需要继续行驶公路的,应当依法申请公路超限运输许可。

第三十七条 公路管理机构对车辆进行超限检测,不得收取检测费用。对依法扣留或者停放接受调查处理的超限运输车辆,不得收取停车保管费用。由公路管理机构协助卸载、分装或者保管卸载货物的,超过保管期限经通知当事人仍不领取的,可以按照有关规定予以处理。

第三十八条 公路管理机构应当使用经国家有关部门检定合格的检测设备对车辆进行超限检测;未定期检定或者检定不合格的,其检测数据不得作为执法依据。

第三十九条 收费高速公路入口应当按照规定设置检测设备,对货运车辆进行检测,不得放行违法超限运输车辆驶入高速公路。其他收费公路实行计重收费的,利用检测设备发现违法超限运输车辆时,有权拒绝其通行。收费公路经营管理者应当将违法超限运输车辆及时报告公路管理机构或者公安机关交通管理部门依法处理。

公路管理机构有权查阅和调取公路收费站车辆称重数据、照片、视频监控等有关资料,经确认后可以作为行政处罚的证据。

第四十条 公路管理机构应当根据保护公路的需要,在货物运输主通道、重要桥梁入口处等普通公路以及开放式高速公路的重要路段和节点,设置车辆检测等技术监控设备,依法查处违法超限运输行为。

第四十一条 新建、改建公路时,应当按照规划,将超限检测站点、车辆检测等技术监控设备作为公路附属设施一并列入工程预算,与公路主体工程同步设计、同步建设、同步验收运行。

第四章 法律责任

第四十二条 违反本规定,依照《公路法》《公路安全保护条例》《道路运输条例》和本规定予以处理。

第四十三条 车辆违法超限运输的,由公路管理机构根据违法行为的性

质、情节和危害程度,按下列规定给予处罚:

(一)车货总高度从地面算起未超过4.2米、总宽度未超过3米且总长度未超过20米的,可以处200元以下罚款;车货总高度从地面算起未超过4.5米、总宽度未超过3.75米且总长度未超过28米的,处200元以上1000元以下罚款;车货总高度从地面算起超过4.5米、总宽度超过3.75米或者总长度超过28米的,处1000元以上3000元以下的罚款;

(二)车货总质量超过本规定第三条第一款第四项至第八项规定的限定标准,但未超过1000千克的,予以警告;超过1000千克的,每超1000千克罚款500元,最高不得超过30000元。

有前款所列多项违法行为的,相应违法行为的罚款数额应当累计,但累计罚款数额最高不得超过30000元。

第四十四条 公路管理机构在违法超限运输案件处理完毕后7个工作日内,应当将与案件相关的下列信息通过车辆超限管理信息系统抄告车籍所在地道路运输管理机构:

(一)车辆的号牌号码、车型、车辆所属企业、道路运输证号信息;

(二)驾驶人的姓名、驾驶人从业资格证编号、驾驶人所属企业信息;

(三)货运源头单位、货物装载单信息;

(四)行政处罚决定书信息;

(五)与案件相关的其他资料信息。

第四十五条 公路管理机构在监督检查中发现违法超限运输车辆不符合《汽车、挂车及汽车列车外廓尺寸、轴荷及质量限值》(GB1589),或者与行驶证记载的登记内容不符的,应当予以记录,定期抄告车籍所在地的公安机关交通管理部门等单位。

第四十六条 对1年内违法超限运输超过3次的货运车辆和驾驶人,以及违法超限运输的货运车辆超过本单位货运车辆总数10%的道路运输企业,由道路运输管理机构依照《公路安全保护条例》第六十六条予以处理。

前款规定的违法超限运输记录累计计算周期,从初次领取《道路运输证》、道路运输从业人员从业资格证、道路运输经营许可证之日算起,可跨自然年度。

第四十七条 大件运输车辆有下列情形之一的,视为违法超限运输:

(一)未经许可擅自行驶公路的;

(二)车辆及装载物品的有关情况与《超限运输车辆通行证》记载的内容不一致的;

(三)未按许可的时间、路线、速度行驶公路的;

(四)未按许可的护送方案采取护送措施的。

第四十八条 承运人隐瞒有关情况或者提供虚假材料申请公路超限运输

许可的,除依法给予处理外,并在1年内不准申请公路超限运输许可。

第四十九条 违反本规定,指使、强令车辆驾驶人超限运输货物的,由道路运输管理机构责令改正,处30000元以下罚款。

第五十条 违法行为地或者车籍所在地公路管理机构可以根据技术监控设备记录资料,对违法超限运输车辆依法给予处罚,并提供适当方式,供社会公众查询违法超限运输记录。

第五十一条 公路管理机构、道路运输管理机构工作人员有玩忽职守、徇私舞弊、滥用职权的,依法给予行政处分;涉嫌犯罪的,移送司法机关依法查处。

第五十二条 对违法超限运输车辆行驶公路现象严重,造成公路桥梁垮塌等重大安全事故,或者公路受损严重、通行能力明显下降的,交通运输部、省级交通运输主管部门可以按照职责权限,在1年内停止审批该地区申报的地方性公路工程建设项目。

第五十三条 相关单位和个人拒绝、阻碍公路管理机构、道路运输管理机构工作人员依法执行职务,构成违反治安管理行为的,由公安机关依法给予治安管理处罚;构成犯罪的,依法追究刑事责任。

第五章 附 则

第五十四条 因军事和国防科研需要,载运保密物品的大件运输车辆确需行驶公路的,参照本规定执行;国家另有规定的,从其规定。

第五十五条 本规定自2016年9月21日起施行。原交通部发布的《超限运输车辆行驶公路管理规定》(交通部令2000年第2号)同时废止。

交通运输部关于修改《出租汽车驾驶员从业资格管理规定》的决定

(2016年8月26日交通运输部令2016年第63号公布 自2016年10月1日起施行)

交通运输部决定对《出租汽车驾驶员从业资格管理规定》(交通运输部令2011年第13号)作如下修改:

一、将第三条第二款修改为:"出租汽车驾驶员从业资格包括巡游出租汽车驾驶员从业资格和网络预约出租汽车驾驶员从业资格等。"

二、将第六条修改为:"交通运输部负责指导全国出租汽车驾驶员从业资格管理工作。

各省、自治区人民政府交通运输主管部门在本级人民政府领导下，负责指导本行政区域内出租汽车驾驶员从业资格管理工作。

直辖市、设区的市级或者县级交通运输主管部门或者人民政府指定的其他出租汽车行政主管部门(以下称出租汽车行政主管部门)在本级人民政府领导下，负责具体实施出租汽车驾驶员从业资格管理。”

三、将第七条第二款修改为：“全国公共科目考试是对国家出租汽车法律法规、职业道德、服务规范、安全运营等具有普遍规范要求的知识测试。”

增加两款，作为第三款、第四款：“巡游出租汽车驾驶员从业资格区域科目考试是对地方出租汽车政策法规、经营区域人文地理和交通路线等具有区域服务特征的知识测试。

网络预约出租汽车驾驶员从业资格区域科目考试是对地方出租汽车政策法规等具有区域规范要求的知识测试。设区的市级以上地方人民政府出租汽车行政主管部门可以根据区域服务特征自行确定其他考试内容。”

四、将第八条修改为：“全国公共科目考试实行全国统一考试大纲。全国公共科目考试大纲、考试题库由交通运输部负责编制。

区域科目考试大纲和考试题库由设区的市级以上地方人民政府出租汽车行政主管部门负责编制。

出租汽车驾驶员从业资格考试由设区的市级以上地方人民政府出租汽车行政主管部门按照交通运输部编制的考试工作规范和程序组织实施。鼓励推广使用信息化方式和手段组织实施出租汽车驾驶员从业资格考试。”

五、将第九条中的“拟从事出租汽车客运服务的驾驶员”中的“驾驶员”删除。

六、将第十条修改为：“申请参加出租汽车驾驶员从业资格考试的，应当符合下列条件：

(一)取得相应准驾车型机动车驾驶证并具有3年以上驾驶经历；

(二)无交通肇事犯罪、危险驾驶犯罪记录，无吸毒记录，无饮酒后驾驶记录，最近连续3个记分周期内没有记满12分记录；

(三)无暴力犯罪记录；

(四)城市人民政府规定的其他条件。”

七、将第十一条修改为：“申请参加出租汽车驾驶员从业资格考试的，应当提供符合第十条规定的证明或者承诺材料：

(一)机动车驾驶证及复印件；

(二)无交通肇事犯罪、危险驾驶犯罪记录，无吸毒记录，无饮酒后驾驶记录，最近连续3个记分周期内没有记满12分记录的材料；

（三）无暴力犯罪记录的材料；
（四）身份证明及复印件；
（五）城市人民政府规定的其他材料。”

八、将第十四条修改为：“出租汽车驾驶员从业资格考试全国公共科目和区域科目考试均合格的，设区的市级出租汽车行政主管部门应当自公布考试成绩之日起10日内向巡游出租汽车驾驶员核发《巡游出租汽车驾驶员证》、向网络预约出租汽车驾驶员核发《网络预约出租汽车驾驶员证》（《巡游出租汽车驾驶员证》和《网络预约出租汽车驾驶员证》以下统称从业资格证）。

从业资格证式样参照《中华人民共和国道路运输从业人员从业资格证》式样。

鼓励推广使用从业资格电子证件。采用电子证件的，应当包含证件式样所确定的相关信息。”

九、将第十八条修改为：“巡游出租汽车驾驶员申请从业资格注册或者延续注册的，应当填写《巡游出租汽车驾驶员从业资格注册登记表》（式样见附件2），持其从业资格证及与出租汽车经营者签订的劳动合同或者经营合同，到发证机关所在地出租汽车行政主管部门申请注册。

个体巡游出租汽车经营者自己驾驶出租汽车从事经营活动的，持其从业资格证及车辆运营证申请注册。”

十、将第二十条、第二十二条中的“出租汽车驾驶员”修改为“巡游出租汽车驾驶员”。将第二十二条中的“聘用协议或者经营合同”修改为“或者经营合同”。

在第二十二条后增加一条：“网络预约出租汽车驾驶员的注册，通过出租汽车经营者向发证机关所在地出租汽车行政主管部门报备完成，报备信息包括驾驶员从业资格证信息、与出租汽车经营者签订的劳动合同或者协议等。

网络预约出租汽车驾驶员与出租汽车经营者解除劳动合同或者协议的，通过出租汽车经营者向发证机关所在地出租汽车行政主管部门报备完成注销。”

十一、将第二十三条修改为：“出租汽车驾驶员在注册期内应当按规定完成继续教育。

取得从业资格证超过3年未申请注册的，注册后上岗前应当完成不少于27学时的继续教育。”

十二、删除第二十四条、第三十条、第四十四条第（一）项。

十三、将第二十六条修改为：“出租汽车驾驶员继续教育由出租汽车经营者组织实施。”

十四、将第二十七条修改为：“出租汽车驾驶员完成继续教育后，应当由出租汽车经营者向所在地出租汽车行政主管部门报备，出租汽车行政主管部门在出租汽车驾驶员从业资格证中予以记录。”

十五、将第二十八条、第二十九条中的“出租汽车企业和继续教育机构”修改为“出租汽车经营者”。

十六、将第四十条第(二)项修改为:“(二)有交通肇事犯罪、危险驾驶犯罪记录,有吸毒记录,有饮酒后驾驶记录,有暴力犯罪记录,最近连续3个记分周期内记满12分记录”。

十七、将第四十一条修改为:“出租汽车驾驶员在运营过程中,应当遵守国家对驾驶员在法律法规、职业道德、服务规范、安全运营等方面的资格规定,文明行车、优质服务。出租汽车驾驶员不得有下列行为:

(一)途中甩客或者故意绕道行驶;

(二)不按照规定携带道路运输证、从业资格证;

(三)不按照规定使用出租汽车相关设备;

(四)不按照规定使用文明用语,车容车貌不符合要求;

(五)未经乘客同意搭载其他乘客;

(六)不按照规定出具相应车费票据;

(七)网络预约出租汽车驾驶员违反规定巡游揽客、站点候客;

(八)巡游出租汽车驾驶员拒载,或者未经约车人或乘客同意、网络预约出租汽车驾驶员无正当理由未按承诺到达约定地点提供预约服务;

(九)巡游出租汽车驾驶员不按照规定使用计程计价设备、违规收费或者网络预约出租汽车驾驶员违规收费;

(十)对举报、投诉其服务质量或者对其服务作出不满意评价的乘客实施报复。

出租汽车驾驶员有本条前款违法行为的,应当加强继续教育;情节严重的,出租汽车行政主管部门应当对其延期注册。”

十八、将第四十二条中的“200元以上2000元以下”修改为“1万元以上3万元以下”。

十九、将第四十三条修改为:“出租汽车驾驶员违反第十六条、第四十条规定的,由县级以上出租汽车行政主管部门责令改正,并处200元以上2000元以下的罚款。”

二十、在第四十三条后增加一条:“违反本规定,聘用未取得从业资格证的人员,驾驶出租汽车从事经营活动的,由县级以上出租汽车行政主管部门责令改正,并处5000元以上1万元以下的罚款;情节严重的,处1万元以上3万元以下的罚款。”

二十一、在第四十五条后增加一条:“地方性法规、政府规章对出租汽车驾驶员违法行为需要承担的法律责任与本规定有不同规定的,从其规定。”

二十二、将第四十六条修改为："本规定施行前依法取得的从业资格证继续有效。可在原证件有效期届满前申请延续注册时申请换发新的从业资格证，并按规定进行注册。

其他预约出租汽车驾驶员的从业资格参照巡游出租汽车驾驶员执行。"

二十三、将第九条、第十二条、第十三条、第十五条、第十六条、第十九条、第二十八条、第二十九条、第三十一条、第三十三条、第四十二条、第四十四条、第四十五条中的"道路运输管理机构"、第二十条、第三十七条、第三十八条中的"市、县级道路运输管理机构"统一修改为"出租汽车行政主管部门"。

二十四、将附件1中"材料清单"栏内的"申请材料清单"的内容修改为："机动车驾驶证及复印件；无交通肇事犯罪、危险驾驶犯罪记录，无吸毒记录，无饮酒后驾驶记录，最近连续3个记分周期内没有记满12分记录的材料；无暴力犯罪记录的材料；身份证明及复印件；其他规定的材料；近期1寸彩色照片。""承诺"栏后增加"申请类别"栏，内容为："巡游出租汽车驾驶员；网络预约出租汽车驾驶员"。将附件2名称修改为"巡游出租汽车驾驶员从业资格注册登记表"，并将表中"材料清单"栏内的"聘用协议或者经营合同"修改为"或者经营合同"。

条文序号作相应调整。

本决定自2016年10月1日起施行。

《出租汽车驾驶员从业资格管理规定》根据本决定作相应修正，重新发布。

出租汽车驾驶员从业资格管理规定

（2011年12月26日交通运输部发布　根据2016年8月26日《交通运输部关于修改〈出租汽车驾驶员从业资格管理规定〉的决定》修正）

第一章　总　　则

第一条　为了规范出租汽车驾驶员从业行为，提升出租汽车客运服务水平，根据国家有关规定，制定本规定。

第二条　出租汽车驾驶员的从业资格管理适用本规定。

第三条　国家对从事出租汽车客运服务的驾驶员实行从业资格制度。

出租汽车驾驶员从业资格包括巡游出租汽车驾驶员从业资格和网络预约出租汽车驾驶员从业资格等。

第四条 出租汽车驾驶员从业资格管理工作应当公平、公正、公开和便民。

第五条 出租汽车驾驶员应当依法经营、诚实守信、文明服务、保障安全。

第六条 交通运输部负责指导全国出租汽车驾驶员从业资格管理工作。

各省、自治区人民政府交通运输主管部门在本级人民政府领导下,负责指导本行政区域内出租汽车驾驶员从业资格管理工作。

直辖市、设区的市级或者县级交通运输主管部门或者人民政府指定的其他出租汽车行政主管部门(以下称出租汽车行政主管部门)在本级人民政府领导下,负责具体实施出租汽车驾驶员从业资格管理。

第二章 考 试

第七条 出租汽车驾驶员从业资格考试包括全国公共科目和区域科目考试。

全国公共科目考试是对国家出租汽车法律法规、职业道德、服务规范、安全运营等具有普遍规范要求的知识测试。

巡游出租汽车驾驶员从业资格区域科目考试是对地方出租汽车政策法规、经营区域人文地理和交通路线等具有区域服务特征的知识测试。

网络预约出租汽车驾驶员从业资格区域科目考试是对地方出租汽车政策法规等具有区域规范要求的知识测试。设区的市级以上地方人民政府出租汽车行政主管部门可以根据区域服务特征自行确定其他考试内容。

第八条 全国公共科目考试实行全国统一考试大纲。全国公共科目考试大纲、考试题库由交通运输部负责编制。

区域科目考试大纲和考试题库由设区的市级以上地方人民政府出租汽车行政主管部门负责编制。

出租汽车驾驶员从业资格考试由设区的市级以上地方人民政府出租汽车行政主管部门按照交通运输部编制的考试工作规范和程序组织实施。鼓励推广使用信息化方式和手段组织实施出租汽车驾驶员从业资格考试。

第九条 拟从事出租汽车客运服务的,应当填写《出租汽车驾驶员从业资格证申请表》(式样见附件1),向所在地设区的市级出租汽车行政主管部门申请参加出租汽车驾驶员从业资格考试。

第十条 申请参加出租汽车驾驶员从业资格考试的,应当符合下列条件:

(一)取得相应准驾车型机动车驾驶证并具有3年以上驾驶经历;

(二)无交通肇事犯罪、危险驾驶犯罪记录,无吸毒记录,无饮酒后驾驶记录,最近连续3个记分周期内没有记满12分记录;

(三)无暴力犯罪记录;

（四）城市人民政府规定的其他条件。

第十一条 申请参加出租汽车驾驶员从业资格考试的，应当提供符合第十条规定的证明或者承诺材料：

（一）机动车驾驶证及复印件；

（二）无交通肇事犯罪、危险驾驶犯罪记录，无吸毒记录，无饮酒后驾驶记录，最近连续3个记分周期内没有记满12分记录的材料；

（三）无暴力犯罪记录的材料；

（四）身份证明及复印件；

（五）城市人民政府规定的其他材料。

第十二条 设区的市级出租汽车行政主管部门对符合申请条件的申请人，应当按照出租汽车驾驶员从业资格考试工作规范及时安排考试。

首次参加出租汽车驾驶员从业资格考试的申请人，全国公共科目和区域科目考试应当在首次申请考试的区域完成。

第十三条 设区的市级出租汽车行政主管部门应当在考试结束10日内公布考试成绩。考试合格成绩有效期为3年。

全国公共科目考试成绩在全国范围内有效，区域科目考试成绩在所在地行政区域内有效。

第十四条 出租汽车驾驶员从业资格考试全国公共科目和区域科目考试均合格的，设区的市级出租汽车行政主管部门应当自公布考试成绩之日起10日内向巡游出租汽车驾驶员核发《巡游出租汽车驾驶员证》、向网络预约出租汽车驾驶员核发《网络预约出租汽车驾驶员证》（《巡游出租汽车驾驶员证》和《网络预约出租汽车驾驶员证》以下统称从业资格证）。

从业资格证式样参照《中华人民共和国道路运输从业人员从业资格证》式样。

鼓励推广使用从业资格电子证件。采用电子证件的，应当包含证件式样所确定的相关信息。

第十五条 出租汽车驾驶员到从业资格证发证机关核定的范围外从事出租汽车客运服务的，应当参加当地的区域科目考试。区域科目考试合格的，由当地设区的市级出租汽车行政主管部门核发从业资格证。

第三章 注 册

第十六条 取得从业资格证的出租汽车驾驶员，应当经出租汽车行政主管部门从业资格注册后，方可从事出租汽车客运服务。

出租汽车驾驶员从业资格注册有效期为3年。

第十七条 出租汽车经营者应当聘用取得从业资格证的出租汽车驾驶员，并在出租汽车驾驶员办理从业资格注册后再安排上岗。

第十八条 巡游出租汽车驾驶员申请从业资格注册或者延续注册的，应当填写《巡游出租汽车驾驶员从业资格注册登记表》（式样见附件2），持其从业资格证及与出租汽车经营者签订的劳动合同或者经营合同，到发证机关所在地出租汽车行政主管部门申请注册。

个体巡游出租汽车经营者自己驾驶出租汽车从事经营活动的，持其从业资格证及车辆运营证申请注册。

第十九条 受理注册申请的出租汽车行政主管部门应当在5日内办理完结注册手续，并在从业资格证中加盖注册章。

第二十条 巡游出租汽车驾驶员注册有效期届满需继续从事出租汽车客运服务的，应当在有效期届满30日前，向所在地出租汽车行政主管部门申请延续注册。

第二十一条 出租汽车驾驶员不具有完全民事行为能力，或者受到刑事处罚且刑事处罚尚未执行完毕的，不予延续注册。

第二十二条 巡游出租汽车驾驶员在从业资格注册有效期内，与出租汽车经营者解除劳动合同或者经营合同的，应当在20日内向原注册机构报告，并申请注销注册。

巡游出租汽车驾驶员变更服务单位的，应当重新申请注册。

第二十三条 网络预约出租汽车驾驶员的注册，通过出租汽车经营者向发证机关所在地出租汽车行政主管部门报备完成，报备信息包括驾驶员从业资格证信息、与出租汽车经营者签订的劳动合同或者协议等。

网络预约出租汽车驾驶员与出租汽车经营者解除劳动合同或者协议的，通过出租汽车经营者向发证机关所在地出租汽车行政主管部门报备完成注销。

第四章 继续教育

第二十四条 出租汽车驾驶员在注册期内应当按规定完成继续教育。

取得从业资格证超过3年未申请注册的，注册后上岗前应当完成不少于27学时的继续教育。

第二十五条 交通运输部统一制定出租汽车驾驶员继续教育大纲并向社会公布。继续教育大纲内容包括出租汽车相关政策法规、社会责任和职业道德、服务规范、安全运营和节能减排知识等。

第二十六条 出租汽车驾驶员继续教育由出租汽车经营者组织实施。

第二十七条 出租汽车驾驶员完成继续教育后，应当由出租汽车经营者向所在地出租汽车行政主管部门报备,出租汽车行政主管部门在出租汽车驾驶员从业资格证中予以记录。

第二十八条 出租汽车行政主管部门应当加强对出租汽车经营者组织继续教育情况的监督检查。

第二十九条 出租汽车经营者应当建立学员培训档案,将继续教育计划、继续教育师资情况、参培学员登记表等纳入档案管理,并接受出租汽车行政主管部门的监督检查。

第五章 从业资格证件管理

第三十条 出租汽车驾驶员从业资格证由交通运输部统一制发并制定编号规则。设区的市级出租汽车行政主管部门负责从业资格证的发放和管理工作。

第三十一条 出租汽车驾驶员从业资格证遗失、毁损的,应当到原发证机关办理证件补(换)发手续。

第三十二条 出租汽车驾驶员办理从业资格证补(换)发手续,应当填写《出租汽车驾驶员从业资格证补(换)发登记表》(式样见附件3)。出租汽车行政主管部门应当对符合要求的从业资格证补(换)发申请予以办理。

第三十三条 出租汽车驾驶员在从事出租汽车客运服务时,应当携带从业资格证。

第三十四条 出租汽车驾驶员从业资格证不得转借、出租、涂改、伪造或者变造。

第三十五条 出租汽车经营者应当维护出租汽车驾驶员的合法权益,为出租汽车驾驶员从业资格注册、继续教育等提供便利。

第三十六条 出租汽车行政主管部门应当加强对出租汽车驾驶员的从业管理,将其违法行为记录作为服务质量信誉考核的依据。

第三十七条 出租汽车行政主管部门应当建立出租汽车驾驶员从业资格管理档案。

出租汽车驾驶员从业资格管理档案包括:从业资格考试申请材料、从业资格证申请、注册及补(换)发记录、违法行为记录、交通责任事故情况、继续教育记录和服务质量信誉考核结果等。

第三十八条 出租汽车驾驶员有下列情形之一的,由发证机关注销其从业资格证。从业资格证被注销的,应当及时收回;无法收回的,由发证机关公告作废。

(一)持证人死亡的;

（二）持证人申请注销的；

（三）持证人达到法定退休年龄的；

（四）持证人机动车驾驶证被注销或者被吊销的；

（五）因身体健康等其他原因不宜继续从事出租汽车客运服务的。

第三十九条 出租汽车驾驶员有下列不具备安全运营条件情形之一的，由发证机关撤销其从业资格证，并公告作废：

（一）持证人身体健康状况不再符合从业要求且没有主动申请注销从业资格证的；

（二）有交通肇事犯罪、危险驾驶犯罪记录，有吸毒记录，有饮酒后驾驶记录，有暴力犯罪记录，最近连续3个记分周期内记满12分记录。

第四十条 出租汽车驾驶员在运营过程中，应当遵守国家对驾驶员在法律法规、职业道德、服务规范、安全运营等方面的资格规定，文明行车、优质服务。出租汽车驾驶员不得有下列行为：

（一）途中甩客或者故意绕道行驶；

（二）不按照规定携带道路运输证、从业资格证；

（三）不按照规定使用出租汽车相关设备；

（四）不按照规定使用文明用语，车容车貌不符合要求；

（五）未经乘客同意搭载其他乘客；

（六）不按照规定出具相应车费票据；

（七）网络预约出租汽车驾驶员违反规定巡游揽客、站点候客；

（八）巡游出租汽车驾驶员拒载，或者未经约车人或乘客同意、网络预约出租汽车驾驶员无正当理由未按承诺到达约定地点提供预约服务；

（九）巡游出租汽车驾驶员不按照规定使用计程计价设备、违规收费或者网络预约出租汽车驾驶员违规收费；

（十）对举报、投诉其服务质量或者对其服务作出不满意评价的乘客实施报复。

出租汽车驾驶员有本条前款违法行为的，应当加强继续教育；情节严重的，出租汽车行政主管部门应当对其延期注册。

第六章 法律责任

第四十一条 违反本规定，有下列行为之一的人员，由县级以上出租汽车行政主管部门责令改正，并处1万元以上3万元以下的罚款；构成犯罪的，依法追究刑事责任：

（一）未取得从业资格证或者超越从业资格证核定范围，驾驶出租汽车从事经营活动的；

（二）使用失效、伪造、变造的从业资格证，驾驶出租汽车从事经营活动的；

（三）转借、出租、涂改从业资格证的。

第四十二条 出租汽车驾驶员违反第十六条、第四十条规定的，由县级以上出租汽车行政主管部门责令改正，并处200元以上2000元以下的罚款。

第四十三条 违反本规定，聘用未取得从业资格证的人员，驾驶出租汽车从事经营活动的，由县级以上出租汽车行政主管部门责令改正，并处5000元以上1万元以下的罚款；情节严重的，处1万元以上3万元以下的罚款。

第四十四条 违反本规定，有下列行为之一的出租汽车经营者，由县级以上出租汽车行政主管部门责令改正，并处1000元以上3000元以下的罚款：

（一）聘用未按规定办理注册手续的人员，驾驶出租汽车从事经营活动的；

（二）不按照规定组织实施继续教育的。

第四十五条 违反本规定，出租汽车行政主管部门及工作人员有下列情形之一的，对直接负责的主管人员和其他直接责任人员，依法给予行政处分；构成犯罪的，依法追究刑事责任：

（一）未按规定的条件、程序和期限组织从业资格考试及核发从业资格证的；

（二）发现违法行为未及时查处的；

（三）索取、收受他人财物及谋取其他不正当利益的；

（四）其他违法行为。

第四十六条 地方性法规、政府规章对出租汽车驾驶员违法行为需要承担的法律责任与本规定有不同规定的，从其规定。

第七章　附　　则

第四十七条 本规定施行前依法取得的从业资格证继续有效。可在原证件有效期届满前申请延续注册时申请换发新的从业资格证，并按规定进行注册。

其他预约出租汽车驾驶员的从业资格参照巡游出租汽车驾驶员执行。

第四十八条 本规定自2012年4月1日起施行。

附件 1

出租汽车驾驶员从业资格证申请表

<table>
<tr><td>姓　名</td><td colspan="2"></td><td>性　别</td><td></td><td rowspan="4">照片</td></tr>
<tr><td>住　址</td><td colspan="4">(电话)</td></tr>
<tr><td>身份证号</td><td colspan="4"></td></tr>
<tr><td>培训单位</td><td colspan="4"></td></tr>
<tr><td>机动车驾驶证
准驾车型</td><td colspan="2"></td><td>初领机动车
驾驶证日期</td><td colspan="2">年　月　日</td></tr>
<tr><td>材料清单</td><td colspan="5">申请材料清单：
☐ 机动车驾驶证及复印件
☐ 无交通肇事犯罪、危险驾驶犯罪记录，无吸毒记录，无饮酒后驾驶记录，最近连续 3 个记分周期内没有记满 12 分记录的材料
☐ 无暴力犯罪记录的材料
☐ 身份证明及复印件
☐ 其他规定的材料
☐ 近期 1 寸彩色照片</td></tr>
<tr><td>承　诺</td><td colspan="5">本人承诺上述所有内容真实、有效，并承担由此产生的法律责任。
本人签字：　　日期：</td></tr>
<tr><td>申请类别</td><td colspan="5">☐ 巡游出租汽车驾驶员　☐网络预约出租汽车驾驶员</td></tr>
<tr><td rowspan="3">考试记录</td><td>类　别</td><td>考试时间</td><td>成　绩</td><td>考核员</td><td>考核员</td></tr>
<tr><td>全国公共科目考试</td><td></td><td></td><td></td><td></td></tr>
<tr><td>区域科目考试</td><td></td><td></td><td></td><td></td></tr>
<tr><td>管理部门
意见</td><td colspan="5">经审核：
☐ 同意发证(具备从业资格条件，且从业资格考试成绩合格)。
☐ 不同意发证，理由：________
(盖章)
年　月　日</td></tr>
<tr><td rowspan="3">从业资格证
发放</td><td>从业资格证号</td><td colspan="4"></td></tr>
<tr><td>发放人(签字)</td><td colspan="2"></td><td>日　期</td><td></td></tr>
<tr><td>领取人(签字)</td><td colspan="2"></td><td>日　期</td><td></td></tr>
</table>

注：1. 此表为申请核发从业资格证的原始记录，须存入从业资格管理档案。

2. 此表考试记录为考生参加从业资格证考试后的相关信息，可将考试成绩单等一并存入从业资格管理档案。

附件2

巡游出租汽车驾驶员从业资格注册登记表

<table>
<tr><td>姓　名</td><td></td><td>性　别</td><td></td><td rowspan="4">照　片</td></tr>
<tr><td>住　址</td><td colspan="3">（电话）</td></tr>
<tr><td>注册服务单位</td><td colspan="3">（电话）</td></tr>
<tr><td>身份证号</td><td colspan="3"></td></tr>
<tr><td>从业资格证号</td><td colspan="4"></td></tr>
<tr><td>申请种类</td><td colspan="4">□ 注册　　□ 延续注册</td></tr>
<tr><td>材料清单</td><td colspan="2">注册材料清单：
□ 从业资格证及复印件
□ 劳动合同或者经营合同原件及复印件</td><td colspan="2">延续注册材料清单：
□ 从业资格证及复印件
□ 劳动合同或者经营合同原件及复印件
□ 继续教育记录</td></tr>
<tr><td>承　诺</td><td colspan="4">本人承诺上述所有内容真实、有效，并承担由此产生的法律责任。

本人签字：　　　　日期：</td></tr>
<tr><td>管理部门意见</td><td colspan="4">经审核：
□ 同意注册；　　□ 不同意注册，理由：________________
（盖章）
年　月　日</td></tr>
<tr><td rowspan="3">从业资格证发放</td><td>从业资格证号</td><td colspan="3"></td></tr>
<tr><td>发放人（签字）</td><td></td><td>日　期</td><td></td></tr>
<tr><td>领取人（签字）</td><td></td><td>日　期</td><td></td></tr>
</table>

注：此表为申请从业资格证注册的原始记录，须存入从业资格管理档案。

附件3

出租汽车驾驶员从业资格证补(换)发申请表

<table>
<tr><td>姓　名</td><td></td><td>性　别</td><td></td><td rowspan="3">照片</td></tr>
<tr><td>住　址</td><td colspan="3">(电话)</td></tr>
<tr><td>身份证号</td><td colspan="3"></td></tr>
<tr><td>机动车驾驶证准驾车型</td><td></td><td>初领机动车驾驶证日期</td><td colspan="2">年　月　日</td></tr>
<tr><td>原从业资格证件号</td><td></td><td>初领从业资格证件日期</td><td colspan="2">年　月　日</td></tr>
<tr><td>申请种类</td><td colspan="4">□ 补发　　□ 换发</td></tr>
<tr><td>承　诺</td><td colspan="4">本人承诺上述所有内容真实、有效,并承担由此产生的法律责任。
本人签字:　　日期:</td></tr>
<tr><td>管理部门意见</td><td colspan="4">经审核,□ 同意补(换)发证件;
□ 不同意补(换)发证件,理由:______
(盖章)
年　月　日</td></tr>
<tr><td rowspan="3">从业资格证发放</td><td>从业资格证号</td><td colspan="3"></td></tr>
<tr><td>发放人(签字)</td><td></td><td>日　期</td><td></td></tr>
<tr><td>领取人(签字)</td><td></td><td>日　期</td><td></td></tr>
</table>

交通运输部关于修改《出租汽车经营服务管理规定》的决定

(2016年8月26日交通运输部令2016年第64号公布　自2016年11月1日起施行)

交通运输部决定对《出租汽车经营服务管理规定》(交通运输部令2014年第16号)作如下修改:

一、将规章名称修改为"巡游出租汽车经营服务管理规定"。

二、将第三条修改为:"出租汽车是城市综合交通运输体系的组成部分,是城市公共交通的补充,为社会公众提供个性化运输服务。优先发展城市公共交通,适度发展出租汽车。

巡游出租汽车发展应当与城市经济社会发展相适应,与公共交通等客运服务方式协调发展。"

三、将第六条修改为:"交通运输部负责指导全国巡游出租汽车管理工作。

各省、自治区人民政府交通运输主管部门在本级人民政府领导下,负责指导本行政区域内巡游出租汽车管理工作。

直辖市、设区的市级或者县级交通运输主管部门或者人民政府指定的其他出租汽车行政主管部门(以下称出租汽车行政主管部门)在本级人民政府领导下,负责具体实施巡游出租汽车管理。"

四、将第十五条中的"配发"修改为"核发","符合技术标准的计价器"修改为"符合规定的计程计价设备"。

五、删除第二十条、第三十条、第四十八条第(五)项、第五十条第(三)项。

六、将第二十三条、第二十四条、第二十八条、第四十九条中的"计价器"修改为"计程计价设备"。

七、将第二十九条第(一)项、第五十三条第(三)项中的"电讯、网络"修改为"电信、互联网","预约要求"修改为"服务需求";将第二十九条第(三)项中的"预约"修改为"服务需求";在第五十三条第(一)项中的"巡游揽客"后增加"站点候客"。

八、将第三十六条第二款修改为:"巡游出租汽车经营者应当根据经营成本、运价变化等因素及时调整承包费标准或者定额任务等。"

九、删除第四十一条中的"网络约车"。

十、将第四十九条中的“出租汽车驾驶员违反本规定,有下列情形之一的,由县级以上道路运输管理机构责令改正,并处以警告或者50元以上200元以下罚款”修改为“巡游出租汽车驾驶员违反本规定,有下列情形之一的,由县级以上地方人民政府出租汽车行政主管部门责令改正,并处以200元以上2000元以下罚款”。

十一、在第五十三条前增加一条:“网络预约出租汽车以外的其他预约出租汽车经营服务参照本规定执行。”

十二、将第五十三条第(二)项中的“七座及以下乘用车”修改为“符合条件的七座及以下乘用车”。

在第五十三条第(二)项下增加一项:“‘网络预约出租汽车经营服务’,是指以互联网技术为依托构建服务平台,整合供需信息,使用符合条件的车辆和驾驶员,提供非巡游的预约出租汽车服务的经营活动”。

十三、除第一条中“出租汽车行业”、第十五条中“中英文‘出租汽车’字样”、第十九条中“原许可机关应当根据《出租汽车服务质量信誉考核办法》规定的出租汽车经营者服务质量信誉考核等级”、第二十一条中“出租汽车服务”、第二十四条中“出租汽车服务标准”、第三十三条中“出租汽车专用收费项目”、第三十八条中“《出租汽车驾驶员从业资格管理规定》”、第四十二条中“出租汽车市场秩序”、第五十三条中“出租汽车标识”“预约出租汽车经营服务”的“出租汽车”外,将条文和附件中所有“出租汽车”统一修改为“巡游出租汽车”。将第七条中的“县级以上地方人民政府交通运输主管部门”、第八条、第十条、第十一条、第十三条、第四十四条、第四十五条中的“设区的市级或者县级道路运输管理机构”、第十二条、第四十条、第四十三条、第四十七条、第四十八条、第五十条中的“县级以上道路运输管理机构”、第十六条、第三十二条、第三十三条、第四十六条中的“设区的市级或者县级交通运输主管部门”、第四十二条中的“县级以上地方人民政府交通运输主管部门及设区的市级或者县级道路运输管理机构”统一修改为“县级以上地方人民政府出租汽车行政主管部门”。将第十七条、第五十一条和附件中的“道路运输管理机构”统一修改为“出租汽车行政主管部门”。

十四、删除附件1中的“申请许可内容”一栏。

条文序号作相应调整。

本决定自2016年11月1日起施行。

《出租汽车经营服务管理规定》根据本决定作相应修正,重新发布。

巡游出租汽车经营服务管理规定

（2014年9月30日交通运输部发布　根据2016年8月26日《交通运输部关于修改〈出租汽车经营服务管理规定〉的决定》修正）

第一章　总　　则

第一条　为规范巡游出租汽车经营服务行为，保障乘客、驾驶员和巡游出租汽车经营者的合法权益，促进出租汽车行业健康发展，根据国家有关法律、行政法规，制定本规定。

第二条　从事巡游出租汽车经营服务，应当遵守本规定。

第三条　出租汽车是城市综合交通运输体系的组成部分，是城市公共交通的补充，为社会公众提供个性化运输服务。优先发展城市公共交通，适度发展出租汽车。

巡游出租汽车发展应当与城市经济社会发展相适应，与公共交通等客运服务方式协调发展。

第四条　巡游出租汽车应当依法经营，诚实守信，公平竞争，优质服务。

第五条　国家鼓励巡游出租汽车实行规模化、集约化、公司化经营。

第六条　交通运输部负责指导全国巡游出租汽车管理工作。

各省、自治区人民政府交通运输主管部门在本级人民政府领导下，负责指导本行政区域内巡游出租汽车管理工作。

直辖市、设区的市级或者县级交通运输主管部门或者人民政府指定的其他出租汽车行政主管部门（以下称出租汽车行政主管部门）在本级人民政府领导下，负责具体实施巡游出租汽车管理。

第七条　县级以上地方人民政府出租汽车行政主管部门应当根据经济社会发展和人民群众出行需要，按照巡游出租汽车功能定位，制定巡游出租汽车发展规划，并报经同级人民政府批准后实施。

第二章　经营许可

第八条　申请巡游出租汽车经营的，应当根据经营区域向相应的县级以上地方人民政府出租汽车行政主管部门提出申请，并符合下列条件：

（一）有符合机动车管理要求并满足以下条件的车辆或者提供保证满足以下条件的车辆承诺书：

1. 符合国家、地方规定的巡游出租汽车技术条件；

2. 有按照第十三条规定取得的巡游出租汽车车辆经营权。

（二）有取得符合要求的从业资格证件的驾驶人员；

（三）有健全的经营管理制度、安全生产管理制度和服务质量保障制度；

（四）有固定的经营场所和停车场地。

第九条 申请人申请巡游出租汽车经营时，应当提交以下材料：

（一）《巡游出租汽车经营申请表》（见附件1）；

（二）投资人、负责人身份、资信证明及其复印件，经办人的身份证明及其复印件和委托书；

（三）巡游出租汽车车辆经营权证明及拟投入车辆承诺书（见附件2），包括车辆数量、座位数、类型及等级、技术等级；

（四）聘用或者拟聘用驾驶员从业资格证及其复印件；

（五）巡游出租汽车经营管理制度、安全生产管理制度和服务质量保障制度文本；

（六）经营场所、停车场地有关使用证明等。

第十条 县级以上地方人民政府出租汽车行政主管部门对巡游出租汽车经营申请予以受理的，应当自受理之日起20日内作出许可或者不予许可的决定。

第十一条 县级以上地方人民政府出租汽车行政主管部门对巡游出租汽车经营申请作出行政许可决定的，应当出具《巡游出租汽车经营行政许可决定书》（见附件3），明确经营范围、经营区域、车辆数量及要求、巡游出租汽车车辆经营权期限等事项，并在10日内向被许可人发放《道路运输经营许可证》。

县级以上地方人民政府出租汽车行政主管部门对不符合规定条件的申请作出不予行政许可决定的，应当向申请人出具《不予行政许可决定书》。

第十二条 县级以上地方人民政府出租汽车行政主管部门应当按照当地巡游出租汽车发展规划，综合考虑市场实际供需状况、巡游出租汽车运营效率等因素，科学确定巡游出租汽车运力规模，合理配置巡游出租汽车的车辆经营权。

第十三条 国家鼓励通过服务质量招投标方式配置巡游出租汽车的车辆经营权。

县级以上地方人民政府出租汽车行政主管部门应当根据投标人提供的运营方案、服务质量状况或者服务质量承诺、车辆设备和安全保障措施等因素，择优配置巡游出租汽车的车辆经营权，向中标人发放车辆经营权证明，并与中标人签订经营协议。

第十四条 巡游出租汽车车辆经营权的经营协议应当包括以下内容:

(一)巡游出租汽车车辆经营权的数量、使用方式、期限等;

(二)巡游出租汽车经营服务标准;

(三)巡游出租汽车车辆经营权的变更、终止和延续等;

(四)履约担保;

(五)违约责任;

(六)争议解决方式;

(七)双方认为应当约定的其他事项。

在协议有效期限内,确需变更协议内容的,协议双方应当在共同协商的基础上签订补充协议。

第十五条 被许可人应当按照《巡游出租汽车经营行政许可决定书》和经营协议,投入符合规定数量、座位数、类型及等级、技术等级等要求的车辆。原许可机关核实符合要求后,为车辆核发《道路运输证》。

投入运营的巡游出租汽车车辆应当安装符合规定的计程计价设备、具有行驶记录功能的车辆卫星定位装置、应急报警装置,按照要求喷涂车身颜色和标识,设置有中英文"出租汽车"字样的顶灯和能显示空车、暂停运营、电召等运营状态的标志,按照规定在车辆醒目位置标明运价标准、乘客须知、经营者名称和服务监督电话。

第十六条 巡游出租汽车车辆经营权不得超过规定的期限,具体期限由县级以上地方人民政府出租汽车行政主管部门报本级人民政府根据投入车辆的车型和报废周期等因素确定。

第十七条 巡游出租汽车车辆经营权因故不能继续经营的,授予车辆经营权的出租汽车行政主管部门可优先收回。在车辆经营权有效期限内,需要变更车辆经营权经营主体的,应当到原许可机关办理变更许可手续。出租汽车行政主管部门在办理车辆经营权变更许可手续时,应当按照第八条的规定,审查新的车辆经营权经营主体的条件,提示车辆经营权期限等相关风险,并重新签订经营协议,经营期限为该车辆经营权的剩余期限。

第十八条 巡游出租汽车经营者在车辆经营权期限内,不得擅自暂停或者终止经营。需要变更许可事项或者暂停、终止经营的,应当提前 30 日向原许可机关提出申请,依法办理相关手续。巡游出租汽车经营者终止经营的,应当将相关的《道路运输经营许可证》和《道路运输证》等交回原许可机关。

巡游出租汽车经营者取得经营许可后无正当理由超过 180 天不投入符合要求的车辆运营或者运营后连续 180 天以上停运的,视为自动终止经营,由原许可机关收回相应的巡游出租汽车车辆经营权。

巡游出租汽车经营者合并、分立或者变更经营主体名称的,应当到原许可机关办理变更许可手续。

第十九条 巡游出租汽车车辆经营权到期后,巡游出租汽车经营者拟继续从事经营的,应当在车辆经营权有效期届满60日前,向原许可机关提出申请。原许可机关应当根据《出租汽车服务质量信誉考核办法》规定的出租汽车经营者服务质量信誉考核等级,审核巡游出租汽车经营者的服务质量信誉考核结果,并按照以下规定处理:

(一)考核等级在经营期限内均为AA级及以上的,应当批准其继续经营;

(二)考核等级在经营期限内有A级的,应当督促其加强内部管理,整改合格后准许其继续经营;

(三)考核等级在经营期限内有B级或者一半以上为A级的,可视情适当核减车辆经营权;

(四)考核等级在经营期限内有一半以上为B级的,应当收回车辆经营权,并按照第十三条的规定重新配置车辆经营权。

第三章 运营服务

第二十条 巡游出租汽车经营者应当为乘客提供安全、便捷、舒适的出租汽车服务。

鼓励巡游出租汽车经营者使用节能环保车辆和为残疾人提供服务的无障碍车辆。

第二十一条 巡游出租汽车经营者应当遵守下列规定:

(一)在许可的经营区域内从事经营活动,超出许可的经营区域的,起讫点一端应当在许可的经营区域内;

(二)保证营运车辆性能良好;

(三)按照国家相关标准运营服务;

(四)保障聘用人员合法权益,依法与其签订劳动合同或者经营合同;

(五)加强从业人员管理和培训教育;

(六)不得将巡游出租汽车交给未经从业资格注册的人员运营。

第二十二条 巡游出租汽车运营时,车容车貌、设施设备应当符合以下要求:

(一)车身外观整洁完好,车厢内整洁、卫生,无异味;

(二)车门功能正常,车窗玻璃密闭良好,无遮蔽物,升降功能有效;

(三)座椅牢固无塌陷,前排座椅可前后移动,靠背倾度可调,安全带和锁扣齐全、有效;

（四）座套、头枕套、脚垫齐全；

（五）计程计价设备、顶灯、运营标志、服务监督卡（牌）、车载信息化设备等完好有效。

第二十三条 巡游出租汽车驾驶员应当按照国家出租汽车服务标准提供服务，并遵守下列规定：

（一）做好运营前例行检查，保持车辆设施、设备完好，车容整洁，备齐发票、备足零钱；

（二）衣着整洁，语言文明，主动问候，提醒乘客系好安全带；

（三）根据乘客意愿升降车窗玻璃及使用空调、音响、视频等服务设备；

（四）乘客携带行李时，主动帮助乘客取放行李；

（五）主动协助老、幼、病、残、孕等乘客上下车；

（六）不得在车内吸烟，忌食有异味的食物；

（七）随车携带道路运输证、从业资格证，并按规定摆放、粘贴有关证件和标志；

（八）按照乘客指定的目的地选择合理路线行驶，不得拒载、议价、途中甩客、故意绕道行驶；

（九）在机场、火车站、汽车客运站、港口、公共交通枢纽等客流集散地载客时应当文明排队，服从调度，不得违反规定在非指定区域揽客；

（十）未经乘客同意不得搭载其他乘客；

（十一）按规定使用计程计价设备，执行收费标准并主动出具有效车费票据；

（十二）遵守道路交通安全法规，文明礼让行车。

第二十四条 巡游出租汽车驾驶员遇到下列特殊情形时，应当按照下列方式办理：

（一）乘客对服务不满意时，虚心听取批评意见；

（二）发现乘客遗失财物，设法及时归还失主。无法找到失主的，及时上交巡游出租汽车企业或者有关部门处理，不得私自留存；

（三）发现乘客遗留可疑危险物品的，立即报警。

第二十五条 巡游出租汽车乘客应当遵守下列规定：

（一）不得携带易燃、易爆、有毒等危害公共安全的物品乘车；

（二）不得携带宠物和影响车内卫生的物品乘车；

（三）不得向驾驶员提出违反道路交通安全法规的要求；

（四）不得向车外抛洒物品，不得破坏车内设施设备；

（五）醉酒者或者精神病患者乘车的，应当有陪同（监护）人员；

（六）遵守电召服务规定，按照约定的时间和地点乘车；

（七）按照规定支付车费。

第二十六条 乘客要求去偏远、冷僻地区或者夜间要求驶出城区的，驾驶员可以要求乘客随同到就近的有关部门办理验证登记手续；乘客不予配合的，驾驶员有权拒绝提供服务。

第二十七条 巡游出租汽车运营过程中有下列情形之一的，乘客有权拒绝支付费用：

（一）驾驶员不按照规定使用计程计价设备，或者计程计价设备发生故障时继续运营的；

（二）驾驶员不按照规定向乘客出具相应车费票据的；

（三）驾驶员因发生道路交通安全违法行为接受处理，不能将乘客及时送达目的地的；

（四）驾驶员拒绝按规定接受刷卡付费的。

第二十八条 巡游出租汽车电召服务应当符合下列要求：

（一）根据乘客通过电信、互联网等方式提出的服务需求，按照约定时间和地点提供巡游出租汽车运营服务；

（二）巡游出租汽车电召服务平台应当提供24小时不间断服务；

（三）电召服务人员接到乘客服务需求后，应当按照乘客需求及时调派巡游出租汽车；

（四）巡游出租汽车驾驶员接受电召任务后，应当按照约定时间到达约定地点。乘客未按约定候车时，驾驶员应当与乘客或者电召服务人员联系确认；

（五）乘客上车后，驾驶员应当向电召服务人员发送乘客上车确认信息。

第二十九条 巡游出租汽车经营者应当自觉接受社会监督，公布服务监督电话，指定部门或者人员受理投诉。

巡游出租汽车经营者应当建立24小时服务投诉值班制度，接到乘客投诉后，应当及时受理，10日内处理完毕，并将处理结果告知乘客。

第四章　运营保障

第三十条 县级以上地方人民政府出租汽车行政主管部门应当在本级人民政府的领导下，会同有关部门合理规划、建设巡游出租汽车综合服务区、停车场、停靠点等，并设置明显标识。

巡游出租汽车综合服务区应当为进入服务区的巡游出租汽车驾驶员提供餐饮、休息等服务。

第三十一条 县级以上地方人民政府出租汽车行政主管部门应当配合有

关部门，按照有关规定，并综合考虑巡游出租汽车行业定位、运营成本、经济发展水平等因素合理制定运价标准，并适时进行调整。

县级以上地方人民政府出租汽车行政主管部门应当配合有关部门合理确定巡游出租汽车电召服务收费标准，并纳入出租汽车专用收费项目。

第三十二条 巡游出租汽车经营者应当建立健全和落实安全生产管理制度，依法加强管理，履行管理责任，提升运营服务水平。

第三十三条 巡游出租汽车经营者应当按照有关法律法规的规定保障驾驶员的合法权益，规范与驾驶员签订的劳动合同或者经营合同。

巡游出租汽车经营者应当通过建立替班驾驶员队伍、减免驾驶员休息日经营承包费用等方式保障巡游出租汽车驾驶员休息权。

第三十四条 巡游出租汽车经营者应当合理确定承包、管理费用，不得向驾驶员转嫁投资和经营风险。

巡游出租汽车经营者应当根据经营成本、运价变化等因素及时调整承包费标准或者定额任务等。

第三十五条 巡游出租汽车经营者应当建立车辆技术管理制度，按照车辆维护标准定期维护车辆。

第三十六条 巡游出租汽车经营者应当按照《出租汽车驾驶员从业资格管理规定》，对驾驶员等从业人员进行培训教育和监督管理，按照规范提供服务。驾驶员有私自转包经营等违法行为的，应当予以纠正；情节严重的，可按照约定解除合同。

第三十七条 巡游出租汽车经营者应当制定包括报告程序、应急指挥、应急车辆以及处置措施等内容的突发公共事件应急预案。

第三十八条 巡游出租汽车经营者应当按照县级以上地方人民政府出租汽车行政主管部门要求，及时完成抢险救灾等指令性运输任务。

第三十九条 各地应当根据实际情况发展巡游出租汽车电召服务，采取多种方式建设巡游出租汽车电召服务平台，推广人工电话召车、手机软件召车等巡游出租汽车电召服务，建立完善电召服务管理制度。

巡游出租汽车经营者应当根据实际情况建设或者接入巡游出租汽车电召服务平台，提供巡游出租汽车电召服务。

第五章 监督管理

第四十条 县级以上地方人民政府出租汽车行政主管部门应当加强对巡游出租汽车经营行为的监督检查，会同有关部门纠正、制止非法从事巡游出租汽车经营及其他违法行为，维护出租汽车市场秩序。

第四十一条 县级以上地方人民政府出租汽车行政主管部门应当对巡游出租汽车经营者履行经营协议情况进行监督检查，并按照规定对巡游出租汽车经营者和驾驶员进行服务质量信誉考核。

第四十二条 巡游出租汽车不再用于经营的，县级以上地方人民政府出租汽车行政主管部门应当组织对巡游出租汽车配备的运营标志和专用设备进行回收处置。

第四十三条 县级以上地方人民政府出租汽车行政主管部门应当建立投诉举报制度，公开投诉电话、通信地址或者电子邮箱，接受乘客、驾驶员以及经营者的投诉和社会监督。

县级以上地方人民政府出租汽车行政主管部门受理的投诉，应当在10日内办结；情况复杂的，应当在30日内办结。

第四十四条 县级以上地方人民政府出租汽车行政主管部门应当对完成政府指令性运输任务成绩突出，经营管理、品牌建设、文明服务成绩显著，有拾金不昧、救死扶伤、见义勇为等先进事迹的出租汽车经营者和驾驶员，予以表彰和奖励。

第六章 法律责任

第四十五条 违反本规定，有下列行为之一的，由县级以上地方人民政府出租汽车行政主管部门责令改正，并处以5000元以上20000元以下罚款。构成犯罪的，依法追究刑事责任：

（一）未取得巡游出租汽车经营许可，擅自从事巡游出租汽车经营活动的；

（二）起讫点均不在许可的经营区域从事巡游出租汽车经营活动的；

（三）使用未取得道路运输证的车辆，擅自从事巡游出租汽车经营活动的；

（四）使用失效、伪造、变造、被注销等无效道路运输证的车辆从事巡游出租汽车经营活动的。

第四十六条 巡游出租汽车经营者违反本规定，有下列行为之一的，由县级以上地方人民政府出租汽车行政主管部门责令改正，并处以10000元以上20000元以下罚款。构成犯罪的，依法追究刑事责任：

（一）擅自暂停、终止全部或者部分巡游出租汽车经营的；

（二）出租或者擅自转让巡游出租汽车车辆经营权的；

（三）巡游出租汽车驾驶员转包经营未及时纠正的；

（四）不按照规定保证车辆技术状况良好的；

（五）不按照规定配置巡游出租汽车相关设备的；

（六）不按照规定建立并落实投诉举报制度的。

第四十七条 巡游出租汽车驾驶员违反本规定，有下列情形之一的，由县级以上地方人民政府出租汽车行政主管部门责令改正，并处以200元以上2000元以下罚款：

（一）拒载、议价、途中甩客或者故意绕道行驶的；

（二）未经乘客同意搭载其他乘客的；

（三）不按照规定使用计程计价设备、违规收费的；

（四）不按照规定出具相应车费票据的；

（五）不按照规定携带道路运输证、从业资格证的；

（六）不按照规定使用巡游出租汽车相关设备的；

（七）接受巡游出租汽车电召任务后未履行约定的；

（八）不按照规定使用文明用语，车容车貌不符合要求的。

第四十八条 巡游出租汽车驾驶员违反本规定，有下列情形之一的，由县级以上地方人民政府出租汽车行政主管部门责令改正，并处以500元以上2000元以下罚款：

（一）在机场、火车站、汽车客运站、港口、公共交通枢纽等客流集散地不服从调度私自揽客的；

（二）转让、倒卖、伪造巡游出租汽车相关票据的。

第四十九条 出租汽车行政主管部门的工作人员违反本规定，有下列情形之一的，依照有关规定给予行政处分；构成犯罪的，依法追究刑事责任：

（一）未按规定的条件、程序和期限实施行政许可的；

（二）参与或者变相参与巡游出租汽车经营的；

（三）发现违法行为不及时查处的；

（四）索取、收受他人财物，或者谋取其他利益的；

（五）其他违法行为。

第五十条 地方性法规、政府规章对巡游出租汽车经营违法行为需要承担的法律责任与本规定有不同规定的，从其规定。

第七章　附　　则

第五十一条 网络预约出租汽车以外的其他预约出租汽车经营服务参照本规定执行。

第五十二条 本规定中下列用语的含义：

（一）“巡游出租汽车经营服务”，是指可在道路上巡游揽客、站点候客，喷涂、安装出租汽车标识，以七座及以下乘用车和驾驶劳务为乘客提供出行服务，并按照乘客意愿行驶，根据行驶里程和时间计费的经营活动；

（二）“预约出租汽车经营服务”，是指以符合条件的七座及以下乘用车通过预约方式承揽乘客，并按照乘客意愿行驶、提供驾驶劳务，根据行驶里程、时间或者约定计费的经营活动；

（三）“网络预约出租汽车经营服务”，是指以互联网技术为依托构建服务平台，整合供需信息，使用符合条件的车辆和驾驶员，提供非巡游的预约出租汽车服务的经营活动；

（四）“巡游出租汽车电召服务”，是指根据乘客通过电信、互联网等方式提出的服务需求，按照约定时间和地点提供巡游出租汽车运营服务；

（五）“拒载”，是指在道路上空车待租状态下，巡游出租汽车驾驶员在得知乘客去向后，拒绝提供服务的行为；或者巡游出租汽车驾驶员未按承诺提供电召服务的行为；

（六）“绕道行驶”，是指巡游出租汽车驾驶员未按合理路线行驶的行为；

（七）“议价”，是指巡游出租汽车驾驶员与乘客协商确定车费的行为；

（八）“甩客”，是指在运营途中，巡游出租汽车驾驶员无正当理由擅自中断载客服务的行为。

第五十三条 本规定自2015年1月1日起施行。

附件 1

第 1 页　共 4 页

受理申请机关专用

巡游出租汽车经营申请表

说明

1. 本表根据《巡游出租汽车经营服务管理规定》制作，申请从事巡游出租汽车经营应当按照《巡游出租汽车经营服务管理规定》第二章的有关规定向相应出租汽车行政主管部门提出申请，填写本表，并同时提交其他相关材料（材料要求见第 4 页）。

2. 本表可向各级出租汽车行政主管部门免费索取，也可自行从交通运输部网站（www. mot. gov. cn）下载打印。

3. 本表需用钢笔填写或者计算机打印，请用正楷，要求字迹工整。

申请人基本信息

申请人名称＿＿＿＿＿＿＿＿＿＿＿＿＿＿＿＿＿＿＿＿

要求填写企业（公司）全称或者企业预先核准全称、个体经营者姓名

负责人姓名＿＿＿＿＿＿＿＿　经办人姓名＿＿＿＿＿＿＿＿

通信地址＿＿＿＿＿＿＿＿＿＿＿＿＿＿＿＿＿＿＿＿

＿＿＿＿＿＿＿＿＿＿＿＿＿＿＿＿＿＿＿＿

邮　编＿＿＿＿＿＿＿＿　电　话＿＿＿＿＿＿＿＿

手　机＿＿＿＿＿＿＿＿　电子邮箱＿＿＿＿＿＿＿＿

营运车辆信息

拟购置营运车辆情况

序号	厂牌型号	数量	座位数（个）	车辆类型及等级	车辆技术等级	备注
1						
2						
3						
4						
5						
合计						

表格不够,可另附表填写

如申请扩大经营范围,请填写“现有营运车辆情况”表

现有营运车辆情况

序号	道路运输证号	厂牌型号	座位数（个）	车辆类型及等级	车辆技术等级	购置时间
1						
2						
3						
4						
5						
合计						

表格不够,可另附表填写

聘用或者拟聘用巡游出租汽车驾驶员情况

序号	姓名	性别	年龄	取得相应驾驶证时间	从业资格证类型	从业资格证号
1						
2						
3						
4						
5						
6						
7						
8						
9						
10						
11						
12						
13						
14						
15						
16						
17						
18						
19						
20						
21						
22						
23						
24						
25						
26						
27						
28						
29						
30						

表格不够,可另附表填写

申请材料核对表　　　　请在□内划√

1.《巡游出租汽车经营申请表》(本表) □

2. 投资人、负责人身份、资信证明及其复印件,经办人的身份证明及其复印件和委托书 □

3. 拟投入车辆承诺书,包括车辆数量、座位数、类型及等级、技术等级 □

4. 聘用或者拟聘用驾驶员从业资格证及其复印件 □

5. 巡游出租汽车经营管理制度文本 □

6. 安全生产管理制度文本 □

7. 服务质量保障制度文本 □

8. 经营场所、停车场地有关使用证明 □

只有上述材料齐全有效后,你的申请才能受理

声明

我声明本表及其他相关材料中提供的信息均真实可靠

我知悉如此表中有故意填写的虚假信息,我取得的巡游出租汽车经营许可将被撤销

我承诺将遵守国家有关法律、行政法规及其他相关规章的规定

负责人签名______________　　日期 ______________

负责人职位______________

附件2

拟投入车辆承诺书

________：

按照《巡游出租汽车经营服务管理规定》要求，__________计划从事巡游出租汽车经营，现承诺如该申请获得许可，将按附表填报的数量、座位数、类型及等级、技术等级等要求，在180天内购置车辆并投入运营。如违反承诺，将自愿放弃巡游出租汽车车辆经营权。

承诺人印章（签字）：

年　月　日

附表：拟投入车辆情况

序号	厂牌型号	数量	座位数（个）	车辆类型及等级	车辆技术等级	备注
1						
2						
3						
4						
5						
合计						

附件3

巡游出租汽车经营行政许可决定书

编号：

________________：

你于　　年　月　日提出________________申请。

经审查，你的申请符合________________的规定，决定准予巡游出租汽车经营行政许可。请按下列要求从事巡游出租汽车经营活动：

经营范围：________________

经营区域：________________

车辆数量及要求：________________

巡游出租汽车车辆经营权期限：________________

请于　　年　月　日去　　　　　领取《道路运输经营许可证》，并于　　年　月　日前按上述要求落实拟投入车辆承诺书，然后办理相关手续。在确定的时间内未按经营协议及本许可要求落实拟投入车辆承诺书的，将撤销本经营许可。

（印章）

年　月　日

关于废止《外商投资铁路货物运输业审批与管理暂行办法》的决定

（2016年8月30日交通运输部令2016年第65号公布　自公布之日起施行）

经商商务部同意，现决定废止《外商投资铁路货物运输业审批与管理暂行办法》（2000年铁道部、对外贸易经济合作部令第4号）。

慈善组织认定办法

（2016年8月31日民政部令第58号　自2016年9月1日起施行）

第一条　为了规范慈善组织认定工作，根据《中华人民共和国慈善法》（以下简称《慈善法》）的规定，制定本办法。

第二条　《慈善法》公布前已经设立的基金会、社会团体、社会服务机构等非营利性组织，申请认定为慈善组织，适用本办法。

第三条　县级以上人民政府民政部门对其登记的基金会、社会团体、社会服务机构进行慈善组织认定。

第四条　基金会、社会团体、社会服务机构申请认定为慈善组织，应当符合下列条件：

（一）申请时具备相应的社会组织法人登记条件；

（二）以开展慈善活动为宗旨，业务范围符合《慈善法》第三条的规定；申请时的上一年度慈善活动的年度支出和管理费用符合国务院民政部门关于慈善组织的规定；

（三）不以营利为目的，收益和营运结余全部用于章程规定的慈善目的；财产及其孳息没有在发起人、捐赠人或者本组织成员中分配；章程中有关于剩余财产转给目的相同或者相近的其他慈善组织的规定；

（四）有健全的财务制度和合理的薪酬制度；

（五）法律、行政法规规定的其他条件。

第五条　有下列情形之一的，不予认定为慈善组织：

（一）有法律法规和国家政策规定的不得担任慈善组织负责人的情形的；

（二）申请前二年内受过行政处罚的；

（三）申请时被民政部门列入异常名录的；

（四）有其他违反法律法规和国家政策行为的。

第六条 申请认定为慈善组织，社会团体应当经会员（代表）大会表决通过，基金会、社会服务机构应当经理事会表决通过；有业务主管单位的，还应当经业务主管单位同意。

第七条 申请认定慈善组织的基金会，应当向民政部门提交下列材料：

（一）申请书；

（二）符合本办法第四条规定以及不存在第五条所列情形的书面承诺；

（三）按照本办法第六条规定召开会议形成的会议纪要。

申请认定为慈善组织的社会团体、社会服务机构，除前款规定的材料外，还应当向民政部门提交下列材料：

（一）关于申请理由、慈善宗旨、开展慈善活动等情况的说明；

（二）注册会计师出具的上一年度财务审计报告，含慈善活动年度支出和管理费用的专项审计。

有业务主管单位的，还应当提交业务主管单位同意的证明材料。

第八条 民政部门自收到全部有效材料后，应当依法进行审核。

情况复杂的，民政部门可以征求有关部门意见或者通过论证会、听证会等形式听取意见，也可以根据需要对该组织进行实地考察。

第九条 民政部门应当自受理申请之日起二十日内作出决定。符合慈善组织条件的，予以认定并向社会公告；不符合慈善组织条件的，不予认定并书面说明理由。

第十条 认定为慈善组织的基金会、社会团体、社会服务机构，由民政部门换发登记证书，标明慈善组织属性。

慈善组织符合税收法律法规规定条件的，依照税法规定享受税收优惠。

第十一条 基金会、社会团体、社会服务机构在申请时弄虚作假的，由民政部门撤销慈善组织的认定，将该组织及直接责任人纳入信用记录，并向社会公布。

对出具虚假审计报告的注册会计师及其所属的会计师事务所，由民政部门通报有关部门。

第十二条 本办法由民政部负责解释。

第十三条 本办法自 2016 年 9 月 1 日起施行。

慈善组织公开募捐管理办法

（2016 年 8 月 31 日民政部令第 59 号公布　自 2016 年 9 月 1 日起施行）

第一条　为了规范慈善组织开展公开募捐，根据《中华人民共和国慈善法》（以下简称《慈善法》），制定本办法。

第二条　慈善组织公开募捐资格和公开募捐活动管理，适用本办法。

第三条　依法取得公开募捐资格的慈善组织可以面向公众开展募捐。不具有公开募捐资格的组织和个人不得开展公开募捐。

第四条　县级以上人民政府民政部门依法对其登记的慈善组织公开募捐资格和公开募捐活动进行监督管理，并对本行政区域内涉及公开募捐的有关活动进行监督管理。

第五条　依法登记或者认定为慈善组织满二年的社会组织，申请公开募捐资格，应当符合下列条件：

（一）根据法律法规和本组织章程建立规范的内部治理结构，理事会能够有效决策，负责人任职符合有关规定，理事会成员和负责人勤勉尽职，诚实守信；

（二）理事会成员来自同一组织以及相互间存在关联关系组织的不超过三分之一，相互间具有近亲属关系的没有同时在理事会任职；

（三）理事会成员中非内地居民不超过三分之一，法定代表人由内地居民担任；

（四）秘书长为专职，理事长（会长）、秘书长不得由同一人兼任，有与本慈善组织开展活动相适应的专职工作人员；

（五）在省级以上人民政府民政部门登记的慈善组织有三名以上监事组成的监事会；

（六）依法办理税务登记，履行纳税义务；

（七）按照规定参加社会组织评估，评估结果为 3A 及以上；

（八）申请时未纳入异常名录；

（九）申请公开募捐资格前二年，未因违反社会组织相关法律法规受到行政处罚，没有其他违反法律、法规、国家政策行为的。

《慈善法》公布前设立的非公募基金会、具有公益性捐赠税前扣除资格的社会团体，登记满二年，经认定为慈善组织的，可以申请公开募捐资格。

第六条 慈善组织申请公开募捐资格,应当向其登记的民政部门提交下列材料:

(一)申请书,包括本组织符合第五条各项条件的具体说明和书面承诺;

(二)注册会计师出具的申请前二年的财务审计报告,包括年度慈善活动支出和年度管理费用的专项审计;

(三)理事会关于申请公开募捐资格的会议纪要。

有业务主管单位的慈善组织,还应当提交经业务主管单位同意的证明材料。

评估等级在4A及以上的慈善组织免于提交第一款第二项、第三项规定的材料。

第七条 民政部门收到全部有效材料后,应当依法进行审核。

情况复杂的,民政部门可以征求有关部门意见或者通过论证会、听证会等形式听取意见,也可以根据需要对该组织进行实地考察。

第八条 民政部门应当自受理之日起二十日内作出决定。对符合条件的慈善组织,发给公开募捐资格证书;对不符合条件的,不发给公开募捐资格证书并书面说明理由。

第九条 《慈善法》公布前登记设立的公募基金会,凭其标明慈善组织属性的登记证书向登记的民政部门申领公开募捐资格证书。

第十条 开展公开募捐活动,应当依法制定募捐方案。募捐方案包括募捐目的、起止时间和地域、活动负责人姓名和办公地址、接受捐赠方式、银行账户、受益人、募得款物用途、募捐成本、剩余财产的处理等。

第十一条 慈善组织应当在开展公开募捐活动的十日前将募捐方案报送登记的民政部门备案。材料齐备的,民政部门应当即时受理,对予以备案的向社会公开;对募捐方案内容不齐备的,应当即时告知慈善组织,慈善组织应当在十日内向其登记的民政部门予以补正。

为同一募捐目的开展的公开募捐活动可以合并备案。公开募捐活动进行中,募捐方案的有关事项发生变化的,慈善组织应当在事项发生变化之日起十日内向其登记的民政部门补正并说明理由。

有业务主管单位的慈善组织,还应当同时将募捐方案报送业务主管单位。

开展公开募捐活动,涉及公共安全、公共秩序、消防等事项的,还应当按照其他有关规定履行批准程序。

第十二条 慈善组织为应对重大自然灾害、事故灾难和公共卫生事件等突发事件,无法在开展公开募捐活动前办理募捐方案备案的,应当在公开募捐活动开始后十日内补办备案手续。

第十三条 慈善组织在其登记的民政部门管辖区域外,以《慈善法》第二十三条第一款第一项、第二项方式开展公开募捐活动的，除向其登记的民政部门备案外，还应当在开展公开募捐活动十日前，向其开展募捐活动所在地的县级人民政府民政部门备案，提交募捐方案、公开募捐资格证书复印件、确有必要在当地开展公开募捐活动的情况说明。

第十四条 慈善组织开展公开募捐活动应当按照本组织章程载明的宗旨和业务范围，确定明确的募捐目的和捐赠财产使用计划；应当履行必要的内部决策程序；应当使用本组织账户，不得使用个人和其他组织的账户；应当建立公开募捐信息档案，妥善保管、方便查阅。

第十五条 慈善组织开展公开募捐活动，应当在募捐活动现场或者募捐活动载体的显著位置，公布本组织名称、公开募捐资格证书、募捐方案、联系方式、募捐信息查询方法等。

第十六条 慈善组织通过互联网开展公开募捐活动的，应当在民政部统一或者指定的慈善信息平台发布公开募捐信息，并可以同时在以本慈善组织名义开通的门户网站、官方微博、官方微信、移动客户端等网络平台发布公开募捐信息。

第十七条 具有公开募捐资格的慈善组织与不具有公开募捐资格的组织或者个人合作开展公开募捐活动，应当依法签订书面协议，使用具有公开募捐资格的慈善组织名义开展公开募捐活动；募捐活动的全部收支应当纳入该慈善组织的账户，由该慈善组织统一进行财务核算和管理，并承担法律责任。

第十八条 慈善组织为急难救助设立慈善项目，开展公开募捐活动时，应当坚持公开、公平、公正的原则，合理确定救助标准，监督受益人珍惜慈善资助，按照募捐方案的规定合理使用捐赠财产。

第十九条 慈善组织应当加强对募得捐赠财产的管理，依据法律法规、章程规定和募捐方案使用捐赠财产。确需变更募捐方案规定的捐赠财产用途的，应当召开理事会进行审议，报其登记的民政部门备案，并向社会公开。

第二十条 慈善组织应当依照有关规定定期将公开募捐情况和慈善项目实施情况向社会公开。

第二十一条 具有公开募捐资格的慈善组织有下列情形之一的，由登记的民政部门纳入活动异常名录并向社会公告：

（一）不符合本办法第五条规定条件的；

（二）连续六个月不开展公开募捐活动的。

第二十二条 慈善组织被依法撤销公开募捐资格的，应当立即停止公开募捐活动并将相关情况向社会公开。

出现前款规定情形的，民政部门应当及时向社会公告。

第二十三条 慈善组织有下列情形之一的，民政部门可以给予警告、责令

限期改正:

(一)伪造、变造、出租、出借公开募捐资格证书的;

(二)未依照本办法进行备案的;

(三)未按照募捐方案确定的时间、期限、地域范围、方式进行募捐的;

(四)开展公开募捐未在募捐活动现场或者募捐活动载体的显著位置公布募捐活动信息的;

(五)开展公开募捐取得的捐赠财产未纳入慈善组织统一核算和账户管理的;

(六)其他违反本办法情形的。

第二十四条 公开募捐资格证书、公开募捐方案范本等格式文本,由民政部统一制定。

第二十五条 本办法由民政部负责解释。

第二十六条 本办法自2016年9月1日起施行。

交通运输法规制定程序规定

(2016年9月2日交通运输部令2016年第66号公布 自2016年11月1日起施行)

第一章 总 则

第一条 为规范交通运输法规制定程序,保证交通运输立法质量,根据《中华人民共和国立法法》《行政法规制定程序条例》和《规章制定程序条例》,制定本规定。

第二条 交通运输法规的立项、起草、审核、审议、公布、备案、解释和废止,适用本规定。

第三条 本规定所称交通运输法规,是指调整铁路、公路、水路、民航、邮政等事项的下列规范性文件:

(一)交通运输部上报国务院审查后提交全国人民代表大会及其常务委员会审议的法律送审稿;

(二)交通运输部上报国务院审议的行政法规送审稿;

(三)交通运输部制定及交通运输部与国务院其他部门联合制定的规章。

第四条 制定交通运输法规应当遵循下列原则:

(一)贯彻党和国家的路线、方针和政策;

（二）法律送审稿不得与宪法相违背；行政法规送审稿不得与宪法、法律相违背；规章不得同宪法、法律、行政法规、国务院的决定及命令相违背；法律之间、行政法规之间、规章之间应当衔接、协调；

（三）体现和维护人民群众的根本利益，保护交通运输从业者的合法权益，促进和保障交通运输行业健康、可持续发展。

第五条 交通运输法规的名称应当准确、规范，符合下列规定：

（一）法律称“法”；

（二）行政法规称“条例”“规定”“办法”“实施细则”；

（三）规章称“规定”“办法”“规则”“实施细则”“实施办法”，不得称“条例”。

第六条 交通运输法规应当备而不繁，结构合理，逻辑严密，条文清晰，用语准确，文字简练，具有可操作性。

法律、行政法规已经明确规定的内容，规章原则上不作重复规定。

第七条 交通运输法规根据内容需要，可以分为章、节、条、款、项、目。章、节、条的序号用中文数字依次表述，款不编号，项的序号用中文数字加括号依次表述，目的序号用阿拉伯数字依次表述。

除内容复杂的外，规章一般不分章、节。

第八条 交通运输法规制定工作由交通运输部法制工作部门（以下简称法制工作部门）归口管理，具体工作主要包括：

（一）编制和组织实施交通运输立法规划和年度立法计划，根据全国人民代表大会及其常务委员会的相关部门、国务院的相关部门要求，组织报送立法规划、年度立法计划的建议；

（二）统筹铁路、公路、水路、民航、邮政法规的起草工作，组织综合交通运输和公路、水路法规的起草工作；

（三）负责交通运输法规送审稿的审核修改和报请审议工作；

（四）负责组织配合立法机关开展法律、行政法规草案的审核修改工作；

（五）组织交通运输部规章的解释、清理、废止工作；

（六）负责交通运输部规章的公布、备案工作；

（七）负责组织实施交通运输法规后评估工作。

交通运输立法工作经费应当按照财政预算管理和使用。

第二章　立　　项

第九条 交通运输部负责综合交通运输法规体系建设工作，提出综合交通运输法规体系建设的意见。

第十条 法制工作部门应当按照突出重点、统筹兼顾、符合需要、切实可行的原则，于每年年底编制下一年度的立法计划。

每年十月底前，法制工作部门应当向部内有行业管理职责的部门或者单位、国家铁路局、中国民用航空局、国家邮政局（以下统称部管国家局）征询交通运输法规的立法建议，也可以向省级交通运输主管部门征询交通运输法规的立法建议。

第十一条 部内有行业管理职责的部门或者单位、部管国家局根据职责和管理工作的实际情况，认为需要制定、修订交通运输法规的，应当按照法制工作部门规定的时间及内容要求，提出立法立项建议。

各级地方人民政府交通运输管理部门、其他单位、社会团体和个人可以向法制工作部门提出立法立项建议。

第十二条 立法立项建议的内容涉及部内多个部门、单位或者部管国家局职责的，可以由相关部门、单位或者部管国家局联合提出立项建议；对于立项建议有分歧的，由法制工作部门协调提出处理意见，仍不能达成一致意见的，报部领导决定。

第十三条 交通运输部规章的内容涉及国务院两个以上部门职权范围的事项，应当与相关部门联合制定规章。部管国家局不得与国务院部门联合制定、发布规章。

交通运输法规的内容涉及国务院其他部门的职责，或者与国务院其他部门关系紧密的，承办单位应当征求相关部门的意见，并力求协调一致。

第十四条 对涉及公民、法人和其他组织权利、义务，具有普遍约束力且反复适用的交通运输行业管理制度，应当制定交通运输法规。

第十五条 下列事项不属于交通运输法规立项范围：

（一）交通运输行政机关及所属单位的内部管理事项、工作制度及仅规范部属单位的管理性事务等；

（二）对具体事项的通知、答复、批复等；

（三）需要保密的事项；

（四）依照《中华人民共和国立法法》规定不属于交通运输法规规定的其他事项。

第十六条 立法立项建议应当包括以下内容：

（一）交通运输法规的名称；

（二）立法项目是新制定还是修订，修订形式如果是修正案的，应当予以说明；

（三）立法目的、必要性和所要解决的主要问题；

（四）立法项目的调整对象和调整范围；

（五）确立的主要制度，是否包含行政许可、行政强制等内容以及主要依据和理由；

（六）立法进度安排；

（七）立法项目承办单位和责任人；

（八）发布机关，联合发布的，需要联合发布部门的书面同意意见。

立法立项建议是由部门或者单位提出的，应当由部门或者单位主要负责人签署。

立法立项建议是由部管国家局提出的，应当由部管国家局向部行文提出。

第十七条　法制工作部门应当根据以下原则，对立法立项建议进行汇总研究，拟订交通运输部年度立法计划：

（一）是否符合交通运输部近期和年度重点工作要求；

（二）交通运输法律和行政法规的立项建议是否符合综合交通运输法规体系建设的总体要求；

（三）立法事项是否属于应当通过立法予以规范的范畴，拟规范的事项是否超出立法权限，是否属于交通运输部的法定职责范围，拟定的承办单位、发布机关是否恰当；

（四）法规之间是否相互衔接，内容有无重复交叉；

（五）立法时机是否成熟；

（六）立法计划的总体安排是否切实可行。

法制工作部门可以根据需要组织开展立法立项论证。

第十八条　立法计划分为一类立法项目和二类立法项目。

一类立法项目，是指应当在年内完成的立法项目，即法律送审稿、行政法规送审稿在年内上报国务院，规章在年内公布；已报送国务院、全国人大的，需要配合国务院法制办、全国人大相关部门开展审核修改。

二类立法项目，是指有立法必要性，不能保证年内完成，但需要着手研究起草、条件成熟后适时报审的立法项目。

第十九条　立法计划应当包括以下内容：

（一）立法项目名称；

（二）立法项目承办单位和责任人；

（三）报法制工作部门审核时间；

（四）报交通运输部部务会议（以下简称部务会议）审议时间或者上报国务院时间；

（五）其他需要列明的内容。

第二十条　交通运输部年度立法计划经主管部领导审核报部务会议审议后印发执行。

交通运输部年度立法计划是开展交通运输年度立法工作的依据,应当严格执行。承办单位应当按照立法计划规定的时间完成起草、送审工作,法制工作部门应当按照规定的时间完成审核工作。法制工作部门应当对年度立法计划执行情况进行检查、督促,并定期予以通报。

立法计划在执行过程中需要对计划内的立法项目予以调整的,立法项目的承办单位应当提出变更立法计划的建议并会商法制工作部门,报主管法制工作的部领导和分管其业务的部领导批准后,由法制工作部门对立法计划作出调整;立法项目的承办单位是部管国家局的,应当由部管国家局向部行文提出变更建议,经主管法制工作的部领导批准后,由法制工作部门对立法计划作出调整。

第三章　起　　草

第二十一条　交通运输法规由立法计划规定的承办单位负责组织起草。需与有关部委联合起草的,应当同有关部委协调组织起草工作。

起草交通运输法规,可以邀请有关组织、专家参加,也可以委托有关组织、专家起草。

第二十二条　起草交通运输法规,应当遵循《中华人民共和国立法法》确定的立法原则,符合宪法和法律的规定,同时还应当符合下列要求:

(一)体现改革精神,科学规范行政行为,促进政府职能转变;

(二)符合精简、统一、效能的原则,简化行政管理手续;

(三)切实保障公民、法人和其他组织的合法权益,在规定其应当履行的义务的同时,应当规定其相应的权利和保障权利实现的途径;

(四)体现行政机关的职权和责任相统一的原则,在赋予行政机关必要职权的同时,应当规定其行使职权的条件、程序和应当承担的责任;

(五)体现交通运输事业发展和交通运输行业管理工作的客观规律;

(六)符合法定职责和立法权限;

(七)符合立法技术的要求。

第二十三条　承办单位应当落实责任人员或者根据需要成立起草小组,制定起草工作方案。

第二十四条　法制工作部门应当及时了解交通运输法规的起草情况,协助承办单位协调解决起草过程中的问题,可以与承办单位协商,提早介入交通运输法规起草工作。

第二十五条　起草交通运输法规,应当深入调查研究,总结实践经验,广泛征求有关机关、组织和公民的意见。征求意见可以采取书面征求意见、座谈会、听证会、网上公开征求意见等多种形式。涉及建立或者调整重大制度的,应当开展专项研究或者专题论证。

起草公路、水路法规应当书面征求省级交通运输主管部门的意见。

第二十六条 规章起草过程中需要举行听证会的,应当按照《规章制定程序条例》的规定执行。

第二十七条 起草的交通运输法规涉及公民、法人或者其他组织切身利益,有关机关、组织或者公民对其有重大意见分歧的,承办单位应当向社会公布,征求社会各界的意见。

承办单位应当认真研究反馈意见,并在起草说明中对意见的处理情况和理由予以说明。

对于部门间争议较大的重要交通运输法规草案,可以引入第三方评估。对于可能引发社会稳定风险的交通运输法规草案,承办单位应当进行社会稳定风险评估。

第二十八条 起草公路、水路法规,承办单位应当就草案的主要思路和核心制度向主管部领导请示;涉及重大技术、安全、规划方面管理事项的,应当根据职责的关联性,主动听取交通运输部总工程师、安全总监、总规划师的意见。

第二十九条 交通运输法规内容涉及部内多个部门、单位或者部管国家局职责的,承办单位应当征求相关部门、单位或者部管国家局的意见。经充分协商仍不能取得一致意见的,承办单位应当在起草说明中说明情况。

第三十条 承办单位应当编写起草说明。起草说明应当包括以下内容:

(一)立法目的和必要性;

(二)立法依据;

(三)起草过程;

(四)征求意见的情况、主要意见及处理、协调情况;

(五)对设定行政许可、行政强制等事项的专项论证以及规定行政许可、行政强制等事项的说明;

(六)对确立的主要制度和主要条款的说明;

(七)其他需要说明的内容。

第三十一条 承办单位应当按照立法计划确定的进度安排完成起草工作,形成送审稿,并按时送交审核。

承办单位为部内部门、单位的,送审稿应当由承办单位的主要负责人签署;涉及部内其他部门、单位职责的,应当在送审前会签;由多个部门、单位共同起草的送审稿,应当由这些部门、单位主要负责人共同签署;涉及部管国家局职责或者与部管国家局共同起草的,应当在送交审核前经部管国家局主要负责人签字确认。

第三十二条 承办单位提交送审稿时,应当一并报送起草说明和其他有关材料。

其他有关材料主要包括汇总的意见、调研报告、听证会笔录、国内外立法资料等。

第三十三条 承办单位为部内部门、单位的,送审稿、起草说明和其他有关材料以填写法规送审单的方式送法制工作部门审核。

承办单位为部管国家局的,由承办单位通过向部行文报送审核。

第四章 审 核

第三十四条 送审稿由法制工作部门统一负责审核修改。

第三十五条 法制工作部门主要从以下方面对送审稿进行初审:

(一)提交的材料是否齐备,是否符合本规定的要求;

(二)是否是立法计划安排或者报经同意后增列为立法计划的项目;

(三)是否按照本规定要求征求了有关方面的意见,并对主要意见提出了处理意见,对有关分歧意见是否经过充分协调并提出处理意见;

(四)联合发布的规章是否取得联合部门的书面同意。

经初审不具备送交审核要求的,承办单位应当按照要求完善后再送交审核。

第三十六条 法制工作部门接收送审稿后主要从以下方面对送审稿进行审核修改:

(一)是否符合本规定第四条、第二十二条的规定;

(二)对有关分歧意见的处理是否适当、合理;

(三)是否符合实际,具备可操作性。

除关系重大、内容复杂或者存在重大意见分歧外,法制工作部门应当在三个月内完成规章送审稿的审核修改。

第三十七条 由部内部门、单位起草和全面修订的规章,除国务院法制办同意等特殊情形外,法制工作部门应当将送审稿在中国政府法制信息网、交通运输部政府网站上向社会公开征求意见。

由部管国家局起草和全面修订的规章,在送审前由部管国家局在中国政府法制信息网、部管国家局政府网站上向社会公开征求意见。

法制工作部门在审核阶段对送审稿有较大修改或者调整的,应当将送审修改稿送相关部门、单位或者部管国家局征求意见;涉及重大、疑难问题的,应当召开由有关单位、专家参加的座谈会、论证会,听取意见,研究论证。

第三十八条 法制工作部门应当组织或者会同承办单位就送审稿涉及的

重大、疑难问题,深入基层进行实地调查研究,听取基层有关机关、组织和公民的意见。

第三十九条 法制工作部门可以就送审稿中的有关重要法律问题和行业管理重大问题,通过部法律专家咨询工作机制,征求相关法律专家和行业管理专家的意见。

法制工作部门应当对专家咨询意见进行全面客观的整理,并提出对专家意见的处理建议。

第四十条 部内各相关部门、单位或者部管国家局对送审稿中关于管理体制、职责分工、主要管理制度等内容有不同意见的,法制工作部门应当组织协调,力求达成一致意见;不能达成一致意见的,应当将争议的主要问题、各方意见和处理建议报主管部领导进行协调。

第四十一条 法制工作部门应当认真研究各方意见,在与承办单位协商后,对送审稿进行修改,形成交通运输法规送审修改稿和对送审修改稿的说明。

第四十二条 交通运输法规送审修改稿和说明由法制工作部门主要负责人签署,承办单位为部内部门、单位的,送承办单位和相关部门、单位会签;承办单位为部管国家局的,经主要负责人签字确认,报有关部领导审核。

交通运输法规送审修改稿经部领导审核同意后,提请部务会议审议。

第五章 审议与公布

第四十三条 交通运输法规送审修改稿由部务会议审议。

部务会议审议交通运输法规送审修改稿时,承办单位为部内部门、单位的,由法制工作部门负责人对送审修改稿作说明。

承办单位为部管国家局的,由部管国家局法制工作部门负责人作起草说明,部法制工作部门负责人作审核说明。

第四十四条 部务会议审议通过的规章送审修改稿,由部长签署并以交通运输部令形式公布。

部务会议审议通过的由交通运输部主办的与国务院其他部委联合制定的规章送审修改稿,由交通运输部部长与国务院其他部门的主要领导共同签署,以联合部令形式公布,使用交通运输部令的序号。

部务会议审议通过的法律、行政法规送审修改稿,由部正式行文报国务院审查。在全国人民代表大会及其常务委员会的相关部门、国务院的相关部门审核修改过程中,由法制工作部门牵头会同部内或者部管国家局的承办单位配合开展审核修改工作。

第四十五条 经部务会议审议未通过的交通运输法规送审修改稿,由法制工作部门按照部务会议要求,会同承办单位进行修改、完善后,报部领导审核同意后再次提交部务会议审定。

第四十六条 公布规章的命令应当载明规章的制定机关、序号、规章名称、通过日期、施行日期、公布日期和签署人等内容。

第四十七条 规章公布后,应当及时在国务院公报或者部门公报和中国政府法制信息网以及《中国交通报》、交通运输部政府网站上刊登。

在国务院公报或者部门公报上刊登的规章文本为标准文本。

第四十八条 规章应当在公布之日起30日后施行,但是涉及国家安全以及公布后不立即施行将有碍规章施行的,可以自公布之日起施行。

第六章 备案、修订、解释和废止

第四十九条 规章应当在公布后30日内,由法制工作部门按照有关规定报送国务院备案。

第五十条 具有下列情形之一的,交通运输法规应当予以修订:

(一)内容与上位法矛盾或者抵触的;

(二)内容不符合党和国家路线方针政策及相关要求的;

(三)内容与交通运输行业发展形势变化或者法定职能不相符的;

(四)其他应当修订的情形。

第五十一条 规章的解释权属于交通运输部。规章的解释同规章具有同等效力。

规章有下列情形之一的,应当予以解释:

(一)规章条文本身需要进一步明确具体含义的;

(二)规章制定后出现新的情况,需要明确适用依据的。

第五十二条 规章的解释由原承办单位负责起草,由法制工作部门按照规章审核程序进行审核、修改;或者由法制工作部门起草,征求原承办单位的意见。

规章的解释报请部务会议审议或者经部领导批准后以交通运输部文件公布。

第五十三条 规章有下列情况之一的,应当予以废止:

(一)规定的事项已执行完毕,或者因情势变迁,无继续施行必要的;

(二)因有关法律、行政法规的废止或者修改,失去立法依据的;

(三)与新颁布的法律、行政法规相违背的;

(四)主要内容已不适用的;

(五)同一事项已被新公布施行的规章所代替,规章失去存在意义的;

（六）规章规定的施行期限届满的；

（七）应当予以废止的其他情形。

第五十四条 规章的废止由法制工作部门归口管理。

规章的废止可以由部内有关部门、单位、省级交通运输主管部门向法制工作部门提出，或者由部管国家局向部提出，也可以由法制工作部门直接提出。由法制工作部门直接提出的，要征求相关部门、单位或者部管国家局的意见。

第五十五条 除第五十三条第（六）项规定的情形外，废止规章应当经部务会议审议决定，以部令形式予以公布。

第七章 附 则

第五十六条 交通运输法规的清理工作由法制工作部门统一组织实施，但铁路、民航、邮政法律、行政法规清理工作由部管国家局分别负责组织实施。

第五十七条 交通运输部与部管国家局在法规制定过程中的工作联系与行文要求，依照交通运输部与管理的国家局职责分工和工作程序的有关规定执行。

第五十八条 负责起草交通运输地方性法规、规章的交通运输主管部门，在起草过程中可以征求交通运输部的意见。

第五十九条 本规定自2016年11月1日起施行。交通部于2006年11月24日发布的《交通法规制定程序规定》（交通部令2006年第11号）同时废止。

公路工程造价管理暂行办法

（2016年9月2日交通运输部令2016年第67号公布 自2016年11月1日起施行）

第一章 总 则

第一条 为加强公路工程造价管理，规范造价行为，合理控制建设成本，保障公路工程质量和安全，根据《中华人民共和国公路法》等法律、行政法规，制定本办法。

第二条 在中华人民共和国境内的公路新建、改建、扩建工程（以下统称公路工程）的造价活动，适用本办法。

本办法所称公路工程造价活动，是指公路工程建设项目从筹建到竣工验收交付使用所需全部费用的确定与控制，包括投资估算、设计概算、施工图预算、标底或者最高投标限价、合同价、变更费用、竣工决算等费用的确定与控制。

第三条 公路工程造价活动应当遵循客观科学、公平合理、诚实信用、厉行节约的原则。

第四条 交通运输部负责全国公路工程造价的监督管理。

省级交通运输主管部门负责本行政区域内公路工程造价的监督管理。

第二章 造价依据

第五条 交通运输部制定公路工程造价依据。省级交通运输主管部门可以根据交通运输部发布的公路工程造价依据，结合本地实际，组织制定补充性造价依据。

前款所称造价依据，是指用于编制各阶段造价文件所依据的办法、规则、定额、费用标准、造价指标以及其他相关的计价标准。

第六条 交通运输部对通用性强、技术成熟的建设工艺，编制统一的公路工程定额。

省级交通运输主管部门对公路工程定额中缺项的，或者地域性强且技术成熟的建设工艺，可以编制补充性定额规定。

第七条 对交通运输主管部门制定的公路工程造价依据中未涵盖但公路工程需要的造价依据，公路工程建设单位应当根据该工程施工工艺要求等因素组织开展成本分析。

第八条 交通运输主管部门应当及时组织造价依据的编制和修订工作，促进造价依据与公路技术进步相适应。公路工程建设、勘察设计、监理、施工、造价咨询等单位应当给予支持和配合。

第九条 编制造价文件使用的造价软件，应当符合公路工程造价依据，满足造价文件编制需要。

第三章 造价确定和控制

第十条 公路工程造价应当针对公路工程建设的不同阶段，根据项目的建设方案、工程规模、质量和安全等建设目标，结合建设条件等因素，按照相应的造价依据进行合理确定和有效控制。

第十一条 建设单位承担公路工程造价控制的主体责任，在设计、施工等过程中，履行以下职责，接受交通运输主管部门的监督检查：

（一）严格履行基本建设程序，负责组织项目投资估算、设计概算、施工图预算、标底或者最高投标限价、变更费用、工程结算、竣工决算的编制；

（二）对造价进行全过程管理和控制，建立公路工程造价管理台账，实现设计概算控制目标；

（三）负责公路工程造价信息的收集、分析和报送；

（四）依法应当履行的其他职责。

第十二条 勘察设计单位应当综合分析项目建设条件，结合项目使用功能，注重设计方案的技术经济比选，充分考虑工程质量、施工安全和运营养护需要，科学确定设计方案，合理计算工程造价。

勘察设计单位应当对其编制的造价文件的质量负责，做好前后阶段的造价对比，重点加强对设计概算超投资估算、施工图预算超设计概算等的预控。

第十三条 施工单位应当按照合同约定，编制工程计量与支付、工程结算等造价文件。

第十四条 从事公路工程造价活动的人员应当具备相应的专业技术技能。鼓励从事公路工程造价活动的人员参加继续教育，不断提升职业素质。

从事公路工程造价活动的人员应当对其编制的造价文件的质量和真实性负责。

第十五条 公路工程建设项目立项阶段，投资估算应当按照《公路工程基本建设项目投资估算编制办法》等规定编制。

第十六条 公路工程建设项目设计阶段，设计概算和施工图预算应当按照《公路工程基本建设项目概算预算编制办法》等规定编制。

初步设计概算的静态投资部分不得超过经审批或者核准的投资估算的静态投资部分的110%。

施工图预算不得超过经批准的初步设计概算。

第十七条 公路工程建设项目实行招标的，应当在招标文件中载明工程计量计价事项。

设有标底或者最高投标限价的，标底或者最高投标限价应当根据造价依据并结合市场因素进行编制，并不得超出经批准的设计概算或者施工图预算对应部分。建设单位应当进行标底或者最高投标限价与设计概算或者施工图预算的对比分析，合理控制建设项目造价。

投标报价由投标人根据市场及企业经营状况编制，不得低于工程成本。

第十八条 国家重点公路工程项目和省级人民政府相关部门批准初步设计的公路工程项目的建设单位应当在施工阶段，将施工合同的工程量清单报省级交通运输主管部门备案。

第十九条 勘察设计单位应当保证承担的公路工程建设项目符合国家规定的勘察设计深度要求和勘察设计质量，避免因设计变更发生费用变更。发生设计变更的,建设单位按照有关规定完成审批程序后,合理确定变更费用。

第二十条 在公路工程建设项目建设期内,建设单位应当根据年度工程计划及时编制该项目年度费用预算,并根据工程进度及时编制工程造价管理台账,对工程投资执行情况与经批准的设计概算或者施工图预算进行对比分析。

第二十一条 由于价格上涨、定额调整、征地拆迁、贷款利率调整等因素需要调整设计概算的,应当向原初步设计审批部门申请调整概算。原初步设计审批部门应当进行审查。

未经批准擅自增加建设内容、扩大建设规模、提高建设标准、改变设计方案等造成超概算的,不予调整设计概算。

由于地质条件发生重大变化、设计方案变更等因素造成的设计概算调整,实际投资调增幅度超过静态投资估算10%的,应当报项目可行性研究报告审批或者核准部门调整投资估算后,再由原初步设计审批部门审查调整设计概算;实际投资调增幅度不超过静态投资估算10%的,由原初步设计审批部门直接审查调整设计概算。

第二十二条 公路工程建设项目竣工验收前,建设单位应当编制竣工决算报告及公路工程建设项目造价执行情况报告。审计部门对竣工决算报告提出审计意见和调整要求的,建设单位应当按照要求对竣工决算报告进行调整。

第四章 监督管理

第二十三条 交通运输主管部门应当按照职责权限加强对公路工程造价活动的监督检查。被监督检查的单位和人员应当予以配合,不得妨碍和阻挠依法进行的监督检查活动。

第二十四条 公路工程造价监督检查主要包括以下内容:

(一)相关单位对公路工程造价管理法律、法规、规章、制度以及公路工程造价依据的执行情况;

(二)各阶段造价文件编制、审查、审批、备案以及对批复意见的落实情况;

(三)建设单位工程造价管理台账和计量支付制度的建立与执行、造价全过程管理与控制情况;

(四)设计变更原因及费用变更情况;

(五)建设单位对项目造价信息的收集、分析及报送情况;

(六)从事公路工程造价活动的单位和人员的信用情况;

(七)其他相关事项。

第二十五条 省级以上交通运输主管部门组织对从事公路工程造价活动的人员和造价咨询企业的信用情况进行监管,纳入统一的公路建设市场监管体系。

第二十六条 交通运输主管部门应当按照国家有关规定，及时公开公路工程造价相关信息，并接受社会监督。

交通运输部建立公路工程造价信息化标准体系，建立部级公路工程造价信息平台。

省级交通运输主管部门建立省级公路工程造价信息平台，并与部级公路工程造价信息平台实现互联互通和信息共享。

公路工程造价信息公开应当严格审核，遵守信息安全管理规定，不得侵犯相关单位和个人的合法权益。

第二十七条 交通运输主管部门应当对公路工程造价信息及公路工程建设项目造价执行情况进行动态跟踪、分析评估，为造价依据调整和造价监督提供支撑。

第二十八条 交通运输主管部门应当将监督检查活动中发现的问题及时向相关单位和人员通报，责令其限期整改。监督检查结果应当纳入公路建设市场监管体系。

第五章 附 则

第二十九条 公路养护工程可以根据作业类别和规模参照本办法执行。

第三十条 本办法自2016年11月1日起施行。

交通运输部关于修改《中华人民共和国港口设施保安规则》的决定

(2016年9月2日交通运输部令2016年第68号公布 自2016年9月2日起施行)

交通运输部决定对《中华人民共和国港口设施保安规则》(交通部令2007年第10号)作如下修改:

一、删除第三条第(十)项。

二、删除第四条第(三)项、第(八)项;将第(四)项修改为:"(三)核发《港口设施保安符合证书》(式样见附件3)";将第(六)项修改为:"(五)组织对《港口设施保安符合证书》年度核验工作进行抽查"。

三、将第六条第(六)项修改为:"(六)对《港口设施保安计划》进行审核,并向港口设施经营人或者管理人出具审核修改意见"。

四、在第八条增加一款，作为第二款："港口设施经营人或者管理人的主要负责人负责领导本单位的港口设施保安工作。"

五、将第十八条修改为："港口所在地港口行政管理部门负责港口设施保安评估。"

六、删除第二十三条、第二十四条。

七、将第二十八条修改为："港口设施经营人或者管理人负责制订《港口设施保安计划》。

港口设施经营人或者管理人应当根据所在地港口行政管理部门出具的《港口设施保安评估报告》和交通运输部发布的《港口设施保安计划制订导则》起草制订《港口设施保安计划》，并组织专家进行现场检验和审查，根据现场检验结果和审查意见对《港口设施保安计划》进行修改。现场检验情况应当记录。"

八、将第三十条第二款中的"但交通部声明未经其同意不得改变的内容除外"修改为"调整的内容应当符合《港口设施保安评估报告》和《港口设施保安计划制订导则》的相关要求"。

九、将第三十一条修改为："港口设施经营人或者管理人完成《港口设施保安计划》制订后，应当报所在地港口行政管理部门审核，并根据审核意见对《港口设施保安计划》进行修改。

港口设施经营人或者管理人报送《港口设施保安计划》时，应当一并报送专家现场检验结果和审查意见、现场检验情况记录。

所在地港口行政管理部门审核《港口设施保安计划》后，应当出具审核意见。"

十、删除第三十二条。

十一、将第三十三条第一款修改为："《港口设施保安计划》应当保密。港口设施经营人或者管理人、各级港口行政管理部门应当制定并落实防止《港口设施保安计划》内容泄露的措施。"

十二、将第四十条修改为："《港口设施保安计划》经所在地港口行政管理部门审核并按要求修改后，港口设施经营人或者管理人应当向交通运输部申请《港口设施保安符合证书》，并提交以下材料：

（一）申请书；

（二）港口经营许可证及港口危险货物作业附证（如有）的复印件；

（三）《港口设施保安评估报告》《港口设施保安计划》；

（四）所在地港口行政管理部门出具的审核意见。"

十三、将第四十一条第一款修改为："交通运输部参考所在地港口行政管理部门出具的审核意见和相关港口设施的实际情况对申请材料进行审查。符合保安要求的，颁发《港口设施保安符合证书》；不符合保安要求的，不予颁发并书面说明理由。”

十四、删除第四十三条第一款第(四)项。

十五、将第五十一条修改为:“港口设施经营人或者管理人应当指定本单位负责人或者部门负责人担任港口设施保安主管。港口设施保安主管应当具备履行其职责的知识和能力。”

十六、删除第五十二条第一款。

十七、将第六十四条第一款修改为:“港口设施保安主管及下列从事港口设施保安工作的人员,应当按照 ISPS 规则的有关要求,完成港口设施保安培训,具备履行其职责的港口保安管理、港口保安设备设施应用、港口保安风险分析等方面的知识和能力:

(一)从事港口设施保安行政管理工作人员;

(二)从事港口设施保安评估的人员;

(三)制定《港口设施保安计划》的人员;

(四)港口设施经营人中主管安全、生产的负责人。”

十八、将条文及附件中所有“经批准的《港口设施保安计划》”统一改为“《港口设施保安计划》”;删除第七条中的“已批准计划的”和第三十四条中的“批准后的”;将附件 1 中的“已批准计划”修改为“保安计划”。

十九、将条文中所有“交通部”统一改为“交通运输部”,但第八十五条除外;将条文中所有“交通(港口)管理部门”统一改为“交通运输(港口)管理部门”;将条文中所有“中国海上搜救中心总值班室”统一改为“中国海上搜救中心”。

二十、将附件 3 中的“本证书系根据《国际船舶和港口设施保安规则》B 部分的规定签发”修改为“本证书根据《中华人民共和国港口设施保安规则》及国际海事组织《国际船舶和港口设施保安规则》签发”;在港口设施地址后增加“经营人”作为下一行;将“该计划在以下方面得到批准(以下填写适于停靠的船舶类型、操作类型、其他活动及相关信息)”修改为“可以为下列类型的船舶提供服务”;将“本《符合声明》”修改为“本《符合证书》”。

条文序号作相应调整。

本决定自 2016 年 9 月 2 日起施行。

《中华人民共和国港口设施保安规则》根据本决定作相应修正,重新发布。

中华人民共和国港口设施保安规则

（2007 年 12 月 17 日交通部发布　根据 2016 年 9 月 2 日《交通运输部关于修改〈中华人民共和国港口设施保安规则〉的决定》修正）

第一章　总　则

第一条　为加强港口设施保安工作，根据经修订的《1974 年国际海上人命安全公约》（以下简称 SOLAS 公约）、《国际船舶和港口设施保安规则》（以下简称 ISPS 规则）和《国际海运危险货物规则》，制定本规则。

第二条　为航行国际航线的客船、500 总吨及以上的货船、500 总吨及以上的特种用途船和移动式海上钻井平台服务的港口设施保安工作，适用本规则。

第三条　本规则下列用语的含义是：

（一）船港界面活动，是指船舶与港口之间人员往来、货物装卸或者接受其他港口服务时发生的交互活动；

（二）港口设施，是指在港口发生船港界面活动的场所，包括码头及其相应设施和航道、锚地等港口公用基础设施；

（三）船到船活动，是指从一船向另一船转移物品或者人员的行为；

（四）保安事件，是指威胁船舶、港口设施、船港界面活动和船到船活动安全的任何可疑行为或者情况；

（五）保安等级，是指可能发生保安事件的风险级别划分；

（六）港口设施保安评估，是指港口所在地港口行政管理部门通过对港口设施保安状况进行分析并提出相关保安措施建议的活动；

（七）港口设施保安计划，是指港口设施经营人或者管理人根据保安评估报告为确保采取旨在保护港口设施和港口设施内的船舶、人员、货物、货物运输单元和船上物料免受保安事件威胁的措施而制订的计划；

（八）港口设施保安主管，又称港口设施保安员，是指被港口设施经营人或者管理人指定负责制定、实施、调整《港口设施保安计划》，并与船舶保安员和船公司保安员进行保安联络的人员；

（九）保安声明，是指发生船港界面活动时，港口设施与船舶为协调各自采取的保安措施签署的书面协议（式样见附件 1）；

（十）替代保安协议，是指我国政府与其他 SOLAS 公约缔约国政府就相互间固定短程航线上的港口设施签署的双边或者多边保安协议；

（十一）港口设施保安训练，是指对《港口设施保安计划》规定内容的部分或者全部保安措施和应急反应程序进行的练习；

（十二）港口设施保安演习，是指为了验证、评价和提高各级保安组织、相关部门、港口设施及人员的综合反应和协调配合能力，通过模拟保安事件，根据《港口设施保安计划》进行的多单位参与、协同进行的练习；

（十三）港口设施管理人，是指航道、锚地等港口公用基础设施的管理主体。

第四条 交通运输部主管全国港口设施保安工作，履行下列职责：

（一）制定并发布全国港口设施保安工作制度和技术标准；

（二）确定并发布港口设施保安等级和各保安等级的基本保安措施（内容见附件2）及3级保安状态下的保安指令；

（三）核发《港口设施保安符合证书》（式样见附件3）；

（四）建立全国港口设施保安管理信息系统，收集、整理、分析港口设施保安信息并按规定向相关单位提供，视情向国际海事组织、相关缔约国政府以及国内其他相关部门通报；

（五）组织对《港口设施保安符合证书》年度核验工作进行抽查；

（六）签署替代保安协议；

（七）组织全国性的港口设施保安演习。

第五条 省级交通运输（港口）管理部门负责本行政区域内的港口设施保安工作，具体履行下列职责：

（一）负责《港口设施保安符合证书》年度核验工作；

（二）收集、整理、分析并向相关单位提供港口设施保安信息；

（三）组织区域性港口设施保安演习。

第六条 港口所在地港口行政管理部门履行下列职责：

（一）负责组织港口设施保安评估和评估报告的后续修订；

（二）监督检查《港口设施保安计划》的实施；

（三）收集、整理、分析并向有关单位提供港口设施保安信息；

（四）组织本港港口设施保安演习；

（五）对其管理的港口公用基础设施进行保安评估，编写《港口设施保安评估报告》；

（六）对《港口设施保安计划》进行审核，并向港口设施经营人或者管理人出具审核修改意见；

（七）受省级交通运输（港口）管理部门委托，对申请《港口设施保安符合证书》年度核验的港口设施上一年度的保安工作进行核查并提交核查报告；

（八）监督检查港口设施保安费的征收和使用。

第七条 港口设施经营人或者管理人履行下列职责：

（一）负责制订《港口设施保安计划》和后续修订；

（二）实施《港口设施保安计划》；

（三）为港口设施保安主管履行职责提供必要的条件；

（四）在3级保安状态下，实施交通运输部发出的保安指令；

（五）收集、整理、分析并向有关部门提供港口设施保安信息；

（六）进行港口设施保安训练，参加港口设施保安演习。

港口设施经营人按照规定收取港口设施保安费。

第八条 港口设施保安是港口安全管理的重要内容，应当与港口生产经营统筹考虑，遵循节约、环保、资源共享的原则。

港口设施经营人或者管理人的主要负责人负责领导本单位的港口设施保安工作。

第九条 港口设施的保安评估和保安计划的制定及实施的有关费用由港口设施保安费支出。

第二章 保安等级

第十条 交通运输部应当根据相关情报信息，国内外形势以及影响社会政治稳定的因素，威胁信息的可信程度、威胁信息得到印证的程度、威胁信息的具体或者紧迫程度和保安事件的潜在后果，确定港口设施的保安等级。

地方各级交通运输（港口）管理部门可以向交通运输部提出变更港口设施保安等级的建议。

第十一条 港口设施的保安等级从低到高分为三级，分别是保安等级1、保安等级2和保安等级3。

保安等级1是指应当始终保持的最低防范性保安措施的等级。

保安等级2是指由于保安事件危险性升高而应在一段时间内保持适当的附加保护性保安措施的等级。

保安等级3是指当保安事件可能或者即将发生（尽管可能尚无法确定具体目标）时应当在一段有限时间内保持进一步的特殊保护性保安措施的等级。

第十二条 交通运输部确定港口设施保安等级为2级或者3级的依据消失时，应当及时调整港口设施的保安等级。

交通运输部确定实施3级保安时，在必要的情况下应当发出适当的保安指令，并向可能受到影响的港口设施提供与保安有关的信息。

第十三条 港口设施经营人或者管理人应当根据保安等级的变化，按照

《港口设施保安计划》及时调整保安措施。

在3级保安状态下,港口设施的经营人或者管理人应当执行交通运输部发出的保安指令,省、自治区交通运输(港口)管理部门和港口所在地港口行政管理部门应当监督保安指令的执行。

第十四条 交通运输部变更港口设施保安等级,应当根据具体情况及时以适当的方式通知有关的交通运输(港口)管理部门、海事管理机构、港口设施经营人或者管理人。

第十五条 各级交通运输(港口)管理部门、海事管理机构、港口设施经营人或者管理人收到港口设施保安等级变更的决定后,应当予以确认,并报告所采取的相应措施。

第十六条 计划入港或者在港的船舶保安等级高于港口设施的保安等级时,港口设施保安主管应当与船舶保安员或者船公司保安员协商,对有关情况做出评估,确定适当的保安措施,签署《保安声明》;计划入港或者在港的船舶保安等级不得低于该港口设施保安等级。

第十七条 港口设施经营人或者管理人应当将港口设施保安等级变更过程中的有关情况予以记录,作为进行港口设施保安评估、编写《港口设施保安评估报告》、制(修)订《港口设施保安计划》、实施《港口设施保安计划》的参考依据。

第三章 保安评估

第十八条 港口所在地港口行政管理部门负责港口设施保安评估。

第十九条 港口设施保安评估应当符合交通运输部制定的港口设施保安评估规范。

港口设施保安评估应当进行现场保安检验。现场保安检验包括检查和评估港口的现有保安措施、程序和操作。

第二十条 对港口设施进行保安评估应当评估下列事项:

(一)设施的保安状况;

(二)设施的结构、布局情况;

(三)对人员进行保护的安全体系;

(四)保安工作程序;

(五)无线电和电信系统,包括计算机系统和网络;

(六)如被损害或者被用于非法窥测,会对人员、财产或者港口作业构成危险的其他区域。

第二十一条 港口设施保安评估应当进行以下工作:

（一）确定和评估重点保护的财产和基础设施；

（二）对可能威胁财产和基础设施的因素及其发生的可能性进行识别，并确定相应的保安要求；

（三）根据可能威胁财产和基础设施的因素及其发生可能性的识别结果，以及相应的保安要求，对采取的保安措施进行鉴别、选择和优化；

（四）分析港口设施和人员的安全保护体系、运营流程等，确定其中可能导致保安事件的薄弱环节，提出消除薄弱环节或者降低薄弱环节影响的措施。

第二十二条　港口设施保安评估完成后应当编写评估报告。

《港口设施保安评估报告》应当结合港口设施实际情况，全面反映评估的开展情况，内容主要包括：

（一）港口设施的基本情况，包括设施种类、位置、经营人、所有人等情况；

（二）港口设施的保安现状调查及分析；

（三）保安事件预测及风险控制评估；

（四）风险评估方法及应用；

（五）可能导致保安事件的薄弱环节及说明；

（六）消除薄弱环节或者降低薄弱环节影响的措施建议；

（七）评估结论。

第二十三条　港口设施的保安评估每五年进行一次。

港口设施发生重大变化时，应当重新进行保安评估。重新进行保安评估及相关程序按照本章规定办理。

前款所称重大变化包括港口主要设施或者其功能发生重大变化，港口设施保安组织、通信系统、保安工作的协调与配合程序发生重大改变，港口设施发生了重大保安事件等。

第二十四条　如果同一经营人所经营的多个港口设施位置、运营方式、设备和设计相类似，可以共同评估并制作一份《港口设施保安评估报告》。

第二十五条　《港口设施保安评估报告》应当保密，港口设施和承担港口设施保安评估的机构应当制定并落实防止擅自接触、泄露的措施。

第四章　保安计划

第二十六条　港口设施经营人或者管理人负责制订《港口设施保安计划》。

港口设施经营人或者管理人应当根据所在地港口行政管理部门出具的《港口设施保安评估报告》和交通运输部发布的《港口设施保安计划制订导则》起草制订《港口设施保安计划》，并组织专家进行现场检验和审查，根据现场检验结果和审查意见对《港口设施保安计划》进行修改。现场检验情况应当记录。

第二十七条 《港口设施保安计划》应当包含下列内容：

（一）港口设施经营人或者管理人所确定的负责实施《港口设施保安计划》的机构或者部门；

（二）负责实施《港口设施保安计划》的组织与其他有关单位的联系和必要的通信系统；

（三）港口设施保安主管及二十四小时联系方式；

（四）1 级保安状态下的保安措施和保安等级提高时的全部附加措施和特殊的保安措施；

（五）根据经验和实际情况对《港口设施保安计划》进行经常性评价，并不断完善的安排；

（六）《港口设施保安计划》保密措施；

（七）向交通运输（港口）管理部门报告的程序；

（八）港口设施内部报告保安事件的程序；

（九）便利船上人员登岸或者人员变动以及来访者上船的程序和措施；

（十）对保安状况受到的威胁或者破坏做出反应的程序，包括维护港口设施或者船港界面的关键操作的规定；

（十一）对交通运输部在 3 级保安状态下发出的保安指令的反应程序；

（十二）在保安状况受到威胁或者破坏的情况下撤离人员的程序；

（十三）负有保安责任的港口设施人员和设施内参与保安事务的其他人员的职责；

（十四）与船舶保安活动进行配合的程序，特别是港口设施的保安等级低于船舶的保安等级时港口设施应当采取的程序和保安措施；

（十五）港口设施内船舶的保安报警系统被启动后做出反应的程序；

（十六）针对与曾靠泊过非缔约国港口的船舶、不适用 ISPS 规则的船舶以及固定（浮动）平台或者移动式海上钻井平台进行船港界面活动的程序和保安措施。

第二十八条 对港口设施重新进行保安评估时，港口设施经营人或者管理人应当按照本规则规定重新制订《港口设施保安计划》。

当港口设施发生本规则第二十三条以外的情况变化时，港口设施经营人或者管理人可以对《港口设施保安计划》进行必要的调整。调整的内容应当符合《港口设施保安评估报告》和《港口设施保安计划制订导则》的相关要求。

第二十九条 港口设施经营人或者管理人完成《港口设施保安计划》制订后，应当报所在地港口行政管理部门审核，并根据审核意见对《港口设施保安计划》进行修改。

港口设施经营人或者管理人报送《港口设施保安计划》时,应当一并报送专家现场检验结果和审查意见、现场检验情况记录。

所在地港口行政管理部门审核《港口设施保安计划》后,应当出具审核意见。

第三十条 《港口设施保安计划》应当保密。港口设施经营人或者管理人、各级港口行政管理部门应当制定并落实防止《港口设施保安计划》内容泄露的措施。

在下列条件下,执法人员可以查看《港口设施保安计划》:

(一)各级港口行政管理部门进行港口设施保安现场检查时;

(二)《港口设施保安符合证书》年度核验过程中需要对《港口设施保安计划》内容实施情况进行核实时。

第三十一条 港口设施经营人或者管理人应当全面落实《港口设施保安计划》,包括配备必要的保安人员,安装使用保安设备设施,制定并执行各项保安制度、措施和程序。

第三十二条 港口设施经营人或者管理人应当按照交通运输部规定的保安标准配备保安、交通、通信装备,按照规定设置港口设施内的标志。

第三十三条 新建或者改扩建的港口设施的保安设备设施应当与港口设施主体工程同时设计、同时建设、同时验收、同时投入使用。

第三十四条 港口设施经营人或者管理人在执行保安措施时,应当最大限度地减少对乘客、船舶、船上人员和来访者、货物以及相关服务的干扰或者延误。

第三十五条 各级交通运输(港口)管理部门应当对港口设施经营人或者管理人在执行《港口设施保安计划》过程中涉及海事、海关、公安(边防)、检验检疫等部门的相关事宜给予必要的协调。

第三十六条 非经常性地为国际航行船舶提供服务的港口设施和处于试生产阶段的港口设施,经港口所在地港口行政管理部门同意,可以不制订《港口设施保安计划》,但应当采取适当的保安措施来达到保安要求。

港口所在地港口行政管理部门应当对港口设施采取的保安措施是否适当进行现场监管。

第五章 港口设施保安符合证书

第三十七条 《港口设施保安计划》经所在地港口行政管理部门审核并按要求修改后,港口设施经营人或者管理人应当向交通运输部申请《港口设施保安符合证书》,并提交以下材料:

（一）申请书；

（二）港口经营许可证及港口危险货物作业附证（如有）的复印件；

（三）《港口设施保安评估报告》《港口设施保安计划》；

（四）所在地港口行政管理部门出具的审核意见。

第三十八条 交通运输部参考所在地港口行政管理部门出具的审核意见和相关港口设施的实际情况对申请材料进行审查。符合保安要求的，颁发《港口设施保安符合证书》；不符合保安要求的，不予颁发并书面说明理由。

《港口设施保安符合证书》应当自受理之日起二十个工作日内完成颁发工作。二十个工作日内不能作出决定的，经本机关负责人批准，可以延长十个工作日，并应将延长期限的理由告知申请人。

《港口设施保安符合证书》由交通运输部指定的负责人签发，并在签发后通知相关交通运输（港口）管理部门。

第三十九条 《港口设施保安符合证书》的有效期为五年。在有效期内每年由省级交通运输（港口）管理部门核验一次。

《港口设施保安符合证书》年度核验期限为签发之日起每周年的前三个月和后三个月。

第四十条 港口设施经营人或者管理人应当于《港口设施保安符合证书》签发之日起每周年的前三个月内，向省级交通运输（港口）管理部门提出年度核验申请，并提交如下材料：

（一）《港口设施保安符合证书》年度核验申请表；

（二）《港口设施保安符合证书》正、副本；

（三）港口设施保安年度工作报告；

（四）港口设施保安自评表；

（五）其他需要提交的文件。

前款所称港口设施保安年度工作报告由港口设施保安主管负责编写，港口设施经营人或者管理人应当盖章确认。港口设施保安年度工作报告应当全面反映《港口设施保安计划》的落实情况、接受相关培训情况、保安训练、演习情况及记录、保安事件发生的情况及记录、《港口设施保安计划》修改记录等内容。

第四十一条 省级交通运输（港口）管理部门应当自受理之日起二十个工作日内完成《港口设施保安符合证书》年度核验。二十个工作日内不能完成的，经本机关负责人批准，可以延长十个工作日，并应将延长期限的理由告知申请人。年度核验内容包括：

（一）港口设施保安组织结构；

（二）港口设施保安主管及相关人员是否具备履行其职责的知识和能力；

（三）港口设施保安设备状况及运行情况；

（四）港口设施保安通信状况；

（五）港口设施保安规章制度及实施情况；

（六）港口设施保安训练、演习情况；

（七）《港口设施保安计划》所确定保安措施及程序的落实情况；

（八）港口设施保安事件发生及应对情况；

（九）《港口设施保安计划》的年度调整情况；

（十）其他与港口设施保安工作有关的事项。

除前款规定外，港口设施于上一次核验后发生过本规则第二十三条第三款规定的重大变化的，年度核验主管部门应当审查港口设施是否已重新进行保安评估并重新制订《港口设施保安计划》。

年度核验时，省级交通运输（港口）管理部门可以对港口设施上一年度的保安工作进行核查，也可以委托港口所在地港口行政管理部门核查并接受其提交的核查报告。

第四十二条　下列情况年度核验不得通过：

（一）保安设备设施状况不符合《港口设施保安计划》规定；

（二）港口设施保安主管、港口设施其他保安人员不具备履行其职责的知识和能力；

（三）未按照规定进行或者参加保安训练、演习；

（四）未按照规定收取和使用港口设施保安费。

第四十三条　通过年度核验的港口设施，由省级交通运输（港口）管理部门主管领导或者其授权的人员（仅限授权 1 名）在《港口设施保安符合证书》正、副本上签字并加盖专用章。

前款所指的主管领导或者其授权的人员应当向交通运输部备案。

第四十四条　未通过年度核验的港口设施，由省级交通运输（港口）管理部门主管领导或者其授权的人员在年度核验申请书上签署意见并退还申请人，责令其限期改正。港口设施经营人或者管理人在期限内改正完毕，可以重新申请《港口设施保安符合证书》年度核验。

第四十五条　省级交通运输（港口）管理部门应及时将下列情况报交通运输部备案：

（一）通过年度核验的港口设施；

（二）未通过年度核验的港口设施；

（三）未按本规则第三十九条规定时间申请年度核验的港口设施；

（四）在年度核验过程中隐瞒有关情况或者提供虚假材料的港口设施；

（五）连续两个年度未申请年度核验的港口设施；

（六）发生过本规则第二十三条第三款规定的重大变化但未重新进行保安评估并重新制订《港口设施保安计划》的港口设施。

第四十六条 交通运输部应当将全国《港口设施保安符合证书》年度核验情况予以公布。

第四十七条 《港口设施保安符合证书》记载的内容发生变化或者证书丢失、毁损时，应当向交通运输部书面申请换发或者补办，并附相关证明材料。

交通运输部核发新证书时，应当公告原证书作废。

第六章 港口设施保安主管

第四十八条 港口设施经营人或者管理人应当指定本单位负责人或者部门负责人担任港口设施保安主管。港口设施保安主管应当具备履行其职责的知识和能力。

第四十九条 一人只能担任一个港口设施的港口设施保安主管。

第五十条 港口设施保安主管履行下列职责：

（一）配合港口设施保安评估对港口设施进行初次全面保安检查；

（二）确保港口设施按本规则的规定制订《港口设施保安计划》；

（三）对港口设施进行定期保安检查，保证《港口设施保安计划》有效实施；

（四）对《港口设施保安计划》所载内容进行经常性评价和必要的调整；

（五）进行港口设施相关人员保安意识和警惕性的教育；

（六）确保港口设施保安工作人员获得充分的培训；

（七）与相关机构和人员保持信息沟通，向有关部门报告危及港口设施保安的事件并保存事件记录；

（八）与船公司和船舶保安员协调实施《港口设施保安计划》；

（九）签署《保安声明》；

（十）与提供保安服务的机构协调保安工作；

（十一）确保港口设施保安人员符合相关要求；

（十二）确保正确操作、测试、校准和保养保安设施设备；

（十三）在接到船舶保安员请求时，协助其确认登船人员的身份。

第五十一条 当港口设施保安主管被告知船舶在履行 SOLAS 公约第Ⅺ－2 章和 ISPS 规则的要求或者在实施《船舶保安计划》所列的措施和程序遇到困难时，以及在港口设施处于 3 级保安的情况下，港口设施的经营人或者管理人执行交通运输部发出的保安指令遇到困难时，港口设施保安主管和船舶保安员应进行联络并协调适当的行动。

第五十二条 港口设施保安主管在船舶入港之前和船舶在港口期间，应当履行下列义务：

（一）了解船舶履行SOLAS公约和ISPS规则的情况；

（二）与船舶保安员或者船公司保安员联系，了解该船舶的保安等级，并掌握有关船舶保安等级的任何变化；

（三）在与船舶建立联系后，港口设施保安主管应当将港口设施保安等级及其任何后续变化通知港内靠泊船舶和将要靠泊的船舶，并向船舶提供必要的保安信息。

第五十三条 当港口设施的保安等级确定为2级或者3级后，港口设施保安主管应及时确认《港口设施保安计划》所列的对应保安措施和程序得到执行，并应当立即与相关船公司和船舶保安员取得联系并协调适当的行动。

第五十四条 当港口设施保安主管得知船舶所处的保安等级高于港口设施的保安等级时，应当及时报告港口所在地港口行政管理部门，并与船舶保安员取得联系并协调适当的行动，包括按照各自的《保安计划》操作，并可视情填写或者签署《保安声明》。

第七章 保安声明

第五十五条 在下列情况下，应船舶的要求，港口设施经营人或者管理人应当与船舶签署《保安声明》：

（一）该船所处的保安等级高于与之发生界面活动的港口设施的保安等级；

（二）中国政府与其他缔约国政府之间有涉及某些国际航线或者这些航线上的特定船舶关于《保安声明》的协议；

（三）曾经有过涉及该船或者涉及该港口设施的保安威胁或者保安事件。

第五十六条 在港口设施保安评估所确定的需要引起特别注意的船港界面活动开始前，应港口设施经营人或者管理人的要求，船舶应当与港口设施经营人或者管理人签署《保安声明》。

前款所称需要引起特别注意的船港界面活动，包括在人口密集或者经济上重要的作业场所或者在其附近的设施进行的作业，以及旅客上下船舶、危险货物或者有害物质的过驳或者装卸作业、船舶曾经靠泊过本规则第二条规定以外的港口设施等。

第五十七条 港口设施所在地港口行政管理部门可以根据船港界面活动对人员、财产、环境可能造成危险程度的判断，要求船、港双方签署《保安声明》。

第五十八条 《保安声明》由港口设施保安主管与船长或者船舶保安员签署。

第五十九条 《保安声明》应当根据保安等级变化做相应的改变或者重新签署。

第六十条 《保安声明》应当由港口设施保安主管保存三年。

第八章 港口设施保安培训、训练和演习

第六十一条 港口设施保安主管及下列从事港口设施保安工作的人员，应当按照ISPS规则的有关要求，完成港口设施保安培训，具备履行其职责的港口保安管理、港口保安设备设施应用、港口保安风险分析等方面的知识和能力：

（一）从事港口设施保安行政管理工作人员；

（二）从事港口设施保安评估的人员；

（三）制定《港口设施保安计划》的人员；

（四）港口设施经营人中主管安全、生产的负责人。

其他从事与港口设施保安有关工作的人员，应当按照ISPS规则的有关要求，经过相应的培训，具备履行其担任职责方面的知识和能力。

第六十二条 万吨级以上的港口设施应有六人以上具备履行保安职责方面的知识和能力，万吨级以下的港口设施应有三人以上具备履行保安职责方面的知识和能力。

第六十三条 港口设施经营人或者管理人应当对其员工进行相关保安基础知识和岗位保安要求的教育或者培训，使其有针对性地了解并掌握《港口设施保安计划》中与其职责相关的内容，并保证其具备如下知识：

（一）各保安等级的含义和本岗位保安要求；

（二）辨认和探察武器、危险物质和装置；

（三）辨认可能威胁保安者的特点和行为模式；

（四）紧急撤离、简单救护等自我保护技术。

第六十四条 港口设施应当进行保安训练和演习，确保港口设施人员熟练履行其在各保安等级所承担的保安职责，发现并及时改进任何保安缺陷。

第六十五条 港口设施的经营人或者管理人应当保证至少每三个月进行一次港口设施保安训练。

训练应当根据《港口设施保安计划》进行，目的是对《港口设施保安计划》全部或部分内容进行测试。

第六十六条 各级交通运输（港口）管理部门应当组织保安演习。保安演习至少每年进行一次，两次演习间隔不得超过十八个月。

演习应当结合《港口设施保安计划》，通过模拟一定保安事件情景，根据船港界面活动所涉及的各项保安要求，由多单位参与、协同进行，验证、评价和提

高港口设施保安人员的综合反应能力，加强各级保安组织、各相关部门的整体反应和协调配合能力。

演习应当编制演习方案，并报送上级交通运输(港口)管理部门备案。

第六十七条 港口设施的经营人或者管理人应当参加包括有关部门、船舶保安员共同进行的保安演习。

第六十八条 港口设施保安训练、演习可以采用实地或者模拟的形式，也可以与相关训练、演习结合进行。

第六十九条 训练、演习完成后，应当进行评估并记录存档。

第九章 保安信息与联络

第七十条 中国海上搜救中心是全国港口设施保安总联络点，负责全国港口设施的保安报警接收和保安信息联络工作。

各地方港口行政管理部门值班室是所在地港口设施保安联络点，负责下列事项的全天候联系工作：

(一)接收港口设施保安信息，向相关海事管理机构了解船舶保安信息，针对接收到的保安报警及时按照应急反应程序采取保安行动，并视情通报有关部门；

(二)将港口设施保安信息及时通报海事管理机构，并为相关船舶提供保安建议或者援助；

(三)向中国海上搜救中心报告保安信息。

第七十一条 港口设施保安主管收到保安报警后，应立即与港口所在地港口行政管理部门联系，报告港口设施名称、位置，经营人或者管理人名称，设施内相关船舶、人员和货物，受到的保安威胁等情况。

港口设施保安主管应当随时保持通信联络畅通。

第七十二条 港口所在地港口行政管理部门收到相关船舶保安事件和其他船舶保安信息，应当按照应急反应程序，通知相关的港口设施，协调港口设施和船舶的保安行动。

第七十三条 交通运输部根据国际公约规定和工作需要，向国际海事组织报送港口设施保安信息，并负责接收和向国内相关部门、机构传送相关信息。

第七十四条 港口设施保安相关信息发生变化后港口设施经营人或者管理人应当向原报送单位及时发出更正信息。

第七十五条 各级交通运输(港口)管理部门应当建立信息系统，保证港口设施保安信息的及时报送、接收、分析和转发。

第十章　监督检查与法律责任

第七十六条　各级交通运输（港口）管理部门依法对港口设施保安活动实施的监督检查，任何单位或者个人不得拒绝、妨碍或者阻挠。

有关单位或者个人应当接受港口行政管理部门依法实施的监督检查，并为其提供必要的方便。

港口行政管理部门的工作人员实施监督检查时，应当出示执法证件，表明身份。

第七十七条　港口所在地港口行政管理部门应当对港口设施的下列保安事项进行监督检查：

（一）《港口设施保安符合证书》的有效性；

（二）《港口设施保安计划》的实施效果，包括保安措施实施过程中的协调性；

（三）港口设施保安主管和相关人员对保安知识的掌握情况。

第七十八条　交通运输部应当对《港口设施保安符合证书》年度核验工作进行监督检查，发现不符合规定的，应当要求省级交通运输（港口）管理部门予以纠正。

第七十九条　未按规定取得有效《港口设施保安符合证书》且不符合本规则第三十六条规定的港口设施，不得为航行国际航线船舶提供服务。

对于违反前款规定，擅自为航行国际航线船舶提供服务的港口设施，由港口所在地港口行政管理部门予以警告并责令停止违法行为，并可处以 3 万元以下罚款。

第八十条　对于违反本规则规定，港口设施保安主管和相关人员未经必要的培训，港口行政管理部门可以责令更换；港口设施保安主管和相关人员未能履行本规则规定的职责，港口行政管理部门可以责令其参加保安培训；情节严重的，可以责令暂停或者撤销其港口设施保安主管资格。

第十一章　附　　则

第八十一条　交通运输部通过"中国港口设施保安网"公布与港口设施保安相关的公开信息。

第八十二条　本规则自 2008 年 3 月 1 日起施行。但为 500 总吨及以上特种用途船服务的港口设施自 2008 年 7 月 1 日起适用本规则。交通部于 2003 年 11 月 14 日发布的《港口设施保安规则》（交水发〔2003〕500 号）同时废止。

附件1：

保安声明

船名：	
船籍港：	
IMO 编号：	
港口设施名称：	

本《保安声明》的有效期自…………………至…………………，针对下列活动（指具体船港界面活动的内容，例如集装箱装卸作业、旅客上下船舶、散油过驳作业等）：

…………………………………………………………………

所处保安等级：

船舶保安等级：	
港口设施保安等级：	

港口设施和船舶同意以下保安措施和责任，以确保符合《国际船舶和港口设施保安规则》A 部分的要求。

活动	船长、船舶保安员和港口设施保安主管在本栏的签名表示该活动将由其所代表的方面根据保安计划完成	
	港口设施：	船舶：
确保履行所有保安职责		
监控限制区域，确保只有经批准人员才能进入		
对进入港口设施的控制		
对进入船舶的控制		
监控港口设施，包括靠泊区域和船舶周围水域		

续 表

监控船舶,包括靠泊区域和船舶周围水域		
货物装卸		
船舶物料交付		
无人照管行李的装卸		
控制人员及其物品上船		
确保船舶和港口之间的通讯联系随时可用		
……		

本声明的签字人证明,在具体活动中港口设施和船舶的保安措施和安排符合经修订的《1974 年国际海上人命安全公约》第Ⅺ-2 章以及《国际船舶和港口设施保安规则》A 部分的规定,并将按保安计划的规定或双方商定的具体安排执行。

签署日期……………………… 地点…………………………

代表签字	
港口设施:	船舶:

(港口设施保安主管签名) (船长或船舶保安员签名)

签字人姓名和职务	
姓名:	姓名:
职务:	职务:

联系细节 (根据情况填写) (写明电话号码或无线电频道或所用频率)	
港口设施方: 港口设施: 港口设施保安主管:	船舶方: 船长: 船舶保安员: 船公司: 船公司保安员:

附件 2：

港口设施基本保安措施

下表列举了港口设施在不同保安等级下应采用的基本保安措施，这些措施反应了港口设施保安的基本要求，但未包括针对各类港口设施（如集装箱码头、油港或化工码头等）的特殊措施。这些特殊措施应当在各港口设施制订《港口设施保安计划》时确定。

下表保安等级一栏中的“是”系指在该保安等级下必须执行的措施，“任选”是指在该保安等级下可以选择执行的措施。

1. 保证港口设施保安工作的程序

保安措施	保安等级		
	1	2	3
制订保安计划，对保安计划定期评审和更新	是	是	是
具有独立的保安组织	任选	是	是
相关人员明确并能履行其保安职责、任务	是	是	是
每一港口设施配备港口设施保安主管	是	是	是
港口设施保安主管能与船舶、船公司、相关单位联络并协调	是	是	是
有一个高效的保安指挥系统	是	是	是
有特别情况下的人员撤离程序	是	是	是
建立保安事件日报制度	是	是	是
所有保安人员穿着成套的、醒目的、有权威性的制服	是	是	是
保安人员针对周边地区和重要区域进行定期的巡查	任选	是	是
与外部保安力量有良好沟通和协助	任选	是	是
按保安计划规定的时间间隔实施保安演习和训练	是	是	是
及时收集、分析港口设施保安信息	是	是	是
规定保安计划的审批程序	是	是	是
保安计划及其内容保密	是	是	是
具有针对未制订保安计划船舶的保安措施	是	是	是

2. 港口设施进入通道的保安措施

保安措施	保安等级		
	1	2	3
建立进港人员身份识别系统	是	是	是
验证进港人员身份	是	是	是
检查进港人员、行李、物品,防止携带违禁武器、危险品和爆炸物进港	是	是	是
要求所有工作人员持证进入限制区域	任选	是	是
证件的设计与外表能让保安人员迅速、肯定地辨别持有人的身份和限制	是	是	是
确保工作人员离职时证件被收回	是	是	是
在指定区域布置值班人员	任选	是	是
在港区设立符合保安行业标准的栅栏或围墙	是	是	是
港口设施的大门、入口的数量应保持最小数量	任选	任选	是
来访者的活动受到全程陪同	任选	是	是
保留来访者的记录	任选	是	是
具有便利船上人员和其他重要人员来访的程序	是	是	是
协助船舶保安员确认上船人员身份	是	是	是
具有应急交通控制方案	任选	是	是
非工作车辆以外的所有车辆都停放在指定停车区域,司机处于保安人员监控的范围内	任选	是	是
停车场与码头的距离大于 15 米,而且处于围墙、货物装卸区及储存区之外	任选	是	是
涵洞、隧道、桥梁、下水道、公用设施入口、人行电梯等所有开口处都被适当地加以监控	任选	是	是

3. 港口设施内限制区域的保安措施

保安措施	保安等级		
	1	2	3
根据港口设施的性质及作用设置限制区域	是	是	是
密切监控港口内限制区域的出入口	任选	是	是

续 表

保安措施	保安等级		
	1	2	3
所有限制区域的入口处设置岗哨	任选	任选	是
所有限制区域的入口处能进行保安联络	是	是	是
安排人员值班或巡逻	任选	是	是
增加限制区域监视频率和范围,包括: (1)巡逻限制区域; (2)设置岗哨连续守卫限制区域; (3)布置人员连续巡逻限制区域的临近地区; (4)保证逃生、撤退和救援通道畅通。	任选	任选	是
所有限制区域入口都设有障碍物	是	是	是
所有限制区域都有人员识别与监控系统	任选	是	是
非工作人员经批准进入限制区域时,处于持续的陪同之下	是	是	是
港口限制区域内的照明系统使用正常	是	是	是
协调船舶与港口设施提供岸边附加灯光照明	任选	是	是
对限制区内重要设施提供附加保安措施	任选	是	是

4. **货物装卸过程中的保安措施**

保安措施	保安等级		
	1	2	3
查验货物与清单的一致性	是	是	是
对外来运货车辆进行入港检查	是	是	是
司机凭证件或得到门卫许可方可进入港口设施	是	是	是
有货物的移动与储存的记录	是	是	是
有指定进行货物检查的区域	是	是	是
有指定用于留置观察货物的区域	任选	是	是
在货物验收之前,对电子数据交换(EDI)信息和货物与集装箱的交货单进行检查	任选	是	是
用X—光机、扫描仪、金属探测器、爆炸品探测器等仪器检查货物	任选	是	是

续 表

保安措施	保安等级		
	1	2	3
危险货物应有说明以供查验	是	是	是
通过一定方式保留并持续更新所有货物的准确清单、所有设施内的货物、集装箱的位置图	任选	是	是
保安人员了解危险货物的位置，并针对这些货物采取附加的保安措施	是	是	是

5. 船舶物料交付过程中的保安措施

保安措施	保安等级		
	1	2	3
有检查船舶物料的程序	任选	任选	是
检查运送船舶物料的车辆	是	是	是
在港口设施内对物料进行监控	任选	是	是
对船舶物料进行扫描检查	任选	任选	是
对物料交接人进行身份确认	任选	任选	是
设置区域进行船上物料及货物的检查	任选	是	是
设立存储区对部分物料进行留置观察	任选	是	是

6. 无人照管行李的保安措施

保安措施	保安等级		
	1	2	3
无人照管的行李在进入港口设施和在船港之间移动时，能够被确认、辨别、检查	是	是	是
对可疑行李打开检查	任选	是	是
通过功能分区等方法区分已检、未检行李	是	是	是
对可疑行李限制、暂停或拒绝装卸	任选	是	是
设置可疑行李的留置区	任选	是	是
用X—光机、扫描仪、金属探测器、爆炸品探测器等仪器检查无人照管行李	任选	是	是

7. 港口设施保安技术规定

保安措施	保安等级		
	1	2	3
在通道、工作区域、储存区域、岸边设置警示标识和疏散示意图	是	是	是
保安组织间能有效联络并及早报警	是	是	是
警卫的分派、次数以及巡逻路线按间隔进行改变	任选	是	是
保安用车配备有标志、外部或顶部警灯(报)	是	是	是
所有的周边障碍物(栅栏、围墙)和大门都有人值守,并在不用时被锁闭	任选	是	是
如果某一水域形成了障碍物的一部分,能够采取额外的保安措施	是	是	是
照明的检测、修理和更换在合理的时间内完成	是	是	是
照明设备、数量达到标准	是	是	是
所有限制区域的四周都设置有照明	是	是	是
所有车辆和行人入口都有照明	任选	是	是
配备有应急备用电源	是	是	是
保安力量具有自己的通讯系统	任选	是	是
保安通讯中心与各相关单位保持信息沟通	是	是	是
保安通讯中心能满足不同保安等级的要求	是	是	是
通讯系统能够及时向所有保安力量传达指令	是	是	是
配备报警系统	是	是	是
正在工作中的保安人员配备手持通讯终端	任选	是	是
具有对船上报警做出反应的程序	是	是	是
闭路监控系统覆盖限制区域	是	是	是
闭路监控系统覆盖所有港口设施	任选	是	是
对水面(下)进行巡逻和搜索	任选	任选	是
能够对保安威胁事件独立或根据上级指令做出反应,并采取相应的保安措施	是	是	是

附件3:

中华人民共和国

THE PEOPLE'S REPUBLIC OF CHINA

港口设施保安符合证书

STATEMENT OF COMPLIANCE OF A PORT FACILITY

(套印国徽)

证书编号:

Statement Number:

本证书系根据《中华人民共和国港口设施保安规则》及国际海事组织《国际船舶和港口设施保安规则》签发

Issued under the provisions of Port Facility Security Rules of the People's Republic of China and the International Code for the Security of Ships and of Port Facilities of IMO(ISPS CODE)

港口设施名称:……………………………………………………………

Name of the Port Facility:…………………………………………………

港口设施地址:……………………………………………………………

Address of the Port Facility:………………………………………………

经营人:……………………………………………………………………

Name of the Operator ……………………………………………………

兹证明,经核验本港口设施符合经修订的《1974年国际海上人命安全公约》第XI—2章以及《国际船舶和港口设施保安规则》A部分的规定,且该港口设施根据《港口设施保安计划》操作,可以为下列类型的船舶提供服务:

This is to certify that the compliance of this port facility with the provisions of chapter XI—2 of the International Convention for the Safety of Life at Sea,1974 and part A of the ISPS Code has been verified and that this port facility operates in accordance with the Port Facility Security Plan and can provide services to the following type(s) of ships:

____

本《符合证书》有效期至:__________,但期间未通过核验的,即行失效。

This Statement of Compliance is valid until ______________

subject to verifications as indicated overleaf.

签发地点________________________

Issued at ________________

(Place of issue of the statement)

签发日期 经授权的官员签字

Date of issue (Signature of the duly authorized official issuing the document)

(发证机关盖章或钢印)

(Seal or stamp of issuing authority)

核验签注

ENDORSEMENT FOR VERIFICATIONS

中华人民共和国政府确定，此《符合证书》的有效性取决于每年一次的核验。

The Government of The People's Republic of China has established that the validity of the Statement of Compliance is subject to mandatory annual verification.

兹证明，经核验该港口设施符合经修订的《1974 年国际海上人命安全公约》第Ⅺ－2 章以及《国际船舶和港口设施保安规则》A 部分的规定。

This is to certify that, during a verification carried out in accordance with paragraph B/16.62.4 of the ISPS Code, the port facility was found to comply with the relevant provisions of chapter XI—2 of the Convention and Part A of the ISPS Code.

第 1 次核验　签署:＿＿＿＿＿＿经授权的官员签字

1st Verification　Signed　(Signature of authorized official)

地点(Place):＿＿＿＿＿＿

日期(Date):＿＿＿＿＿＿

第 2 次核验　签署:＿＿＿＿＿＿经授权的官员签字

2nd Verification　Signed　(Signature of authorized official)

地点(Place):＿＿＿＿＿＿

日期(Date):＿＿＿＿＿＿

第 3 次核验　签署:＿＿＿＿＿＿经授权的官员签字

3rd Verification　Signed　(Signature of authorized official)

地点(Place):＿＿＿＿＿＿

日期(Date):＿＿＿＿＿＿

第 4 次核验　签署:＿＿＿＿＿＿经授权的官员签字

4th Verification　Signed　(Signature of authorized official)

地点(Place):＿＿＿＿＿＿

日期(Date):＿＿＿＿＿＿

交通运输部关于修改《中华人民共和国水上水下活动通航安全管理规定》的决定

（2016年9月2日交通运输部令2016年第69号公布　自2016年9月2日起施行）

交通运输部决定对《中华人民共和国水上水下活动通航安全管理规定》（交通运输部令2011年第5号）作如下修改：

删除第十五条第一款。

本决定自2016年9月2日起施行。

《中华人民共和国水上水下活动通航安全管理规定》根据本决定作相应修正，重新发布。

中华人民共和国水上水下活动通航安全管理规定

（2011年1月27日交通运输部发布　根据2016年9月2日《交通运输部关于修改〈中华人民共和国水上水下活动通航安全管理规定〉的决定》修正）

第一条　为了维护水上交通秩序，保障船舶航行、停泊和作业安全，保护水域环境，依据《中华人民共和国海上交通安全法》《中华人民共和国内河交通安全管理条例》等法律法规，制定本规定。

第二条　公民、法人或者其他组织在中华人民共和国内河通航水域或者岸线上和国家管辖海域从事下列可能影响通航安全的水上水下活动，适用本规定：

（一）勘探、采掘、爆破；

（二）构筑、设置、维修、拆除水上水下构筑物或者设施；

（三）架设桥梁、索道；

（四）铺设、检修、拆除水上水下电缆或者管道；

（五）设置系船浮筒、浮趸、缆桩等设施；

（六）航道建设，航道、码头前沿水域疏浚；

（七）举行大型群众性活动、体育比赛；

（八）打捞沉船、沉物；

（九）在国家管辖海域内进行调查、测量、过驳、大型设施和移动式平台拖带、捕捞、养殖、科学试验等水上水下施工活动以及在港区、锚地、航道、通航密集区进行的其他有碍航行安全的活动；

（十）在内河通航水域进行的气象观测、测量、地质调查，航道日常养护、大面积清除水面垃圾和可能影响内河通航水域交通安全的其他行为。

第三条 水上水下活动通航安全管理应当遵循安全第一、预防为主、方便群众、依法管理的原则。

第四条 国务院交通运输主管部门主管全国水上水下活动通航安全管理工作。

国家海事管理机构在国务院交通运输主管部门的领导下，负责全国水上水下活动通航安全监督管理工作。

各级海事管理机构依照各自的职责权限，负责本辖区水上水下活动通航安全监督管理工作。

第五条 从事本规定第二条第（一）项至第（九）项的水上水下活动的建设单位、主办单位或者对工程总负责的施工作业者，应当按照《中华人民共和国海事行政许可条件规定》明确的相应条件向活动地的海事管理机构提出申请并报送相应的材料。在取得海事管理机构颁发的《中华人民共和国水上水下活动许可证》（以下简称许可证）后，方可进行相应的水上水下活动。

第六条 水上水下活动水域涉及两个以上海事管理机构的，许可证的申请应当向其共同的上一级海事管理机构或者共同的上一级海事管理机构指定的海事管理机构提出。

第七条 从事水上水下活动需要设置安全作业区的，应当经海事管理机构核准公告。

建设单位或者主办单位申请设置安全作业区，可以在向海事管理机构申请许可证时一并提出。

第八条 遇有紧急情况，需要对航道进行修复或者对航道、码头前沿水域进行疏浚的，作业单位可以边申请边施工。

第九条 许可证应当注明允许从事水上水下活动的单位名称、船名、时间、水域、活动内容、有效期等事项。

第十条 许可证的有效期由海事管理机构根据活动的期限及水域环境的特点确定，最长不得超过3年。许可证有效期届满不能结束施工作业的，申请人应当于许可证有效期届满20日前到海事管理机构办理延期手续，由海事管理机构在原证上签注延期期限后方能继续从事相应活动。

第十一条 许可证上注明的船舶在水上水下活动期间发生变更的，建设单位或者主办单位应当及时到作出许可决定的海事管理机构办理变更手续。在变更手续未办妥前，变更的船舶不得从事相应的水上水下活动。

许可证上注明的实施施工作业的单位、活动内容、水域发生变更的，建设单位或者主办单位应当重新申请许可证。

第十二条 有下列情形之一的，许可证的申请者应当及时向原发证的海事管理机构报告，并办理许可证注销手续：

（一）涉水工程及其设施中止的；

（二）3 个月以上不开工的；

（三）提前完工的；

（四）因许可事项变更而重新办理了新的许可证的；

（五）因不可抗力导致批准的水上水下活动无法实施的；

（六）法律、行政法规规定的应当注销行政许可的其他情形。

第十三条 从事本规定第二条第（十）项列明的活动的，应当在活动前将作业或者活动方案报海事管理机构备案。

第十四条 从事按规定需要发布航行警告、航行通告的水上水下活动，应当在活动开始前办妥相关手续。

第十五条 水上水下活动在建设期间或者活动期间对通航安全、防治船舶污染可能构成重大影响的，建设单位或者主办单位应当在申请海事管理机构水上水下活动许可之前进行通航安全评估。

第十六条 涉水工程建设单位、施工单位、业主单位和经营管理单位应当按照《中华人民共和国安全生产法》的要求，建立健全涉水工程水上交通安全制度和管理体系，严格履行涉水工程建设期和使用期水上交通安全有关职责。

第十七条 涉水工程建设单位应当在工程招投标前对参与施工作业的船舶、浮动设施明确应具备的安全标准和条件，在工程招投标后督促施工单位落实施工过程中各项安全保障措施，将施工作业船舶、浮动设施及人员和为施工作业或者活动服务的所有船舶纳入水上交通安全管理体系，并与其签订安全协议。

第十八条 涉水工程建设单位、业主单位应当加强安全生产管理，落实安全生产主体责任。根据国家有关法律、法规及规章要求，明确本单位和施工单位、经营管理单位安全责任人。督促施工单位落实水上交通安全和防治船舶污染的各项要求，并落实通航安全评估以及活动方案中提出的各项安全和防污染的措施。

第十九条 涉水工程建设单位、业主单位应当确保水上交通安全设施与主体工程同时设计、同时施工、同时投入生产和使用。

第二十条　涉水工程勘察设计单位、施工单位应当具备法律、法规规定的资质。

第二十一条　涉水工程施工单位应当落实国家安全作业和防火、防爆、防污染等有关法律法规，制定施工安全保障方案，完善安全生产条件，采取有效安全防范措施，制定水上应急预案，保障涉水工程的水域通航安全。

第二十二条　涉水工程业主单位、经营管理单位，应当采取有效安全措施，保证涉水工程试运行期、竣工后的水上交通安全。

第二十三条　在水上水下活动进行过程中，施工单位和作业人员应当遵守以下规定：

（一）按照海事管理机构批准的作业内容、核定的水域范围和使用核准的船舶进行作业，不得妨碍其他船舶的正常航行；

（二）及时向海事管理机构通报施工进度及计划，并保持工程水域良好的通航环境；

（三）使船舶、浮动设施保持在适于安全航行、停泊或者从事有关活动的状态；

（四）实施施工作业或者活动的船舶、设施应当按照有关规定在明显处昼夜显示规定的号灯号型。在现场作业船舶或者警戒船上配备有效的通信设备，施工作业或者活动期间指派专人警戒，并在指定的频道上守听；

（五）制定、落实有效的防范措施，禁止随意倾倒废弃物，禁止违章向水体投弃施工建筑垃圾、船舶垃圾、排放船舶污染物、生活污水和其他有害物质；

（六）遵守有关水上交通安全和防治污染的相关规定，不得有超载等违法行为。

第二十四条　水上水下活动经海事管理机构核准公告设置安全作业区的，建设单位或者主办单位应当设置相关的安全警示标志和配备必要的安全设施或者警戒船，切实落实通航安全评估中提出的各项安全防范措施和对策，并做好施工与通航及其他有关水上交通安全的协调工作。

第二十五条　与批准的水上水下活动无关的船舶、设施不得进入安全作业区。

建设单位、主办单位或者施工单位不得擅自改变施工作业安全作业区的范围。需要改变的，应当报经海事管理机构重新核准公告。

第二十六条　对水上水下活动产生的可能影响航行安全的障碍物，建设单位或者主办单位应当将形状、尺寸、位置和深度准确地报告海事管理机构，按照海事管理机构的要求设置标志，并按照通航要求及有关规定的要求及时清除遗留物。

第二十七条　水上水下活动完成后，建设单位或者主办单位不得遗留任何妨碍航行的物体，并应当向海事管理机构提交通航安全报告。

海事管理机构收到通航安全报告后，应当及时予以核查。核查中发现存在有碍航行和作业的安全隐患的，海事管理机构有权暂停或者限制涉水工程投入使用。

第二十八条 海事管理机构应当建立涉水工程施工作业或活动现场监督检查制度，依法检查有关建设单位和施工作业单位所属船舶、设施、人员水上通航安全作业条件和采取的通航保障措施落实情况。有关单位和人员应当予以配合。

第二十九条 有下列情形之一的，海事管理机构应当责令建设单位、施工单位立即停止施工作业，并采取安全防范措施。

(一)因恶劣自然条件严重影响安全的；

(二)施工作业水域内发生水上交通事故，危及周围人命、财产安全的；

(三)其他严重影响施工作业安全或通航安全的情形。

第三十条 有下列情形之一的，海事管理机构应当责令改正，拒不改正的，海事管理机构应当责令其停止作业：

(一)建设单位或者业主单位未履行安全管理主体责任的；

(二)未落实通航安全评估提出的安全防范措施的；

(三)未经批准擅自更换或者增加施工作业船舶的；

(四)未按规定采取安全和防污染措施进行水上水下活动的；

(五)雇佣不符合安全标准的船舶和设施进行水上水下活动的；

(六)其他不满足安全生产的情形。

第三十一条 海事管理机构应当建立涉水工程施工单位水上交通安全诚信制度和奖惩机制。在监督检查过程中对发生的下列情形予以通告：

(一)施工过程中发生水上交通事故和船舶污染事故，造成人员伤亡和重大水域污染的；

(二)以不正当手段取得许可证并违法施工的；

(三)不服从管理、未按规定落实水上交通安全保障措施或者存在重大通航安全隐患，拒不改正而强行施工的。

第三十二条 违反本规定，隐瞒有关情况或者提供虚假材料，以欺骗或其他不正当手段取得许可证的，由海事管理机构撤销其水上水下施工作业许可，注销其许可证，并处5000元以上3万元以下的罚款。

第三十三条 有下列行为或者情形之一的，海事管理机构应当责令施工作业单位、施工作业的船舶和设施立即停止施工作业，责令限期改正，并处5000元以上3万元以下的罚款。属于内河通航水域水上水下活动的，处5000元以上5万元以下的罚款：

（一）应申请许可证而未取得，擅自进行水上水下活动的；

（二）许可证失效后仍进行水上水下活动的；

（三）使用涂改或者非法受让的许可证进行水上水下活动的；

（四）未按本规定报备水上水下活动的。

第三十四条 有下列行为或者情形之一的，海事管理机构应当责令改正，并可以处以2000元以下的罚款；拒不改正的，海事管理机构应当责令施工作业单位、施工作业的船舶和设施停止作业。

（一）未按有关规定申请发布航行警告、航行通告即行实施水上水下活动的；

（二）水上水下活动与航行警告、航行通告中公告的内容不符的。

第三十五条 未按本规定取得许可证，擅自构筑、设置水上水下建筑物或设施的，禁止任何船舶进行靠泊作业。影响通航环境的，应当责令构筑、设置者限期搬迁或拆除，搬迁或拆除的有关费用由构筑、设置者自行承担。

第三十六条 违反本规定，未妥善处理有碍航行和作业安全隐患并按照海事管理机构的要求采取清除、设置标志、显示信号等措施的，由海事管理机构责令改正，并处5000元以上3万元以下的罚款。

第三十七条 海事管理机构工作人员不按法定的条件进行海事行政许可或者不依法履行职责进行监督检查，有滥用职权、徇私舞弊、玩忽职守等行为的，由其所在机构或上级机构依法给予行政处分；构成犯罪的，由司法机关依法追究刑事责任。

第三十八条 在军港、渔港内从事相关水上水下活动，按照国家有关规定执行。

第三十九条 本规定自2011年3月1日起施行。1999年10月8日原交通部发布的《中华人民共和国水上水下施工作业通航安全管理规定》（交通部令1999年第4号）同时废止。

交通运输部关于修改《道路运输服务质量投诉管理规定》的决定

（2016年9月2日交通运输部令2016年第70号公布　自2016年9月20日起施行）

交通运输部决定对《道路运输服务质量投诉管理规定》（交公路发〔1999〕535号）作如下修改：

一、将第十七条第(二)项修改为:“(二)《道路旅客运输及客运站管理规定》《道路货物运输及站场管理规定》《道路运输车辆技术管理规定》等道路运输管理规章”。

二、删除第二十一条中“处罚程序按照《交通行政处罚程序规定》(中华人民共和国交通部令 1996 年第 7 号)办理”。

三、删除第二十二条、第二十五条。

条文序号作相应调整。

本决定自 2016 年 9 月 2 日起施行。

《道路运输服务质量投诉管理规定》根据本决定作相应修正,重新发布。

道路运输服务质量投诉管理规定

(1999 年 10 月 11 日交通部发布　根据 2016 年 9 月 2 日《交通运输部关于修改〈道路运输服务质量投诉管理规定〉的决定》修正)

第一章　总　　则

第一条　为了保护道路运输服务对象的合法权益,及时、公正处理服务质量投诉,加强对道路运输服务质量的监督和管理,维护道路运输市场的正常秩序,依据《中华人民共和国消费者权益保护法》及其他有关法律、法规制定本规定。

第二条　县级以上(含县级,下同)人民政府交通行政主管部门负责本辖区道路运输服务质量投诉管理工作,其所属的道路运政管理机构(以下简称运政机构)是道路运输服务质量投诉(以下简称服务质量投诉)的受理机构,负责本规定的具体实施。

第三条　各级运政机构受理服务质量投诉应遵循合法、公正、高效、便民的原则。

第二章　投诉受理机构

第四条　县级以上运政机构应当向社会公布投诉地址及投诉电话,及时受理本辖区的服务质量投诉案件。

第五条　运政机构受理服务质量投诉的主要职责是:

(一)贯彻执行国家有关服务质量投诉处理的法律、法规和规章制度;

（二）及时调查处理（或批转下一级运政机构调查处理）被投诉对象注册地为本辖区的服务质量投诉案件；报请上一级运政机构将本单位收到的被投诉对象注册地为非本辖区的投诉案件批转其辖区运政机构办理；

（三）协助上一级运政机构调查处理涉及本辖区的服务质量投诉案件；

（四）受理上一级运政机构转来的投诉案件，并报告投诉的调查处理情况和结果；

（五）建立健全本辖区服务质量投诉受理工作通报表彰、统计分析和投诉档案管理以及信息反馈等制度；

（六）督促、检查本辖区道路运输经营者制定和实施服务质量纠纷处理制度。

第三章　投诉受理条件和范围

第六条　投诉受理条件：

（一）投诉人必须是权益受到损害的道路运输服务对象或他们的代理人；

（二）有明确的投诉对象、具体事实及有关证明材料或证明人。

第七条　投诉受理范围：

（一）道路运输经营者未履行合同或协议而又拒不承担违约责任的；

（二）道路运输经营者未执行国家有关价格政策或未提供与其价格相符的服务的；

（三）道路运输经营者故意或过失造成投诉人人身伤害，货物灭失、短少、变质、污染、损坏、误期等而又拒绝赔偿损失的；

（四）道路运输经营者有欺诈行为的；

（五）道路运输经营者在经营活动中违反有关法律、法规或规章导致道路运输服务对象权益受到损害的；

（六）道路运输经营者未按规定提供与其经营内容相适应的服务设施、服务项目或服务质量标准的；

（七）道路运输经营者其他侵犯投诉人权益、损害投诉人利益的行为。

第八条　下列投诉不属于本受理范围：

（一）法院、仲裁机构或者有关行政机关已经受理的案件；

（二）由于不可抗力造成道路运输服务对象权益受到损害的投诉；

（三）治安和刑事案件投诉；

（四）交通事故投诉；

（五）国家法律、法规已经明确规定由其他机构受理的投诉。

第四章　投诉人与被投诉人

第九条　投诉可采用书面投诉、电话投诉或当面投诉三种形式。投诉人应在书面投诉材料上阐明或在电话投诉、当面投诉时说明下列事项：

（一）投诉人的名称或姓名及联系方式；

（二）被投诉人的名称或车辆牌照号码；

（三）投诉案件发生的时间、地点、经过及有关证明材料或证明人；

（四）投诉请求（包括停止侵害、惩治违法、违章经营，赔礼道歉，赔偿损失等）。

第十条　投诉人有权了解投诉的处理情况；有权与被投诉人自行和解；有权放弃或变更投诉请求。

第十一条　被投诉人有就被投诉案件进行陈述和申辩的权利。

第十二条　被投诉人不得妨碍运政机构对投诉案件进行的调查、核实工作，不得销毁、灭失有关证据。

第五章　投诉受理程序

第十三条　运政机构接到投诉时，应当根据第七条、第八条的规定，确定是否受理，不予受理的，要说明理由。电话投诉和当面投诉的要做好投诉记录（《道路运输服务质量投诉记录》式样见附件 1），也可通知其递交书面投诉材料。

第十四条　运政机构受理投诉后，应当在 5 日内通知被投诉人。被投诉人应当在接到投诉通知之日起 10 日内作出书面答复意见。书面答复应当载明以下事项：

（一）对投诉内容及投诉请求表明态度；

（二）陈述事实，申辩举证；

（三）提出解决意见。

第十五条　运政机构应依法对投诉案件进行核实。经调查核实后，依据有关法律、法规或规章，分清责任，在投诉受理之日起 30 日内，做出相应的投诉处理决定，并通知双方当事人。

第六章　投 诉 处 理

第十六条　根据投诉事实的性质,对投诉案件的处理决定可采取调解或行政处罚两种处理方式。

第十七条　投诉案件的责任认定主要依据是投诉事实和有关法律、法规及规章:

(一)《中华人民共和国合同法》及其他有关道路运输或合同的法律、法规;

(二)《道路旅客运输及客运站管理规定》《道路货物运输及站场管理规定》《道路运输车辆技术管理规定》等道路运输管理规章。

第十八条　根据责任认定结果,可做出以下调解意见,并应说明理由:

(一)被投诉人过错的,由被投诉人向投诉人赔礼道歉或赔偿损失;

(二)投诉人与被投诉人共同过错的,由双方分别承担相应责任;

(三)投诉人自身过错的,责任自负。

第十九条　运政机构对投诉案件进行调解,应制作《道路运输服务质量投诉调解书》(式样见附件2),一式3份。由投诉人、被投诉人双方(或其代表)签字,并经运政管理机构盖章确认后,分别交投诉人和被投诉人各1份,运政机构存档1份。

第二十条　有关汽车维修质量纠纷的调解依照《汽车维修质量纠纷调解办法》(交公路发〔1998〕349号)办理。

第二十一条　由于道路运输经营者经营活动违反有关法律、法规及规章导致道路运输服务对象权益受到侵害的投诉案件,运政机构应责令其停止侵害,并依照有关道路运输的法律、法规及规章给予行政处罚。

第二十二条　运政机构工作人员在处理投诉案件过程中玩忽职守、推诿拖拉、徇私枉法的,应给予行政处分,构成犯罪的追究法律责任。

第七章　附　　则

第二十三条　道路运输经营者被投诉的责任频率、对投诉案件调解工作是否配合等情况,是考核企业服务质量、评定企业资质等级等方面的主要依据之一,应作为年度审验的重要内容,并在涉及审批事项等方面作为先决条件。

第二十四条　本规定自2000年1月1日起实施。

附件 1

道路运输服务质量投诉记录

（式样）

日期：　　编号：#运诉记[＊＊＊＊]第%%号

投诉人		记录人	
被投诉人名称或车辆牌照号码			
案件发生时间		发生地点	
投诉案件梗概 （填写不下，可另附纸）			
证明材料或证明人			
投诉请求			
联系人		联系电话	

注：#—代表受理机构所在行政区划简称；＊＊＊＊—代表年份；%%—代表当年受理投诉案件的序号。

附件 2

道路运输服务质量投诉调解书

（式样）

日期：　　编号：#运诉调[＊ ＊ ＊ ＊]第％％号

<table>
<tr><td>投诉人名称
或姓名（甲方）</td><td colspan="3"></td></tr>
<tr><td>被投诉人名称
或姓名（乙方）</td><td colspan="3"></td></tr>
<tr><td>投诉受理机构名称</td><td colspan="3"></td></tr>
<tr><td colspan="4">投诉案件梗概
（填写不下，可另附纸）</td></tr>
<tr><td colspan="4">证明材料或证明人</td></tr>
<tr><td colspan="4">调解意见

投诉受理机构：（盖章）　经办人：（签字）</td></tr>
<tr><td>甲方意见</td><td></td><td>甲方或其代表签字</td><td></td></tr>
<tr><td>乙方意见</td><td></td><td>乙方或其代表签字</td><td></td></tr>
</table>

注：#—代表受理机构所在行政区划简称；＊ ＊ ＊ ＊—代表年份；％％—代表当年调解投诉案件的序号。

交通运输部关于修改《放射性物品道路运输管理规定》的决定

(2016 年 9 月 2 日交通运输部令 2016 年第 71 号公布　自 2016 年 9 月 2 日起施行)

交通运输部决定对《放射性物品道路运输管理规定》(交通运输部令 2010 年第 6 号)作如下修改:

一、将第七条第(一)项修改为:"(一)有符合要求的专用车辆和设备。

1. 专用车辆要求。

(1)专用车辆的技术要求应当符合《道路运输车辆技术管理规定》有关规定;

(2)车辆为企业自有,且数量为 5 辆以上;

(3)核定载质量在 1 吨及以下的车辆为厢式或者封闭货车;

(4)车辆配备满足在线监控要求,且具有行驶记录仪功能的卫星定位系统。

2. 设备要求。

(1)配备有效的通讯工具;

(2)配备必要的辐射防护用品和依法经定期检定合格的监测仪器。"

二、将第十条第(三)项第 2 目中的"车辆技术等级证书或者车辆技术检测合格证"修改为"车辆技术等级评定结论"。

三、将第十六条中的"《道路货物运输及场站管理规定》"修改为"《道路运输车辆技术管理规定》"。

四、删除第三十九条。

条文序号作相应调整。

本决定自 2016 年 9 月 2 日起施行。

《放射性物品道路运输管理规定》根据本决定作相应修正,重新发布。

放射性物品道路运输管理规定

（2010年10月27日交通运输部发布　根据2016年9月2日《交通运输部关于修改〈放射性物品道路运输管理规定〉的决定》修正）

第一章　总　　则

第一条　为了规范放射性物品道路运输活动，保障人民生命财产安全，保护环境，根据《道路运输条例》和《放射性物品运输安全管理条例》，制定本规定。

第二条　从事放射性物品道路运输活动的，应当遵守本规定。

第三条　本规定所称放射性物品，是指含有放射性核素，并且其活度和比活度均高于国家规定的豁免值的物品。

本规定所称放射性物品道路运输专用车辆（以下简称专用车辆），是指满足特定技术条件和要求，用于放射性物品道路运输的载货汽车。

本规定所称放射性物品道路运输，是指使用专用车辆通过道路运输放射性物品的作业过程。

第四条　根据放射性物品的特性及其对人体健康和环境的潜在危害程度，将放射性物品分为一类、二类和三类。

一类放射性物品，是指Ⅰ类放射源、高水平放射性废物、乏燃料等释放到环境后对人体健康和环境产生重大辐射影响的放射性物品。

二类放射性物品，是指Ⅱ类和Ⅲ类放射源、中等水平放射性废物等释放到环境后对人体健康和环境产生一般辐射影响的放射性物品。

三类放射性物品，是指Ⅳ类和Ⅴ类放射源、低水平放射性废物、放射性药品等释放到环境后对人体健康和环境产生较小辐射影响的放射性物品。

放射性物品的具体分类和名录，按照国务院核安全监管部门会同国务院公安、卫生、海关、交通运输、铁路、民航、核工业行业主管部门制定的放射性物品具体分类和名录执行。

第五条　从事放射性物品道路运输应当保障安全，依法运输，诚实信用。

第六条　国务院交通运输主管部门主管全国放射性物品道路运输管理工作。

县级以上地方人民政府交通运输主管部门负责组织领导本行政区域放射性物品道路运输管理工作。

县级以上道路运输管理机构负责具体实施本行政区域放射性物品道路运输管理工作。

第二章 运输资质许可

第七条 申请从事放射性物品道路运输经营的,应当具备下列条件:

(一)有符合要求的专用车辆和设备。

1. 专用车辆要求。

(1)专用车辆的技术要求应当符合《道路运输车辆技术管理规定》有关规定;

(2)车辆为企业自有,且数量为5辆以上;

(3)核定载质量在1吨及以下的车辆为厢式或者封闭货车;

(4)车辆配备满足在线监控要求,且具有行驶记录仪功能的卫星定位系统。

2. 设备要求。

(1)配备有效的通讯工具;

(2)配备必要的辐射防护用品和依法经定期检定合格的监测仪器。

(二)有符合要求的从业人员。

1. 专用车辆的驾驶人员取得相应机动车驾驶证,年龄不超过60周岁;

2. 从事放射性物品道路运输的驾驶人员、装卸管理人员、押运人员经所在地设区的市级人民政府交通运输主管部门考试合格,取得注明从业资格类别为"放射性物品道路运输"的道路运输从业资格证(以下简称道路运输从业资格证);

3. 有具备辐射防护与相关安全知识的安全管理人员。

(三)有健全的安全生产管理制度。

1. 有关安全生产应急预案;

2. 从业人员、车辆、设备及停车场地安全管理制度;

3. 安全生产作业规程和辐射防护管理措施;

4. 安全生产监督检查和责任制度。

第八条 生产、销售、使用或者处置放射性物品的单位(含在放射性废物收贮过程中的从事放射性物品运输的省、自治区、直辖市城市放射性废物库营运单位),符合下列条件的,可以使用自备专用车辆从事为本单位服务的非经营性放射性物品道路运输活动:

(一)持有有关部门依法批准的生产、销售、使用、处置放射性物品的有效证明;

（二）有符合国家规定要求的放射性物品运输容器；

（三）有具备辐射防护与安全防护知识的专业技术人员；

（四）具备满足第七条规定条件的驾驶人员、专用车辆、设备和安全生产管理制度，但专用车辆的数量可以少于5辆。

第九条 国家鼓励技术力量雄厚、设备和运输条件好的生产、销售、使用或者处置放射性物品的单位按照第八条规定的条件申请从事非经营性放射性物品道路运输。

第十条 申请从事放射性物品道路运输经营的企业，应当向所在地设区的市级道路运输管理机构提出申请，并提交下列材料：

（一）《放射性物品道路运输经营申请表》，包括申请人基本信息、拟申请运输的放射性物品范围（类别或者品名）等内容；

（二）企业负责人身份证明及复印件，经办人身份证明及复印件和委托书；

（三）证明专用车辆、设备情况的材料，包括：

1. 未购置车辆的，应当提交拟投入车辆承诺书。内容包括拟购车辆数量、类型、技术等级、总质量、核定载质量、车轴数以及车辆外廓尺寸等有关情况；

2. 已购置车辆的，应当提供车辆行驶证、车辆技术等级评定结论及复印件等有关材料；

3. 对辐射防护用品、监测仪器等设备配置情况的说明材料。

（四）有关驾驶人员、装卸管理人员、押运人员的道路运输从业资格证及复印件，驾驶人员的驾驶证及复印件，安全管理人员的工作证明；

（五）企业经营方案及相关安全生产管理制度文本。

第十一条 申请从事非经营性放射性物品道路运输的单位，向所在地设区的市级道路运输管理机构提出申请时，除提交第十条第（三）项、第（五）项规定的材料外，还应当提交下列材料：

（一）《放射性物品道路运输申请表》，包括申请人基本信息、拟申请运输的放射性物品范围（类别或者品名）等内容；

（二）单位负责人身份证明及复印件，经办人身份证明及复印件和委托书；

（三）有关部门依法批准生产、销售、使用或者处置放射性物品的有效证明；

（四）放射性物品运输容器、监测仪器检测合格证明；

（五）对放射性物品运输需求的说明材料；

（六）有关驾驶人员的驾驶证、道路运输从业资格证及复印件；

（七）有关专业技术人员的工作证明，依法应当取得相关从业资格证件的，还应当提交有效的从业资格证件及复印件。

第十二条 设区的市级道路运输管理机构应当按照《道路运输条例》和

《交通运输行政许可实施程序规定》以及本规定规范的程序实施行政许可。

决定准予许可的,应当向被许可人作出准予行政许可的书面决定,并在10日内向放射性物品道路运输经营申请人发放《道路运输经营许可证》,向非经营性放射性物品道路运输申请人颁发《放射性物品道路运输许可证》。决定不予许可的,应当书面通知申请人并说明理由。

第十三条 对申请时未购置专用车辆,但提交拟投入车辆承诺书的,被许可人应当自收到《道路运输经营许可证》或者《放射性物品道路运输许可证》之日起半年内落实拟投入车辆承诺书。做出许可决定的道路运输管理机构对被许可人落实拟投入车辆承诺书的落实情况进行核实,符合许可要求的,应当为专用车辆配发《道路运输证》。

对申请时已购置专用车辆,且按照第十条、第十一条规定提交了专用车辆有关材料的,做出许可决定的道路运输管理机构应当对专用车辆情况进行核实,符合许可要求的,应当在向被许可人颁发《道路运输经营许可证》或者《放射性物品道路运输许可证》的同时,为专用车辆配发《道路运输证》。

做出许可决定的道路运输管理机构应当在《道路运输证》有关栏目内注明允许运输放射性物品的范围(类别或者品名)。对从事非经营性放射性物品道路运输的,还应当在《道路运输证》上加盖"非经营性放射性物品道路运输专用章"。

第十四条 放射性物品道路运输企业或者单位终止放射性物品运输业务的,应当在终止之日30日前书面告知做出原许可决定的道路运输管理机构。属于经营性放射性物品道路运输业务的,做出原许可决定的道路运输管理机构应当在接到书面告知之日起10日内将放射性道路运输企业终止放射性物品运输业务的有关情况向社会公布。

放射性物品道路运输企业或者单位应当在终止放射性物品运输业务之日起10日内将相关许可证件缴回原发证机关。

第三章 专用车辆、设备管理

第十五条 放射性物品道路运输企业或者单位应当按照有关车辆及设备管理的标准和规定,维护、检测、使用和管理专用车辆和设备,确保专用车辆和设备技术状况良好。

第十六条 设区的市级道路运输管理机构应当按照《道路运输车辆技术管理规定》的规定定期对专用车辆是否符合第七条、第八条规定的许可条件进行审验,每年审验一次。

第十七条 设区的市级道路运输管理机构应当对监测仪器定期检定合格

证明和专用车辆投保危险货物承运人责任险情况进行检查。检查可以结合专用车辆定期审验的频率一并进行。

第十八条 禁止使用报废的、擅自改装的、检测不合格的或者其他不符合国家规定要求的车辆、设备从事放射性物品道路运输活动。

第十九条 禁止专用车辆用于非放射性物品运输,但集装箱运输车(包括牵引车、挂车)、甩挂运输的牵引车以及运输放射性药品的专用车辆除外。

按照本条第一款规定使用专用车辆运输非放射性物品的,不得将放射性物品与非放射性物品混装。

第四章 放射性物品运输

第二十条 道路运输放射性物品的托运人(以下简称托运人)应当制定核与辐射事故应急方案,在放射性物品运输中采取有效的辐射防护和安全保卫措施,并对放射性物品运输中的核与辐射安全负责。

第二十一条 道路运输放射性物品的承运人(以下简称承运人)应当取得相应的放射性物品道路运输资质,并对承运事项是否符合本企业或者单位放射性物品运输资质许可的运输范围负责。

第二十二条 非经营性放射性物品道路运输单位应当按照《放射性物品运输安全管理条例》《道路运输条例》和本规定的要求履行托运人和承运人的义务,并负相应责任。

非经营性放射性物品道路运输单位不得从事放射性物品道路运输经营活动。

第二十三条 承运人与托运人订立放射性物品道路运输合同前,应当查验、收存托运人提交的下列材料:

(一)运输说明书,包括放射性物品的品名、数量、物理化学形态、危害风险等内容;

(二)辐射监测报告,其中一类放射性物品的辐射监测报告由托运人委托有资质的辐射监测机构出具;二、三类放射性物品的辐射监测报告由托运人出具;

(三)核与辐射事故应急响应指南;

(四)装卸作业方法指南;

(五)安全防护指南。

托运人将本条第一款第(四)项、第(五)项要求的内容在运输说明书中一并作出说明的,可以不提交第(四)项、第(五)项要求的材料。

托运人提交材料不齐全的,或者托运的物品经监测不符合国家放射性物品运输安全标准的,承运人不得与托运人订立放射性物品道路运输合同。

第二十四条　一类放射性物品启运前，承运人应当向托运人查验国务院核安全主管部门关于核与辐射安全分析报告书的审批文件以及公安部门关于准予道路运输放射性物品的审批文件。

二、三类放射性物品启运前，承运人应当向托运人查验公安部门关于准予道路运输放射性物品的审批文件。

第二十五条　托运人应当按照《放射性物质安全运输规程》(GB11806)等有关国家标准和规定，在放射性物品运输容器上设置警示标志。

第二十六条　专用车辆运输放射性物品过程中，应当悬挂符合国家标准《道路危险货物运输车辆标志》(GB13392)要求的警示标志。

第二十七条　专用车辆不得违反国家有关规定超载、超限运输放射性物品。

第二十八条　在放射性物品道路运输过程中，除驾驶人员外，还应当在专用车辆上配备押运人员，确保放射性物品处于押运人员监管之下。运输一类放射性物品的，承运人必要时可以要求托运人随车提供技术指导。

第二十九条　驾驶人员、装卸管理人员和押运人员上岗时应当随身携带道路运输从业资格证，专用车辆驾驶人员还应当随车携带《道路运输证》。

第三十条　驾驶人员、装卸管理人员和押运人员应当按照托运人所提供的资料了解所运输的放射性物品的性质、危害特性、包装物或者容器的使用要求、装卸要求以及发生突发事件时的处置措施。

第三十一条　放射性物品运输中发生核与辐射事故的，承运人、托运人应当按照核与辐射事故应急响应指南的要求，结合本企业安全生产应急预案的有关内容，做好事故应急工作，并立即报告事故发生地的县级以上人民政府环境保护主管部门。

第三十二条　放射性物品道路运输企业或者单位应当聘用具有相应道路运输从业资格证的驾驶人员、装卸管理人员和押运人员，并定期对驾驶人员、装卸管理人员和押运人员进行运输安全生产和基本应急知识等方面的培训，确保驾驶人员、装卸管理人员和押运人员熟悉有关安全生产法规、标准以及相关操作规程等业务知识和技能。

放射性物品道路运输企业或者单位应当对驾驶人员、装卸管理人员和押运人员进行运输安全生产和基本应急知识等方面的考核；考核不合格的，不得从事相关工作。

第三十三条　放射性物品道路运输企业或者单位应当按照国家职业病防治的有关规定，对驾驶人员、装卸管理人员和押运人员进行个人剂量监测，建立个人剂量档案和职业健康监护档案。

第三十四条　放射性物品道路运输企业或者单位应当投保危险货物承运人责任险。

第三十五条 放射性物品道路运输企业或者单位不得转让、出租、出借放射性物品道路运输许可证件。

第三十六条 县级以上道路运输管理机构应当督促放射性物品道路运输企业或者单位对专用车辆、设备及安全生产制度等安全条件建立相应的自检制度,并加强监督检查。

县级以上道路运输管理机构工作人员依法对放射性物品道路运输活动进行监督检查的,应当按照劳动保护规定配备必要的安全防护设备。

第五章 法律责任

第三十七条 拒绝、阻碍道路运输管理机构依法履行放射性物品运输安全监督检查,或者在接受监督检查时弄虚作假的,由县级以上道路运输管理机构责令改正,处1万元以上2万元以下的罚款;构成违反治安管理行为的,交由公安机关依法给予治安管理处罚;构成犯罪的,依法追究刑事责任。

第三十八条 违反本规定,未取得有关放射性物品道路运输资质许可,有下列情形之一的,由县级以上道路运输管理机构责令停止运输,有违法所得的,没收违法所得,处违法所得2倍以上10倍以下的罚款;没有违法所得或者违法所得不足2万元的,处3万元以上10万元以下的罚款。构成犯罪的,依法追究刑事责任:

(一)无资质许可擅自从事放射性物品道路运输的;

(二)使用失效、伪造、变造、被注销等无效放射性物品道路运输许可证件从事放射性物品道路运输的;

(三)超越资质许可事项,从事放射性物品道路运输的;

(四)非经营性放射性物品道路运输单位从事放射性物品道路运输经营的。

第三十九条 违反本规定,放射性物品道路运输企业或者单位擅自改装已取得《道路运输证》的专用车辆的,由县级以上道路运输管理机构责令改正,处5000元以上2万元以下的罚款。

第四十条 违反本规定,未随车携带《道路运输证》的,由县级以上道路运输管理机构责令改正,对放射性物品道路运输企业或者单位处警告或者20元以上200元以下的罚款。

第四十一条 放射性物品道路运输活动中,由不符合本规定第七条、第八条规定条件的人员驾驶专用车辆的,由县级以上道路运输管理机构责令改正,处200元以上2000元以下的罚款;构成犯罪的,依法追究刑事责任。

第四十二条 违反本规定,放射性物品道路运输企业或者单位有下列行为之一,由县级以上道路运输管理机构责令限期投保;拒不投保的,由原许可的设区的市级道路运输管理机构吊销《道路运输经营许可证》或者《放射性物品道路运输许可证》,或者在许可证件上注销相应的许可范围:

(一)未投保危险货物承运人责任险的;

(二)投保的危险货物承运人责任险已过期,未继续投保的。

第四十三条 违反本规定,放射性物品道路运输企业或者单位非法转让、出租放射性物品道路运输许可证件的,由县级以上道路运输管理机构责令停止违法行为,收缴有关证件,处2000元以上1万元以下的罚款;有违法所得的,没收违法所得。

第四十四条 违反本规定,放射性物品道路运输企业或者单位已不具备许可要求的有关安全条件,存在重大运输安全隐患的,由县级以上道路运输管理机构责令限期改正;在规定时间内不能按要求改正且情节严重的,由原许可机关吊销《道路运输经营许可证》或者《放射性物品道路运输许可证》,或者在许可证件上注销相应的许可范围。

第四十五条 县级以上道路运输管理机构工作人员在实施道路运输监督检查过程中,发现放射性物品道路运输企业或者单位有违规情形,且按照《放射性物品运输安全管理条例》等有关法律法规的规定,应当由公安部门、核安全监管部门或者环境保护等部门处罚情形的,应当通报有关部门依法处理。

第六章 附 则

第四十六条 军用放射性物品道路运输不适用于本规定。

第四十七条 本规定自2011年1月1日起施行。

交通运输部关于修改《长江三峡水利枢纽水上交通管制区域通航安全管理办法》的决定

(2016年9月2日交通运输部令2016年第72号公布 自2016年9月2日起施行)

交通运输部决定对《长江三峡水利枢纽水上交通管制区域通航安全管理办法》(交通部令2003年第6号)作如下修改:

一、将第一条修改为:"为保障长江三峡水利枢纽通航安全,防治船舶污染,依据《中华人民共和国内河交通安全管理条例》《长江三峡水利枢纽安全保卫条例》,制定本办法。"

二、将第四条第二款中的"交通管制区域内划分禁航区和交通管制区"修改为"交通管制区域内划分交通管制区、通航区和禁航区"。

三、将第五条第一款修改为:"除公务执法船舶以及持有三峡枢纽运行管理单位签发的作业任务书和三峡通航管理机构签发的施工作业许可证的船舶外,任何船舶和人员不得进入禁航区。"将第二款中的"需进入禁航区的三峡工程施工及维护船舶"修改为"需进入禁航区的持有作业任务书和施工作业许可证的船舶"。

四、删除第三十九条。

五、将条文中所有"交通部"统一改为"交通运输部"。

条文序号作相应调整。

本决定自2016年9月2日起施行。

《长江三峡水利枢纽水上交通管制区域通航安全管理办法》根据本决定作相应修正,重新发布。

长江三峡水利枢纽水上交通管制区域通航安全管理办法

(2003年5月16日交通部发布　根据2016年9月2日《交通运输部关于修改〈长江三峡水利枢纽水上交通管制区域通航安全管理办法〉的决定》修正)

第一章　总　　则

第一条　为保障长江三峡水利枢纽通航安全,防治船舶污染,依据《中华人民共和国内河交通安全管理条例》《长江三峡水利枢纽安全保卫条例》,制定本办法。

第二条　在长江三峡水利枢纽水上交通管制区域从事航行、停泊、作业以及与该区域水上交通安全有关的活动,适用本办法。

第三条　交通运输部三峡海事管理机构(以下简称三峡海事管理机构)统一负责长江三峡水利枢纽水上交通管制区域的水上交通安全监督管理。

第四条　本办法所称长江三峡水利枢纽水上交通管制区域(以下简称交通管制区域)是指长江乐天溪至曲溪(长江上游航道里程37.0公里至57.5公里)

水域。

交通管制区域内划分交通管制区、通航区和禁航区。

（一）禁航区分上游禁航区和下游禁航区。

（二）交通管制区分上游交通管制区和下游交通管制区。

第二章 船舶航行、停泊与作业

第五条 除公务执法船舶以及持有三峡枢纽运行管理单位签发的作业任务书和三峡通航管理机构签发的施工作业许可证的船舶外，任何船舶和人员不得进入禁航区。

需进入禁航区的持有作业任务书和施工作业许可证的船舶应当提前7天将施工船名、作业计划、安全措施、作业时间等情况书面报三峡海事管理机构。

需进入禁航区的抢险及清污船舶和公务船舶应当及时将船名、进入禁航区的目的、安全措施、进入和离开禁航区时间等情况报海事管理机构。

第六条 船舶进入交通管制区时应当向三峡海事管理机构报告船名、船舶种类、船舶尺度、载货性质、进入交通管制区的时间和目的等情况。船舶进入交通管制区后应当听从三峡海事管理机构的指挥。

第七条 船舶在交通管制区内应当采用安全航速航行，并由船长、轮机长指挥或者值班。

第八条 禁止船舶在交通管制区域内试航、测速、校正罗经差等行为。

第九条 禁止处于不适航状态的船舶进入交通管制区。

禁止超过船闸闸室有效尺度的船舶过坝。

吃水受限制的船舶或者操纵能力受限制的船舶应当提前72小时通知海事管理机构，在充分论证、采取了足够有效的安全措施后，经三峡海事管理机构同意，方可安排进入交通管制区。

第十条 船舶进出船闸和升船机及其引航道应当符合下列要求：

（一）进入船闸前应当检查船况，避免突发性故障影响船闸运行；

（二）应当各自靠本船右舷一侧航道行驶；

（三）禁止船舶在引航道内追越和并列行驶；

（四）船舶在引航道内对驶相遇时，上行船舶应当主动避让下行船舶；

（五）船舶进出闸室的航速不得超过1.0米/秒；船舶进升船机承船厢航速不得超过0.7米/秒，出升船机承船厢航速不得超过0.5米/秒；

（六）严禁将浮式系缆桩等闸内专用设施用于船舶牵引、制动等其他用途；

（七）禁止过闸船舶的船员、乘客翻越上岸。

第十一条 交通管制区内的渡船应当符合下列要求：

(一)按县级人民政府核定的路线渡运;

(二)在渡口附近穿越交通管制区,并避免与顺航道航行的船舶流向成相反方向航行;

(三)注意避让交通管制区内直航的船舶,不得抢航或者强行横越。

第十二条 禁止船舶在锚地以外的水域锚泊或者抵坡停泊。

锚泊驳船的所有人、经营人应当按规定落实护航拖轮,并定期检查驳船的锚泊情况。

第十三条 船舶并靠码头的总宽度不得超过50米。

船舶靠泊时不得超过码头设计负荷能力。

第十四条 禁止在航行、锚泊的船舶间相互过客、转载。

第十五条 未经许可,在禁航区内,禁止构筑、设置除三峡水利枢纽及其附属设施以外的任何水上水下设施。

第十六条 在交通管制区内,涉及水上交通安全的水上水下施工作业应当按《中华人民共和国内河交通安全管理条例》和《水上水下施工作业通航安全管理规定》实施。

第十七条 救助遇险船舶或者紧急清除水面污染、水下污染源作业,应当及时向三峡海事管理机构报告,并采取相应的安全措施,保障船舶通航安全。

第十八条 因枢纽运行需要禁航时,枢纽运行单位应当提前48小时通知三峡海事管理机构,由三峡海事管理机构提前36小时发布航行通告或者航行警告。禁航时间超过4小时少于16小时的,由三峡海事管理机构报长江海事管理机构备案,禁航时间超过16小时的,由三峡海事管理机构报交通运输部备案。

第十九条 在交通管制区内发生下列情况需要禁航的,由三峡海事管理机构、长江海事管理机构、交通运输部按权限审核作出决定,由三峡海事管理机构发布航行通告或者航行警告:

(一)因施工作业需禁航不超过4小时的,由三峡海事管理机构审核决定;4小时以上至16小时的,由三峡海事管理机构报长江海事管理机构审核决定;16小时以上的,报交通运输部审核决定;

(二)突发事故或者其他危及通航安全需临时禁航时,三峡海事管理机构应当立即组织实施禁航,并报长江海事管理机构备案,超过16小时的,报交通运输部备案。

第三章　危险货物监督和水域防污染管理

第二十条 交通管制区内不得设置危险品码头、危险品锚地。

第二十一条 船舶在交通管制区内从事燃料供应,应当符合国家的有关规定,并报三峡海事管理机构核准。

船舶供受油时必须严格遵守国家有关船舶供受油规定和操作规程。

第二十二条 载运危险货物的过坝船舶应当符合船舶载运危险货物的有关规定,并持有相应的有效证书和证明文件及单证。

第二十三条 禁止装运民用爆炸品的船舶过坝;装运其他一级危险货物的船舶过坝,应当按有关规定向三峡海事管理机构申报,经查验后,专闸通过。

第二十四条 禁止在交通管制区内建设造(修)船厂、拆船厂。

第二十五条 船舶和有关单位不得违反规定向水体投弃垃圾、排放污染物和有害物质,或者从事任何可能造成水域污染的其他作业。

第二十六条 交通管制区内的船舶应当配备足够的船舶油污水、垃圾及其他船舶污染物接收设施。

第二十七条 船闸运行部门、港口经营人应当编制防污应急预案,报海事管理机构备案。

第四章 安全保障

第二十八条 三峡水利枢纽转换运行水位(坝前水位蓄至正常高水位或者降至各限制水位)、泄洪冲砂时,枢纽主管单位必须提前48小时向三峡海事管理机构通报。

三峡水利枢纽运行时,如遇特殊情况引起水位骤变,应当立即通知三峡海事管理机构。

第二十九条 禁航区、交通管制区、锚地、横驶区应当按规范设置明显的警示标志。

第三十条 防淤隔流堤上应当在不同水位期按规范设置助航标志。

第三十一条 禁止在交通管制区域内进行养殖、种植植物、水生物以及捕捞、炸鱼等活动。

禁航区和引航道内禁止游泳。

第三十二条 船舶在交通管制区域进行水上无线电通信应当遵守有关规定,并按规定的频率进行通信联络。

第三十三条 船闸闸室上、下两端均应当设红、黄、绿号灯各一盏。船舶应当按下列信号进出船闸:

(一)红光灯表示停止进(出)闸;

(二)黄光灯表示准备进(出)闸;

(三)绿光灯表示允许进(出)闸。

升船机应当按照有关规定显示信号。

第三十四条 通过船闸的船舶，在进入交通管制区前应当显示过闸信号，进闸后解除信号。船舶通过船闸白天显示“T”字信号旗一面，夜间显示自闪光灯一盏。

第五章 法律责任

第三十五条 违反本办法规定，船舶有下列行为之一的，由三峡海事管理机构责令改正，并可处1000元以上1万元以下的罚款：

（一）船舶未按规定相互过客、转载的；

（二）船舶抵坡装卸货物或者上下旅客的；

（三）船舶将浮式系缆桩等闸内专用设施用于船舶牵引、制动等其他用途的。

第三十六条 船舶未经核准擅自从事船舶燃料供应过驳的，由三峡海事管理机构责令改正，并处1万元以上3万元以下的罚款。

第三十七条 海事管理机构工作人员滥用职权、徇私舞弊、玩忽职守，由所在单位或者其上级机关依照国家有关规定给予行政处分；构成犯罪的，依法追究刑事责任。

第六章 附 则

第三十八条 本办法中下列用语的含义是：

（一）“引航道 ”是指引导船舶通过枢纽通航建筑物的航行通道；

（二）“隔流堤”是把航道与长江主流隔开、防止枢纽泄洪时水流流速及波浪对船舶航行的影响并减少航道泥沙淤积，形成独立的人工静水航道的水工建筑物；

（三）“上游禁航区”是指上游禁航线至大坝之间的水域；

（四）“下游禁航区”是指下游禁航线至大坝之间的水域；

（五）“上游交通管制区”是指在长江上游航道里程57.5公里（曲溪）处作与水流方向的垂直线至上游禁航线之间的水域；

（六）“下游交通管制区”是指在长江上游航道里程37.0公里（乐天溪）处作与水流方向的垂直线至下游禁航线之间的水域；

（七）“上游禁航线”是指三峡水利枢纽上游距大坝轴线2600米（长江上游航道里程49.1公里）处作与大坝轴线的平行线（左岸一侧至上游引航道右边线，右岸一侧至175米水位水边线）；

（八）“下游禁航线”是指在长江上游航道里程42.1公里（西陵长江大桥）

处作与水流方向的垂直线(左岸一侧至下游隔流堤,右岸一侧至最高洪水位线)。

第三十九条 本办法自2003年6月15日起施行。

交通运输部关于修改《中华人民共和国海事行政许可条件规定》的决定

(2016年9月2日交通运输部令2016年第73号公布 自2016年9月2日起施行)

交通运输部决定对《中华人民共和国海事行政许可条件规定》(交通运输部令2015年第7号)作如下修改:

将第三十二条第二款第(四)项、第三款第(四)项、第四款第(六)项、第五款第(五)项中的"相关机构"修改为"海事管理机构"。

本决定自2016年9月2日起施行。

《中华人民共和国海事行政许可条件规定》根据本决定作相应修正,重新发布。

中华人民共和国海事行政许可条件规定

(2015年5月29日交通运输部发布 根据2016年9月2日《交通运输部关于修改〈中华人民共和国海事行政许可条件规定〉的决定》修正)

第一章 总 则

第一条 为依法实施海事行政许可,维护海事行政许可各方当事人的合法权益,根据《中华人民共和国行政许可法》和有关海事管理的法律、行政法规以及中华人民共和国缔结或者加入的有关国际海事公约,制定本规定。

第二条 申请及受理、审查、决定海事行政许可所依照的海事行政许可条件,应当遵守本规定。

本规定所称海事行政许可,是指依据有关水上交通安全、防治船舶污染水域等海事管理的法律、行政法规、国务院决定设定的,由海事管理机构实施,或者由交通运输部实施、海事管理机构具体办理的行政许可。

第三条 海事管理机构在审查、决定海事行政许可时,不得擅自增加、减少或者变更海事行政许可条件。不符合本规定相应条件的,不得做出准予的海事行政许可决定。

第四条 海事行政许可条件应当按照《交通行政许可实施程序规定》予以公示。申请人要求对海事行政许可条件予以说明的,海事管理机构应当予以说明。

第五条 国家海事管理机构应当根据海事行政许可条件,统一明确申请人应当提交的材料。有关海事管理机构应当将材料目录予以公示。

申请人申请海事行政许可时,应当按照规定提交申请书和相关的材料,并对所提交材料的真实性和有效性负责。

申请变更海事行政许可、延续海事行政许可期限的,申请人可以仅就发生变更的事项或者情况提交相关的材料;已提交过的材料情况未发生变化的可以不再提交。

第二章 海事行政许可条件

第六条 通航水域岸线安全使用许可的条件:

(一)涉及使用岸线的工程、作业、活动已完成可行性研究;

(二)已经岸线安全使用的技术评估,符合水上交通安全的技术规范和要求;

(三)对影响水上交通安全的因素,已制定足以消除影响的措施。

第七条 通航水域水上水下活动许可的条件:

(一)水上水下活动已依法办理了其他相关手续;

(二)水上水下活动的单位、人员、船舶、设施符合安全航行、停泊和作业的要求;

(三)已制定水上水下活动的方案,包括起止时间、地点和范围、进度安排等;

(四)对安全和防污染有重大影响的,已通过通航安全评估;

(五)已建立安全、防污染的责任制,并已制定符合水上交通安全和防污染要求的保障措施和应急预案。

第八条 打捞或者拆除沿海水域内沉船沉物审批的条件:

(一)参与打捞或者拆除的单位、人员具备相应能力;

(二)已依法签订沉船沉物打捞或者拆除协议;

(三)从事打捞或者拆除作业的船舶、设施符合安全航行、停泊和作业的要求;

(四)已制定打捞或者拆除作业计划和方案,包括起止时间、地点和范围、进度安排等;

(五)对安全和防污染有重大影响的,已通过通航安全评估;

(六)已建立安全和防污染责任制,并已制定符合水上交通安全和防污染要求的措施和应急预案。

第九条 沿海水域划定禁航区和安全作业区审批的条件:

(一)就划定水域的需求,有明确的事实和必要的理由;

(二)符合附近军用或者重要民用目标的保护要求;

(三)对水上交通安全和防污染有重大影响的,已通过通航安全和环境影响技术评估;

(四)用于设置航路和锚地的水域已进行勘测或者测量,水域的底质、水文、气象等要素满足通航安全的要求;

(五)符合水上交通安全与防污染要求,并已制定安全、防污染措施。

第十条 船舶进入或者穿越禁航区许可的条件:

(一)有因人命安全、防污染、保安等特殊需要进入和穿越禁航区的明确事实和必要理由;

(二)禁航区的安全和防污染条件适合船舶进入或者穿越;

(三)船舶满足禁航区水上交通安全和防污染的特殊要求,并已制定保障安全、防治污染和保护禁航区的措施和应急预案;

(四)进入或者穿越军事禁航区的,已经军事主管部门同意。

第十一条 大型设施、移动式平台、超限物体水上拖带审批的条件:

(一)确有拖带的需求和必要的理由;

(二)拖轮适航、适拖,船员适任;

(三)海上拖带已经拖航检验,在内河拖带超限物体的,已通过安全技术评估;

(四)已制定拖带计划和方案,有明确的拖带预计起止时间和地点及航经的水域;

(五)满足水上交通安全和防污染要求,并已制定保障水上交通安全、防污染的措施以及应急预案。

第十二条 外国籍船舶或飞机入境从事海上搜救审批的条件:

(一)入境是出于海上人命搜寻救助的目的;

(二)有明确的搜救计划、方案,包括时间、地点、范围以及投入搜救的船舶与飞机的基本情况;

(三)派遣的搜救飞机和船舶如为军用的,已经军事主管部门批准。

第十三条 专用航标的设置、撤除、位移和其他状况改变审批的条件:

（一）拟设置、撤除、位移和其他状况改变的航标属于依法由公民、法人或者其他组织自行设置且属于海事管理机构管理职责范围内的专用航标；

（二）航标的设置、撤除、位移和其他状况改变符合航行安全、经济、便利等要求及航标正常使用的要求；

（三）航标及其配布符合国家有关技术规范和标准；

（四）航标设计、施工方案，已经专门的技术评估或者专家论证；

（五）申请设置航标的，已制定航标维护方案，方案中确定的维护单位已建立航标维护质量保证体系。

第十四条 外国籍船舶进入或者临时进入非对外开放水域许可的条件：

（一）外国籍船舶临时进入非对外开放水域已经当地口岸检查机关、军事主管部门、地方人民政府同意；

（二）拟临时对外开放水域适合外国籍船舶进入，具备船舶航行、停泊、作业的安全、防污染和保安条件；

（三）船舶状况满足拟进入水域的水上交通安全、防污染和保安要求；

（四）船舶已制定保障水上交通安全、防污染和保安的措施以及应急预案。

第十五条 国际航行船舶进出口岸审批的条件：

国际航行船舶进口岸审批的条件：

（一）船舶具有齐备、有效的证书、文书与资料；

（二）船舶配员符合最低安全配员的要求，船员具备适任资格；

（三）船舶状况符合航行、停泊、作业的安全、防污染和保安等要求，并已制定各项安全、防污染和保安措施与应急预案。需要护航的，已经向海事管理机构申请；

（四）船舶拟进入、通过的水域为对国际航行船舶开放水域，停靠的码头、泊位、港外装卸点满足安全、防污染和保安要求；

（五）载运货物的船舶，符合安全积载和系固的要求，并且没有国家禁止入境的货物或者物品；载运危险货物的船舶按规定已办理船舶载运危险货物申报手续；

（六）核动力船舶或者其他特定的船舶，符合我国法律、行政法规、规章的相关规定。

国际航行船舶出口岸审批的条件：

（一）船舶具有齐备、有效的证书、文书与资料；

（二）船舶配员符合最低安全配员的要求，船员具备适任资格；

（三）船舶状况符合航行、停泊、作业的安全、防污染和保安等要求，并已制定各项安全、防污染和保安措施与应急预案。需要护航的，已经向海事管理机构申请；

（四）载运危险货物的船舶，已办妥适装许可，载运情况符合船舶载运危险货物的安全、防污染和保安管理要求；

（五）船舶船旗国或者港口国对船舶的安全检查情况和缺陷纠正情况符合规定的要求，对海事管理机构的警示，已经采取有效的措施；

（六）已依法缴纳税、费和其他应当在开航前交付的费用，或者已提供适当的担保；

（七）违反海事行政管理的行为已经依法予以处理；

（八）禁止船舶航行的司法或者行政强制措施已经依法解除；

（九）核动力船舶或者其他特定的船舶，符合我国法律、行政法规、规章的相关规定；

（十）已经其他口岸检查机关同意。

第十六条 国内航行船舶进出港签证的条件：

国内航行船舶进港签证的条件：

（一）船舶具有齐备、有效的证书、文书与资料；

（二）船舶配员符合最低安全配员的要求，船员具备适任资格；

（三）船舶状况符合航行、停泊、作业的安全和防污染等要求，并已制定各项安全和防污染措施与应急预案，需要护航的，已经向海事管理机构申请；

（四）船舶拟进入、通过的水域和停靠的码头、泊位均满足安全和防污染的要求；

（五）载运货物的船舶，符合安全积载和系固的要求，载运危险货物船舶按规定已办理船舶载运危险货物申报手续；

（六）核动力船舶或者其他特定种类的船舶，符合我国法律、行政法规、规章的相关规定。

国内航行船舶出港签证的条件：

（一）船舶具有齐备、有效的证书、文书与资料；

（二）船舶配员符合最低安全配员的要求，船员具备适任资格；

（三）船舶状况符合航行、停泊、作业的安全和防污染等要求，并已制定各项安全和防污染措施与应急预案，需要护航的，已经向海事管理机构申请；

（四）载运危险货物的船舶，已办妥适装许可，载运情况符合船舶载运危险货物的安全和防污染的管理要求；

（五）船舶的安全检查情况和缺陷纠正情况符合规定的要求，对海事管理机构的安全警示，已经采取有效的措施；

（六）已依法缴纳税、费和其他应当在开航前交付的费用，或者已提供适当的担保；

（七）违反海事行政管理的行为已经依法予以处理；

（八）禁止船舶航行的司法或者行政强制措施已经依法解除；

（九）核动力船舶或者其他特定种类的船舶，符合我国法律、行政法规、规章的相关规定。

第十七条 船舶国籍证书核发的条件：

船舶国籍证书签发的条件：

（一）船舶已依法办理船舶所有权登记；

（二）船舶具备适航技术条件，并经船舶检验机构检验合格；

（三）船舶不具有造成双重国籍或者两个及以上船籍港的情形；

（四）船舶国籍的登记人为船舶所有人、经营人。

船舶临时国籍证书签发的条件：

（一）申请签发临时国籍证书的船舶属于下列情形之一：

1. 向境外出售的船舶，或者由境外公民、法人、其他组织在中华人民共和国境内订造的新船，属于境外到岸交船的；

2. 中华人民共和国公民、法人、政府或其他组织从境外购买或者订造的船舶，属于境外离岸交船的；

3. 中华人民共和国公民、法人、政府或者其他组织以光船条件租赁的境外登记的船舶；

4. 需要办理临时国籍登记的境内新造船舶；

5. 境内新造船舶试航的。

（二）已取得船舶所有权或者签订了生效的光船租赁合同；

（三）船舶国籍的登记人为船舶所有人或者以光船租赁形式经营境外登记船舶的承租人；

（四）船舶具备相应的适航技术条件，并经船舶检验机构检验合格；

（五）船舶不具有造成双重国籍或者两个及以上船籍港的情形；

（六）船舶已取得经海事管理机构核定的船名和船舶识别号。

第十八条 国际船舶保安证书核发的条件：

船舶保安计划批准的条件：

（一）船舶已通过船舶保安评估；

（二）船舶保安计划由船公司或者规定的保安组织编制；

（三）船舶保安计划符合相应的编制规范和船舶的保安要求；

（四）已对船舶保安评估发现的缺陷予以纠正或者作出妥善的安排。

国际船舶保安证书的条件：

（一）船舶具备有效的船舶国籍证书和《连续概要记录》；

（二）船舶按照规定标注了永久识别号，并按规定配备了满足《1974 年国际海上人命安全公约》要求的船舶保安报警系统；

(三)船舶按照规定配备了合格的船舶保安员；

(四)船舶具有经批准的《船舶保安计划》；

(五)船舶已通过保安核验。

临时国际船舶保安证书的条件：

(一)符合下列情形之一：

1. 船舶在交船时或者在投入营运、重新投入营运之前，尚未取得《国际船舶保安证书》；

2. 船舶的国籍从非中国籍变更为中国籍；

3. 船舶由以前未经营过这类船舶的公民、法人或者其他组织承担了经营责任。

(二)船舶已通过船舶保安评估；

(三)船上配有符合要求且已提交审核、报批并已付诸实施的《船舶保安计划》副本；

(四)船舶按照规定标注了永久识别号，并按规定配备了满足《1974 年国际海上人命安全公约》要求的船舶保安报警系统；

(五)公司保安员对船舶保安核验工作已作计划与安排，并承诺船舶将在 6 个月内通过保安核验；

(六)船舶已配备符合保安要求的船舶保安员；

(七)船长、船舶保安员和承担具体保安职责的其他船舶人员熟悉保安职责和责任，熟悉《船舶保安计划》的有关规定。

第十九条 船舶油污损害民事责任保险或其他财务保证证书核发的条件：

(一)船舶为海事管理机构登记的本船籍港船舶；

(二)其所持的油污保险或其他财务保证证书，为具有相应赔偿能力的金融机构或者互助性保险机构办理；

(三)其保险金额不得低于《中华人民共和国船舶油污损害民事责任保险实施办法》的规定。

第二十条 船舶污染物接收单位从事船舶垃圾、残油、含油污水、含有毒有害物质污水接收作业审批的条件：

(一)作业单位具备相关作业的接收和处理能力；

(二)从事污染危害物接收作业的人员具备从事相关作业的能力；

(三)来自疫区的船舶污染物已经过检验检疫部门的处理；

(四)已制定相关作业的安全、防污染措施和应急反应预案；

(五)对污染危害物的处理方案符合防治水域污染的有关规定。

第二十一条 防止船舶污染港区水域作业许可的条件：

船舶、码头、设施使用化学消油剂的许可条件：

（一）申请使用的化学消油剂已经过专业机构的型式认可；

（二）符合规定的使用范围和规范的使用方法；

（三）申请使用的剂量与消油的数量相当，与防止水域环境污染的要求相符；

（四）有防止水域污染和保障安全的措施或应急预案。

船舶在沿海港口使用焚烧炉的许可条件：

（一）港口不具备相应污染物接收处理能力；

（二）船舶贮存设备不能满足下一航次的需要；

（三）焚烧炉已经专业机构的型式认可并检验合格；

（四）焚烧物为本船舶产生的船舶垃圾或残油；

（五）符合安全与防污染的有关要求；

（六）已制定防止水域污染和保障安全的措施或应急预案。

船舶在港区水域洗舱、清舱、驱气的许可条件：

（一）已制定符合安全与防污染要求的作业方案、保障措施和应急计划；

（二）使用的设备适用于相应用途并经检验合格；

（三）作业人员经过相应的安全和防污染培训；

（四）作业单位具有相应的能力；

（五）船舶驱气作业水域符合相应的水上交通安全、防污染条件；

（六）对作业产生的污染物处理方案符合防止水域污染的有关规定。

船舶在港区水域排放压载水、洗舱水、残油、含油污水的许可条件：

（一）排入接收船舶或接收设施的，接收船舶或接收设施具有相应的接收处理能力，从事污染危害物接收作业的人员已经过相应培训；

（二）排入水域的，符合相应的排放标准；

（三）来自疫区的压载水、洗舱水已经过检验检疫部门的处理，不造成水域污染；

（四）已制定相应作业的安全、防污染措施和应急反应预案；

（五）对洗舱水、残油、油污水等污染危害物的处理方案符合防止水域污染的有关规定。

沿海港口船舶舷外拷铲及油漆作业的许可条件：

（一）已制定相应的安全与防污染措施；

（二）船舶未进行危险货物装卸作业；

（三）进行拷铲作业的船舶未装载危险货物。

冲洗沾有污染物、有毒有害物质的甲板的许可条件：

（一）甲板上沾有的污染物、有毒有害物质已进行充分回收处理；

（二）排放入水的冲洗物符合排放标准；

（三）排放的水域不是海事管理机构公布的保护水域或者禁止排放水域；

（四）已制定相应的防污染措施和应急预案。

船舶水上拆解、海上修造船舶作业的许可条件：

（一）拆船、修造船作业地点符合防止污染的有关规定，并通过专业机构的评估；

（二）作业方案及保障措施符合水上交通安全与防污染的要求；

（三）拆船、船舶修造单位已按规定制定溢油污染应急计划和配备相应的设备和器材；

（四）需要测爆的，持有有效的测爆证书；

（五）拆船申请人已依法办理废钢船的所有权登记；

（六）船舶残油、污油水、生活污水、垃圾、货物残余物、臭氧消耗型物质等可在拆船前清除的船舶污染物已清除完毕。

第二十二条 载运危险货物和污染危害性货物进出港口审批的条件：

（一）船舶具有齐备、有效的证书、文书与资料；

（二）申报的危险货物、污染危害性货物符合船舶的适装要求，且不属于国家规定禁止通过水路运输的货物；

（三）船舶的设施、装备满足载运危险货物、污染危害性货物的要求，船舶的装载符合载运危险货物和污染危害性货物安全、防污染和保安的管理规定和技术规范；

（四）拟进行危险货物和污染危害性货物装卸作业的港口、码头、泊位，具备危险货物和污染危害性货物作业的法定资质，符合危险货物和污染危害性货物作业的安全和防污染要求；

（五）需要办理货物进出口手续的已按有关规定办理；船舶载运的污染危害性货物同时属于危险货物的，其货物所有人、承运人或者代理人可将污染危害性货物申报和危险货物申报合并办理。

对于过境停留的污染危害性货物，免予办理货物适运申报。

第二十三条 船舶进行散装液体危险货物水上过驳作业审批的条件：

（一）拟进行过驳作业的船舶或者浮动设施满足水上交通安全与防污染的要求；

（二）拟作业的货物适合过驳；

（三）参加过驳的人员具备从事过驳作业的能力；

（四）作业水域及其底质和周边环境适宜过驳作业的正常进行；

（五）过驳作业对水域环境、资源以及附近的军事目标、重要民用目标不构成威胁；

（六）已制定过驳作业方案、保障措施和应急预案，并符合水上交通安全与防污染的要求。

第二十四条 危险化学品水路运输人员资格注册认可的条件：

申报人员资格注册认可的条件：

（一）具有中华人民共和国国籍；

（二）年满18周岁，具有完全民事行为能力；

（三）已接受过能够满足《国际海运危险货物运输规则》第1.3章要求的培训，并通过危险货物申报人员资格考试，持有有效的合格证明；

（四）已与具有船舶代理、货运代理资格的申报单位签订合法有效的劳动合同关系。首次申请危险货物申报人员资格注册的，应当经过在同一个危险货物申报单位连续3个月的危险货物申报业务实习；

（五）无《危险货物申报员/装箱检查员资格证书》被停止使用的情形。

集装箱装箱现场检查员资格注册认可的条件：

（一）具有中华人民共和国国籍；

（二）年满18周岁，具有完全民事行为能力；

（三）具有正常辨色力：无红、绿、蓝色盲；

（四）已接受过能够满足《国际海运危险货物运输规则》第1.3章要求的培训，并通过危险货物装箱检查人员资格考试，持有有效的合格证明；

（五）已与装箱单位签订合法有效的劳动合同关系；首次申请危险货物装箱检查人员资格注册的，应当经过在同一个装箱单位连续3个月的危险货物装箱业务实习；

（六）无《危险货物申报员/装箱检查员资格证书》被停止使用的情形。

第二十五条 船舶所有人、经营人或者管理人防治船舶有关作业活动污染海洋环境应急预案审批的条件：

（一）应急预案审批的申请主体为船舶所有人、经营人或者管理人；

（二）船舶系150总吨及以上的油船或者400总吨及以上的非油船；

（三）应急预案内容符合防治污染海洋环境和船上油污应急计划编制的相关要求。

第二十六条 船员服务簿签发的条件：

（一）满足规定的年龄要求；

（二）经体检符合交通运输部公布的船员体检标准；

（三）已完成规定的船员基本安全培训，并通过海事管理机构的考试或者考核。

第二十七条 船员（引航员）适任证书核发的条件：

（一）已取得船员服务簿；

（二）满足规定的年龄要求，符合船员体检标准，海船船员需持有相应的健康证明；

（三）完成规定的适任培训并通过适任考试和评估以及已完成规定的船上培训或见（实）习，持有相应的培训合格证、特殊培训合格证；

（四）满足规定的服务资历，适任状况和安全记录良好。

第二十八条 海员证核发的条件：

（一）年满18周岁并具有中华人民共和国国籍的公民；

（二）已依法取得船员服务簿；

（三）符合规定的船员体检标准；

（四）有确定的海员出境任务；

（五）无法律、行政法规规定的禁止出境的情形。

第二十九条 从事海船船员服务业务审批的条件：

从事甲级海船船员服务业务的机构的条件：

（一）在中华人民共和国境内依法设立的法人；

（二）有不少于300平方米的固定办公场所；

（三）有2名以上具有海船无限航区高级船员任职资历的专职管理人员和5名以上专职业务人员；

（四）从事乙级海船船员服务业务3年以上，并且最近3年来为国内沿海船舶提供配员500人以上；

（五）按照中华人民共和国海事局的规定，建立船员服务质量管理制度、人员和资源保障制度、教育培训制度、应急处理制度和服务业务报告制度等海船船员服务管理制度。

从事乙级海船船员服务业务的机构的条件：

（一）在中华人民共和国境内依法设立的法人；

（二）有不少于150平方米的固定办公场所；

（三）有2名以上具有海船无限航区或者沿海航区高级船员任职资历的专职管理人员和2名以上专职业务人员；

（四）按照中华人民共和国海事局的规定，建立船员服务质量管理制度、人员和资源保障制度、教育培训制度、应急处理制度和服务业务报告制度等海船船员服务管理制度。

第三十条 培训机构从事船员（引航员）培训业务审批的条件：

培训机构从事海船船员培训业务的条件：

（一）有符合船员培训项目要求的场地、设施和设备；

（二）有符合要求的与船员培训项目相适应的教学人员，教学人员总数的80%应当通过国家海事管理机构组织的考试，并取得相应证明；

（三）有与船员培训项目相适应的管理人员；

1. 配备专职教学管理人员、教学设施设备管理人员、培训发证管理人员和档案管理人员；

2. 教学管理人员至少 2 人，具有航海类中专以上学历或者其他专业大专以上学历，熟悉相关法规，熟悉所管理的培训项目；

3. 教学设施设备管理人员至少 1 人，具有中专以上学历，能够熟练操作所管理的设施、设备；

（四）有健全的船员培训管理制度，具体包括学员管理制度、教学人员管理制度、培训证明发放制度、教学设施设备管理制度和档案管理制度；

（五）有健全的安全防护制度，具体包括人身安全防护制度和突发事件应急制度等；

（六）有符合交通运输部规定的船员培训质量控制体系。

培训机构从事内河船舶船员培训业务的条件：

（一）有符合船员培训项目要求的场地、设施和设备；

（二）有符合要求的与船员培训项目相适应的教学人员，教学人员总数的 80% 应当通过国家海事管理机构组织的考试，并取得相应证明；

（三）有与船员培训项目相适应的管理人员：

1. 配备专职教学管理人员、教学设施设备管理人员、培训发证管理人员和档案管理人员；

2. 教学管理人员至少 2 人，具有水运类中专以上学历或者其他专业大专以上学历，熟悉相关国内法规，熟悉所管理的培训项目；

3. 教学设施设备管理人员至少 1 人，具有中专以上学历，能够熟练操作所管理的设施、设备；

（四）有健全的船员培训管理制度，具体包括学员管理制度、教学人员管理制度、培训证明发放制度、教学设施设备管理制度、档案管理制度；

（五）有健全的安全防护制度，具体包括人身安全防护制度和突发事件应急制度等；

（六）有符合交通运输部规定的船员培训质量控制体系。

第三十一条 从事海员外派业务审批的条件：

（一）在中华人民共和国境内依法设立的法人；

（二）有与外派规模相适应的固定办公场所；

（三）有至少 2 名具有国际航行海船管理级船员任职资历的专职管理人员和至少 3 名具有两年以上海员外派相关从业经历的管理人员；

（四）具有进行外派海员任职前培训和岗位技能训练及处理海员外派相关法律事务的能力；

（五）按照国家海事管理机构的规定，建立船员服务质量管理制度、人员和资源保障制度、教育培训制度、应急处理制度和服务业务报告制度等海员外派管理制度；

（六）具有自有外派海员100人以上；

（七）注册资本不低于600万元人民币；

（八）具有足额交纳100万元人民币海员外派备用金的能力；

（九）机构及其法定代表人具有良好的商业信誉，最近3年内没有重大违约行为和重大违法记录。

第三十二条　航运公司安全营运与防污染能力符合证明核发的条件：

公司《临时符合证明》签发的条件：

（一）具有法人资格；

（二）新建立或者重新运行安全管理体系，或者在公司《临时符合证明》或者《符合证明》上增加新的船舶种类；

（三）已作出在取得《临时符合证明》后6个月内运行安全管理体系的计划安排；

（四）已通过海事管理机构对公司的安全管理体系审核；

（五）申请人如是《符合证明》或者《临时符合证明》失效的公司，还应当满足距前一《符合证明》或者《临时符合证明》失效日已超过6个月。

公司《符合证明》签发的条件：

（一）具有法人资格；

（二）安全管理体系已在岸基和每一船种至少1艘船上运行3个月；

（三）持有有效的《临时符合证明》；

（四）已通过海事管理机构对公司的安全管理体系审核。

船舶《临时安全管理证书》签发的条件：

（一）新纳入或者重新纳入公司安全管理体系进行管理；

（二）已配备公司制定的适用于本船的安全管理体系文件；

（三）公司已取得适用于该船舶种类的《临时符合证明》或《符合证明》；

（四）在船舶所有人未变更的情况下，前两次未连续持有《临时安全管理证书》；

（五）船舶委托管理的，负责管理船舶的公司与船舶所有人或者经营人签订了船舶管理书面协议；

（六）已通过海事管理机构对船舶的安全管理体系审核。

船舶《安全管理证书》签发的条件：

（一）已配备公司制定的适用于本船的安全管理体系文件；

（二）安全管理体系已在本船运行至少3个月；

（三）公司已取得适用于该船种的《符合证明》；

（四）持有有效的《临时安全管理证书》；

（五）已通过海事管理机构对船舶的安全管理体系审核。

第三十三条 设立验船机构审批的条件：

（一）具有与拟从事的船舶检验业务相适应的检验场所、设备、仪器、资料；

（二）具有拟从事的船舶检验业务的验船能力和责任能力；

（三）具有与拟从事的船舶检验业务相适应的执业验船人员；

（四）具有相应的检验工作制度和保证船舶检验质量的管理体系；

（五）拟从事的船舶检验业务范围符合交通运输部的规定；

（六）需要设立分支机构的，设置方案和管理制度符合船舶检验管理的要求；

（七）外国船舶检验机构在我国设立验船公司的，除满足上述条件外，验船公司雇佣的外国公民应当符合相应国家机关规定的资格和符合我国关于外国人从业的规定，并持有船旗国政府允许在华从事法定船舶检验业务的授权文件。

第三章 附 则

第三十四条 本规定自2015年7月1日起施行。2006年1月9日以交通部令2006年第1号公布的《中华人民共和国海事行政许可条件规定》同时废止。

司法解释

最高人民法院关于人民法院办理执行信访案件若干问题的意见

（2016年6月27日　法发〔2016〕15号）

为贯彻落实中央关于涉诉信访纳入法治轨道解决、实行诉访分离以及建立健全信访终结制度的指导精神，根据《中华人民共和国民事诉讼法》（以下简称《民事诉讼法》）及有关司法解释，结合人民法院执行工作实际，现针对执行信访案件交办督办、实行诉访分离以及信访终结等若干问题，提出如下意见：

一、关于办理执行信访案件的基本要求

1. 执行信访案件，指信访当事人向人民法院申诉信访，请求督促执行或者纠正执行错误的案件。执行信访案件分为执行实施类信访案件、执行审查类信访案件两类。

2. 各级人民法院执行部门应当设立执行信访专门机构；执行信访案件的接待处理、交办督办以及信访终结的复查、报请、决定及备案等各项工作，由各级人民法院执行部门统一归口管理。

3. 各级人民法院应当建立健全执行信访案件办理机制，畅通执行申诉信访渠道，切实公开信访办理流程与处理结果，确保相关诉求依法、及时、公开得到处理：

（1）设立执行申诉来访接待窗口，公布执行申诉来信邮寄地址，并配备专人接待来访与处理来信；

（2）收到申诉信访材料后，应当通过网络系统、内部函文等方式，及时向下级人民法院交办；

（3）以书面通知或其他适当方式，向信访当事人告知案件处理过程及结果。

4. 各级人民法院应当建立执行信访互联网申诉、远程视频接访等网络系统，引导信访当事人通过网络反映问题，减少传统来人来信方式信访。

5. 各级人民法院应当建立和落实执行信访案件交办督办制度：

(1)上级人民法院交办执行信访案件后,通过挂牌督办、巡回督导、领导包案等有效工作方式进一步督促办理;

(2)设立执行信访案件台账,以执行信访案件总数、已化解信访案件数量等作为基数,以案访比、化解率等作为指标,定期对辖区法院进行通报;

(3)将辖区法院执行信访工作情况纳入绩效考评,并提请同级党委政法委纳入社会治安综合治理考核范围;

(4)下级人民法院未落实督办意见或者信访化解工作长期滞后,上级人民法院可以约谈下级人民法院分管副院长或者执行局长,进行告诫谈话,提出整改要求。

二、关于执行实施类信访案件的办理

6. 执行实施类信访案件,指申请执行人申诉信访,反映执行法院消极执行,请求督促执行的案件。

执行实施类信访案件的办理,应当遵照"执行到位、有效化解"原则。如果被执行人具有可供执行财产,应当穷尽各类执行措施,尽快执行到位。如果被执行人确无财产可供执行,应当尽最大努力解释说明,争取息诉罢访,有效化解信访矛盾;经解释说明,仍然反复申诉、缠访闹访,可以依法终结信访。

7. 执行实施类信访案件,符合下列情形的,可以认定为有效化解,上级人民法院不再交办督办:

(1)案件确已执行到位;

(2)当事人达成执行和解协议并已开始依协议实际履行;

(3)经重新核查,被执行人确无财产可供执行,经解释说明或按照有关规定进行司法救助后,申请执行人书面承诺息诉罢访。

8. 申请执行人申诉信访请求督促执行,如果符合下列情形,上级人民法院不再作为执行信访案件交办督办:

(1)因受理破产申请而中止执行,已告知申请执行人依法申报债权;

(2)再审裁定中止执行,已告知申请执行人依法应诉;

(3)因牵涉犯罪,案件已根据相关规定中止执行并移送有关机关处理;

(4)信访诉求系认为执行依据存在错误。

9. 案件已经执行完毕,但申请执行人以案件尚未执行完毕为由申诉信访,应当制作结案通知书,并告知针对结案通知书提出执行异议。

10. 被执行人确无财产可供执行,执行法院根据相关规定作出终结本次执行程序裁定,申请执行人以案件尚未执行完毕为由申诉信访,告知针对终结本次执行程序裁定提出执行异议。

三、关于执行审查类信访案件的办理

11. 执行审查类信访案件,指信访当事人申诉信访,反映执行行为违反法律规定或对执行标的主张实体权利,请求纠正执行错误的案件。

执行审查类信访案件的办理,应当遵照"诉访分离"原则。如果能够通过《民事诉讼法》及相关司法解释予以救济,必须通过法律程序审查;如果已经穷尽法律救济程序以及本意见所规定的执行监督程序,仍然反复申诉、缠访闹访,可以依法终结信访。如果属于审判程序、国家赔偿程序处理范畴,告知通过相应程序寻求救济。

12. 信访当事人向执行法院请求纠正执行错误,如果符合执行异议、案外人异议受理条件,应当严格按照立案登记制要求,正式立案审查。

13. 信访当事人未向执行法院提交《执行异议申请》,但以"申诉书"、"情况反映"等形式主张执行行为违反法律规定或对执行标的主张实体权利的,应当参照执行异议申请予以受理。

14. 信访当事人向上级人民法院申诉信访,主张下级人民法院执行行为违反法律规定或对执行标的主张实体权利,如案件尚未经过异议程序或执行监督程序处理,上级人民法院一般不进行实质性审查,按照如下方式处理:

(1)告知信访当事人按照相关规定寻求救济;

(2)通过信访制度交办督办,责令下级人民法院按照异议程序或执行监督程序审查;

(3)下级人民法院正式立案审查后,上级人民法院不再交办督办。

15. 当事人、利害关系人不服《民事诉讼法》第二百二十五条所规定执行复议裁定,向上一级人民法院申诉信访,上一级人民法院应当作为执行监督案件立案审查,以裁定方式作出结论。

16. 当事人、利害关系人在异议期限之内已经提出异议,但是执行法院未予立案审查,如果当事人、利害关系人在异议期限之后继续申诉信访,执行法院应当作为执行监督案件立案审查,以裁定方式作出结论。

当事人、利害关系人不服前款所规定执行监督裁定,向上一级人民法院继续申诉信访,上一级人民法院应当作为执行监督案件立案审查,以裁定方式作出结论。

17. 信访当事人向上级人民法院申诉信访,反映异议、复议案件严重超审限的,上级人民法院应当通过信访制度交办督办,责令下级人民法院限期作出异议、复议裁定。

18. 当事人、利害关系人申诉信访请求纠正执行错误,如果符合下列情形,上级人民法院不再作为执行信访案件交办督办:

(1)信访诉求系针对人民法院根据行政机关申请所作出准予执行裁定,并非针对执行行为;

(2)信访诉求系认为执行依据存在错误。

四、关于执行信访案件的依法终结

19. 被执行人确无财产可供执行，申请执行人书面承诺息诉罢访，如果又以相同事由反复申诉、缠访闹访，执行法院可以逐级报请高级人民法院决定终结信访。

20. 当事人、利害关系人提出执行异议，经异议程序、复议程序及执行监督程序审查，最终结论驳回其请求，如果仍然反复申诉、缠访闹访，可以依法终结信访：

（1）执行监督裁定由高级人民法院作出的，由高级人民法院决定终结信访；

（2）执行复议、监督裁定由最高人民法院作出的，由最高人民法院决定终结信访或交高级人民法院终结信访。

21. 执行实施类信访案件，即使已经终结信访，执行法院仍然应当定期查询被执行人财产状况；申请执行人提出新的财产线索而请求恢复执行的，执行法院应当立即恢复执行。

22. 申请执行人因案件未能执行到位而导致生活严重困难的，一般不作信访终结。

23. 高级人民法院决定终结信访之前，应当报请最高人民法院备案。最高人民法院对于不符合条件的，及时通知高级人民法院予以补正或者退回。不予终结备案的，高级人民法院不得终结。

24. 最高人民法院、高级人民法院决定终结信访的，应当书面告知信访当事人。

25. 已经终结的执行信访案件，除另有规定外，上级人民法院不再交办督办，各级人民法院不再重复审查；信访终结后，信访当事人仍然反复申诉、缠访闹访的，依法及时处理，并报告同级党委政法委。

26. 执行信访终结其他程序要求，依照民事案件信访终结相关规定办理。

附件：

执行信访案件分流办理示意图

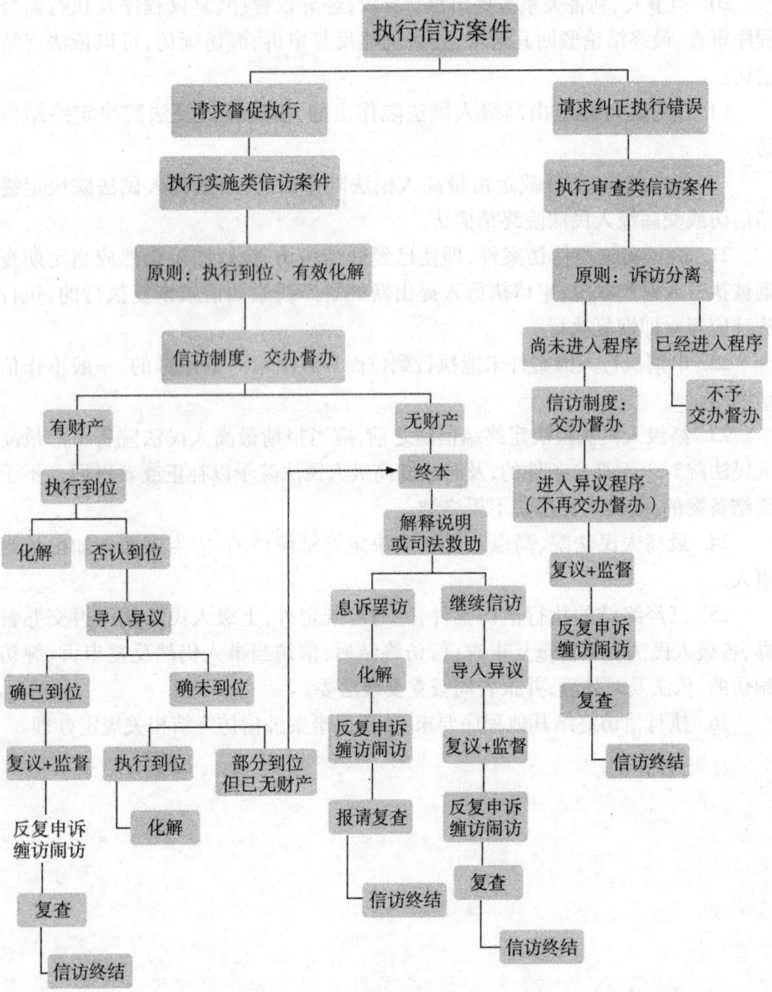

最高人民法院关于在全国法院推进知识产权民事、行政和刑事案件审判“三合一”工作的意见

（2016年7月5日　法发〔2016〕17号）

为贯彻落实党的十八届四中全会确定的司法体制改革任务以及《国家知识产权战略纲要》《关于深化体制机制改革加快实施创新驱动发展战略的若干意见》《深化科技体制改革实施方案》提出的具体要求，统一法律适用标准，优化审判资源配置，提高审判质量和效率，充分发挥知识产权司法保护的主导作用，推进知识产权审判体制和工作机制改革，加快创新驱动发展战略的实施，建立公正、高效、权威的社会主义知识产权司法制度，根据《中华人民共和国民事诉讼法》《中华人民共和国行政诉讼法》和《中华人民共和国刑事诉讼法》以及有关法律法规的规定，结合审判工作实际，制定本意见。

一、统一思想，深刻认识推进知识产权民事、行政和刑事案件审判“三合一”工作的重大意义

1. 知识产权民事、行政和刑事案件审判“三合一”是指由知识产权审判庭统一审理知识产权民事、行政和刑事案件。

推进“三合一”工作，是人民法院贯彻落实党的十八届四中全会关于司法体制改革任务的重要举措，是落实国家知识产权战略和创新驱动发展战略的重要措施。推进“三合一”工作的目的是要构建符合知识产权司法特点和规律的工作机制和审判体制，不断提高知识产权司法保护的整体效能。

2. 推进“三合一”工作，有利于增强司法机关和行政机关执法合力，实现知识产权的全方位救济和司法公正；有利于统一司法标准，提高审判质量，完善知识产权司法保护制度；有利于合理调配审判力量，优化审判资源配置，提高知识产权司法保护的效益和效率；有利于知识产权专门审判队伍建设，提高知识产权审判队伍素质。各级人民法院要把思想和行动统一到中央精神和部署上来，以勇于担当的精神全面推进“三合一”工作。

二、积极落实，大力推进知识产权民事、行政和刑事案件审判“三合一”工作

3. 最高人民法院成立推进“三合一”工作协调小组，统一协调指导全国法院的“三合一”工作。高、中级人民法院要成立相应的协调机构，组织协调辖区

内的“三合一”工作，具体负责辖区内知识产权案件的管辖布局和指导监督，上传下达，内外协调，及时解决工作中出现的问题。

4. 各级人民法院要根据最高人民法院会同最高人民检察院、公安部联合制定下发的有关办理知识产权刑事案件适用法律相关问题的意见，做好知识产权刑事案件的审理工作。

5. 各级人民法院的知识产权审判部门，不再称为民事审判第×庭，更名为知识产权审判庭。

6. 各级人民法院知识产权审判庭应当根据审判任务需要配备审判力量，并根据情况配备专门从事行政审判和刑事审判的法官，也可以由行政审判庭或刑事审判庭法官与知识产权审判庭法官共同组成合议庭，审理知识产权行政或刑事案件。

7. 知识产权民事案件是指涉及著作权、商标权、专利权、技术合同、商业秘密、植物新品种和集成电路布图设计等知识产权以及不正当竞争、垄断、特许经营合同的民事纠纷案件。

一般知识产权民事纠纷案件是指除专利、植物新品种、集成电路布图设计、技术秘密、计算机软件、驰名商标认定以及垄断纠纷案件之外的知识产权民事纠纷案件。

知识产权行政案件是指当事人对行政机关就著作权、商标权、专利权等知识产权以及不正当竞争等所作出的行政行为不服，向人民法院提起的行政纠纷案件。

知识产权刑事案件是指《中华人民共和国刑法》分则第三章“破坏社会主义市场经济秩序罪”第七节规定的侵犯知识产权犯罪案件等。

知识产权刑事自诉案件，人民法院仍然可以按照刑事诉讼法所确定的地域管辖原则管辖。

8. 知识产权民事案件的受理继续依照人民法院有关地域管辖、级别管辖和指定管辖的规定和批复进行。除此之外：

中级人民法院辖区内没有基层人民法院具有一般知识产权民事纠纷案件管辖权的，可以层报最高人民法院指定基层人民法院统一管辖，也可以由中级人民法院提级管辖本辖区内的知识产权行政、刑事案件。

中级人民法院辖区内有多个具有一般知识产权民事纠纷案件管辖权基层人民法院的，经层报最高人民法院批准后，可以根据辖区内的案件数量、审判力量等情况对每个基层法院的辖区范围进行划分和调整。

具有一般知识产权民事纠纷案件管辖权的基层人民法院审理中级人民法院指定区域内的第一审知识产权刑事、行政案件。不具有一般知识产权民事纠纷案件管辖权的基层人民法院发现所审理案件属于知识产权行政、刑事案件的，应当及时移送中级人民法院指定的有一般知识产权民事纠纷案件管辖权的基层人民法院管辖。

中级人民法院知识产权审判庭审理本辖区内基层人民法院审结的知识产权行政、刑事上诉案件以及同级人民检察院抗诉的知识产权刑事案件。

高级人民法院知识产权审判庭审理本辖区内中级人民法院审结的知识产权行政、刑事上诉案件，知识产权行政、刑事申请再审案件以及同级人民检察院抗诉的知识产权刑事案件。

最高人民法院知识产权审判庭审理各高级人民法院审结的知识产权行政、刑事上诉案件，知识产权行政、刑事申请再审案件、最高人民检察院抗诉的知识产权刑事案件。

9. 知识产权案件案号编制、使用与管理依照最高人民法院《关于人民法院案号的若干规定》执行。案号中的类型代字为知民/知行/知刑。

三、加大力度，保障知识产权民事、行政和刑事案件审判"三合一"工作顺利推进

10. 高、中级人民法院要统筹规划本辖区内的"三合一"工作，在人员编制、经费保障、物质装备等方面大力支持"三合一"工作。要建立人民法院与公安机关、检察机关以及知识产权行政执法机关的沟通联络机制，协调公安机关、检察机关做好刑事案件的侦查和移送起诉工作。

11. 要加强审判管理，确保案件质量。加快推进和不断完善知识产权案例指导制度，确保裁判标准统一。要做好案件审理各个环节的衔接工作。要大力提高知识产权案件裁判文书质量。要对知识产权案件进行分类统计，充分利用信息化手段，加强对相关数据的分析研判。上级法院要及时开展调查研究，加强对开展"三合一"工作法院的指导和监督。

四、加强培训，加快建设一支复合型、专门化的知识产权审判队伍

12. 各级人民法院要本着立足长远的原则，以培养一支适应知识产权审判发展趋势的专门化法官队伍为目标，严格选拔审判业务骨干，确保参与知识产权审判的法官具有相应的审判业务能力和经验。

13. 最高人民法院和高级人民法院每年要适时组织针对知识产权审判"三合一"工作的专门培训，同时要注重通过网络方式加大培训覆盖面，不断提高知识产权法官的综合素质。

五、其他

14. 地方各级人民法院要及时总结交流"三合一"工作取得的经验，查找存在的问题，对带有普遍性的问题要及时层报最高人民法院。

15. 地方各级人民法院要从实际情况出发，从方便当事人诉讼、有利于知识产权司法保护的角度，综合考量本辖区内经济发展水平、交通便利条件以及各类知识产权案件数量等因素，积极稳妥地推进“三合一”工作。

北京、上海、广州知识产权法院暂不实施“三合一”工作。

16. 此前有关规定与本意见不一致的，以本意见为准。

最高人民法院关于印发《罪犯生活不能自理鉴别标准》的通知

（2016年7月26日　法〔2016〕305号）

各省、自治区、直辖市高级人民法院，解放军军事法院，新疆维吾尔自治区高级人民法院生产建设兵团分院：

2014年4月24日，第十二届全国人民代表大会常务委员会第八次会议通过《关于〈中华人民共和国刑事诉讼法〉第二百五十四条第五款、第二百五十七条第二款的解释》，规定罪犯在被交付执行前，因有严重疾病、妇女怀孕或正在哺乳自己婴儿、生活不能自理等原因，依法提出暂予监外执行申请的，有关病情诊断、妊娠检查和生活不能自理的鉴别，由人民法院负责组织进行。最高人民法院、最高人民检察院、公安部、司法部、卫生计生委于同年10月24日联合发布的《暂予监外执行规定》第十七条规定，被告人及其辩护人提出暂予监外执行申请的，对其病情诊断、妊娠检查和生活不能自理的鉴别，由人民法院依照规定程序组织进行。为贯彻落实上述规定，最高人民法院已于2014年12月11日印发《最高人民法院关于罪犯交付执行前暂予监外执行组织诊断工作有关问题的通知》，现将《罪犯生活不能自理鉴别标准》予以印发，请认真贯彻执行。

罪犯交付执行前因生活不能自理依法提出暂予监外执行申请的，对生活不能自理的鉴别，由人民法院司法技术辅助部门根据《罪犯生活不能自理鉴别标准》，按照《最高人民法院关于罪犯交付执行前暂予监外执行组织诊断工作有关问题的通知》组织进行。在执行中遇到问题，请及时报告最高人民法院。

罪犯生活不能自理鉴别标准

目　录

前　言

根据《中华人民共和国刑事诉讼法》《全国人民代表大会常务委员会关于〈中华人民共和国刑事诉讼法〉第二百五十四条第五款、第二百五十七条第二款的解释》《暂予监外执行规定》制定本标准。

本标准参考了世界卫生组织《国际功能、残疾和健康分类》(International Classification of Functioning ,Disability, and Health ,ICF,中文简称为《国际功能分类》) 有关"自理"的国际分类以及《劳动能力鉴定 职工工伤与职业病致残等级》(GB/T16180 -2014)、《残疾人残疾分类与分级》(GB/T26341 -2010)、《人体损伤程度鉴定标准》等。

本标准主要起草人:李永良、孙欣、徐俊波、徐洪新、李路明、徐丽英、张冉、唐亚青、王连生、郑四龙、魏婵娟、李洁、王娟、邢东升。

罪犯生活不能自理鉴别标准

1. 范围

1.1　本标准规定了罪犯生活不能自理鉴别的原则、方法和条款。

1.2　本标准适用于罪犯在被交付执行前生活不能自理的鉴别。

2. 术语和定义

2.1　罪犯生活不能自理是指罪犯因疾病、残疾、年老体弱等原因造成身体机能下降不能自主处理自己的日常生活。包括进食、大小便、穿衣洗漱、行动(翻身、自主行动)四项内容,其中一项完全不能自主完成或者三项以上大部分不能自主完成的可以认定为生活不能自理。

2.2　生活不能自理的鉴别是指对罪犯在被交付执行前生活自理能力作出的技术性判定意见。

3. **总则**

3.1　鉴别原则

依据罪犯在被交付执行前,因疾病、损伤治疗终结后遗留器官缺损、严重功能障碍或者年老体弱导致生活不能自理程度进行的综合鉴别。

3.2　生活自理范围主要包括下列四项:

1)进食:拿取食物,放入口中,咀嚼,咽下。

2)大、小便:到规定的地方,解系裤带,完成排便、排尿。用厕包括:a)蹲(坐)起;b)拭净;c)冲洗(倒掉);d)整理衣裤。

3)穿衣:a)穿脱上身衣服;b)穿脱下身衣服。

洗漱:a)洗(擦)脸;b)刷牙;c)梳头;d)剃须。以上4项指使用放在身边的洗漱用具。e)洗澡 进入浴室,完成洗澡。

4)行动:包括翻身和自主行动。a)床上翻身;b)平地行走;c)上楼梯;d)下楼梯。

3.3　生活自理影响程度:

a)完全不能自主完成:不能完成进食、大小便、穿衣洗漱、行动四项内容中任一项全过程。

b)大部分不能自主完成:能够完成进食、大小便、穿衣洗漱、行动四项内容中任一项全过程,但十分困难。

c)部分不能自主完成:完成进食、大小便、穿衣洗漱、行动四项内容中任一项全过程有困难。

4. **生活不能自理鉴别条款**

4.1 智力残疾二级以上;

4.2 精神残疾二级以上;

4.3 完全感觉性或混合性失语,完全性失用或失认;

4.4 不完全失写、失读、失认、失用具有三项以上者;

4.5 偏瘫或截瘫肌力≤3级;

4.6 双手全肌瘫肌力≤3级;

4.7 双手大部分肌瘫肌力≤2级(拇指均受累);

4.8 双足全肌瘫肌力≤2级;

4.9 中度运动障碍(非肢体瘫);

4.10 脊柱并两个以上主要关节(肩、肘、髋、膝)强直畸形,功能丧失;
4.11 手或足部分缺失及关节功能障碍累积分值 > 150;
4.12 双手部分缺失以及关节功能障碍累积分值均 > 40 并伴双前足以上缺失;
4.13 一手或一足缺失,另一肢体两个以上大关节功能完全丧失或达不到功能位;
4.14 双手功能完全丧失;
4.15 肩、肘、髋、膝关节之一对称性非功能位僵直;
4.16 肩、肘、髋、膝中有三个关节功能丧失或达不到功能位;
4.17 双侧前庭功能丧失,不能并足站立,睁眼行走困难;
4.18 张口困难Ⅱ度以上;
4.19 无吞咽功能;
4.20 双侧上或下颌骨完全缺失;
4.21 一侧上颌骨及对侧下颌骨完全缺失;
4.22 一侧上或下颌骨缺失,伴对侧颌面部软组织缺损大于 30 平方厘米;
4.23 咽喉损伤、食管闭锁或者切除术后,摄食依赖胃造口或者空肠造口;
4.24 食管重建术吻合口狭窄,仅能进流食者;
4.25 消化吸收功能丧失,完全依赖肠外营养;
4.26 肺功能中度损伤或中度低氧血症;
4.27 心功能三级以上;
4.28 大、小便失禁;
4.29 年老体弱生活不能自理;
4.30 上述条款未涉及的残疾,影响进食、大小便、穿衣洗漱、行动(翻身、自主行动)四项内容,其中一项完全不能自主完成或者三项以上大部分不能自主完成的可以认定为生活不能自理。

附录 A

生活不能自理程度鉴别技术基准和方法

A.1 智力残疾

智力显著低于一般人水平,并伴有适应行为的障碍。此类残疾是由于神经系统结构、功能障碍,使个体活动和参与受到限制,需要环境提供全面、广泛、有限和间歇的支持。

智力残疾包括在智力发育期间(18 岁之前),由于各种有害因素导致的精神发育不全或智力迟滞；或者智力发育成熟以后，由于各种有害因素导致智力损害或智力明显衰退。

A.1.1 智力残疾分级

按 0～6 岁和 7 岁及以上两个年龄段发育商、智商和适应行为分级。0～6 岁儿童发育商小于 72 的直接按发育商分级，发育商在 72～75 之间的按适应行为分级。7 岁及以上按智商、适应行为分级；当两者的分值不在同一级时，按适应行为分级。WHO－DASⅡ分值反映的是 18 岁及以上各级智力残疾的活动与参与情况。智力残疾分级见下表。

智力残疾分级

级别	智力发育水平		社会适应能力	
	发育商(DQ) 0～6 岁	智商(IQ) 7 岁及以上	适应行为 (AB)	WHO－DASⅡ分值 18 岁及以上
一级	≤25	<20	极重度	≥116 分
二级	26～39	20～34	重度	106～115 分
三级	40～54	35～49	中度	96～105 分
四级	55～75	50～69	轻度	52～95 分

适应行为表现：
极重度——不能与人交流、不能自理、不能参与任何活动、身体移动能力很差；需要环境提供全面的支持，全部生活由他人照料。
重度——与人交往能力差、生活方面很难达到自理、运动能力发展较差；需要环境提供广泛的支持，大部分生活由他人照料。
中度——能以简单的方式与人交流、生活能部分自理、能做简单的家务劳动、能参与一些简单的社会活动；需要环境提供有限的支持，部分生活由他人照料。
轻度——能生活自理、能承担一般的家务劳动或工作、对周围环境有较好的辨别能力、能与人交流和交往、能比较正常地参与社会活动；需要环境提供间歇的支持，一般情况下生活不需要由他人照料。

A.2　精神残疾分级

18 岁及以上的精神障碍患者依据 WHO－DASⅡ分值和适应行为表现分级，18 岁以下精神障碍患者依据适应行为的表现分级。

A.2.1 精神残疾一级

WHO－DASⅡ值大于等于 116 分，适应行为极重度障碍；生活完全不能自理，忽视自己的生理、心理的基本要求。不与人交往，无法从事工作，不能学习新事物。需要环境提供全面、广泛的支持，生活长期、全部需他人监护。

A.2.2 精神残疾二级

WHO－DASⅡ值在106～115分之间，适应行为重度障碍；生活大部分不能自理，基本不与人交往，只与照顾者简单交往，能理解照顾者的简单指令，有一定学习能力。监护下能从事简单劳动。能表达自己的基本需求，偶尔被动参与社交活动。需要环境提供广泛的支持，大部分生活仍需他人照料。

A.2.3 精神残疾三级

WHO－DASⅡ值在96～105分之间，适应行为中度障碍；生活上不能完全自理，可以与人进行简单交流，能表达自己的情感。能独立从事简单劳动，能学习新事物，但学习能力明显比一般人差。被动参与社交活动，偶尔能主动参与社交活动。需要环境提供部分的支持，即所需要的支持服务是经常性的、短时间的需求，部分生活需由他人照料。

A.2.4 精神残疾四级

WHO－DASⅡ值在52～95分之间，适应行为轻度障碍；生活上基本自理，但自理能力比一般人差，有时忽略个人卫生。能与人交往，能表达自己的情感，体会他人情感的能力较差，能从事一般的工作，学习新事物的能力比一般人稍差。偶尔需要环境提供支持，一般情况下生活不需要由他人照料。

A.3　失语、失用、失写、失读、失认

指局灶性皮层功能障碍，内容包括失语、失用、失写、失认等，前三者即在没有精神障碍、感觉缺失和肌肉瘫痪的条件下，患者失去用言语或文字去理解或表达思想的能力（失语），或失去按意图利用物体来完成有意义的动作的能力（失用），或失去书写文字的能力（失写）。失读指患者看见文字符号的形象，读不出字音，不了解意义，就象文盲一样。失认指某一种特殊感觉的认知障碍，如视觉失认就是失读。

A.3.1 语言运动中枢

位于大脑主侧半球的额下回后部。这个中枢支配着人的说话，如果这个中枢损伤，会使患者丧失说话能力，不会说话。但能理解别人说话的意思，常用手势或点头来回答问题。根据病变的范围，可表现为完全性不能说话，称完全性失语。或只能讲单字、单词，说话不流利，称为不完全性失语。这种情况叫做运动性失语。

A.3.2 语言感觉中枢

位于大脑主侧半球颞上回后部，此中枢可以使人能够领悟别人说话的意思。如果这个中枢受损，则引起患者听不懂别人说话的内容，不理解问话。但这种人语言运动中枢完好，仍会说话，而且有时说起话来快而流利，但所答非所问，这种情况叫感觉性失语。

A.4　运动障碍

A.4.1 肢体瘫

以肌力作为分级标准。为判断肢体瘫痪程度,将肌力分级划分为0~5级。

0级:肌肉完全瘫痪,毫无收缩。

1级:可看到或触及肌肉轻微收缩,但不能产生动作。

2级:肌肉在不受重力影响下,可进行运动,即肢体能在床面上移动,但不能抬高。

3级:在和地心引力相反的方向中尚能完成其动作,但不能对抗外加的阻力。

4级:能对抗一定的阻力,但较正常人为低。

5级:正常肌力。

A.4.2　非肢体瘫的运动障碍包括肌张力增高、深感觉障碍和(或)小脑性共济失调、不自主运动或震颤等。根据其对生活自理的影响程度划分为轻、中、重三度。

a)重度:不能自行进食,大小便、洗漱和穿衣、行动。

b)中度:完成上述动作困难,但在他人帮助下可以完成。

c)轻度:完成上述动作虽有一些困难,但基本可以自理。

A.5 关节功能障碍

a)关节功能完全丧失

非功能位关节僵直、固定或关节周围其他原因导致关节连枷状或严重不稳,以致无法完成其功能活动。

b)关节功能重度障碍

关节僵直于功能位,或残留关节活动范围约占正常的三分之一,较难完成原有的活动并对日常生活有明显影响。

c)关节功能中度障碍

残留关节活动范围约占正常的三分之二,能基本完成原有的活动,对日常生活有一定影响。

d)关节功能轻度障碍

残留关节活动范围约占正常的三分之二以上,对日常生活无明显影响。

A.6 手、足功能丧失程度评定

A.6.1 手、足功能量化评分示意图(见图1、图2)

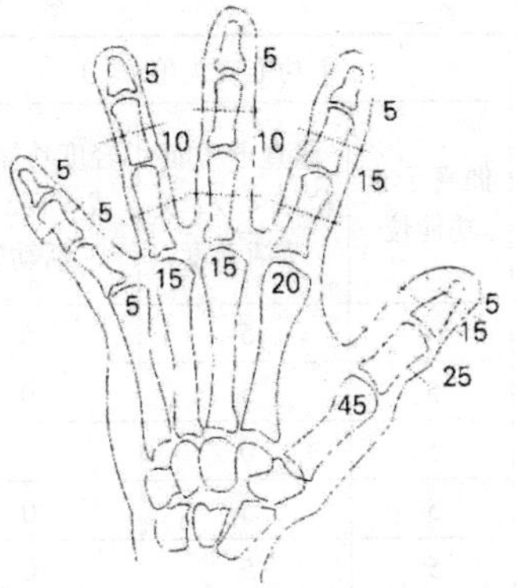

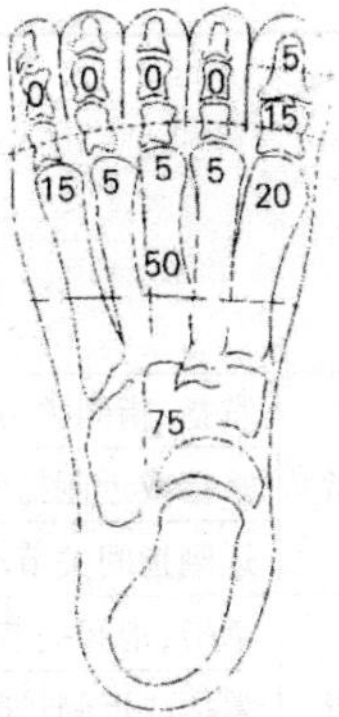

图 1、手功能丧失示意图 图中数字示各手指缺失平面手功能丧失分值	图 2、足功能丧失示意图 图中数字示足缺失平面足功能丧失分值

A. 6. 2 指、趾关节功能障碍评定（见表）

表：指关节功能丧失值评定

		手功能丧失值（%）		
		僵直于非功能位	僵直于功能位或<1/2 关节活动度	轻度功能障碍或>1/2 关节活动度
拇指	第一掌腕/掌指/指间关节均受累	40	25	15
	掌指、指间关节均受累	30	20	10
	掌指、指间单一关节受累	20	15	5
食指	掌指、指间关节均受累	20	15	5
	掌指或近侧指间关节受累	15	10	0
	远侧指间关节均受累	5	5	0
中指	掌指、指间关节均受累	15	5	5
	掌指或近侧指间关节受累	10	5	0
	远侧指间关节均受累	5	0	0

续 表

		手功能丧失值(%)		
		僵直于非功能位	僵直于功能位或<1/2关节活动度	轻度功能障碍或>1/2关节活动度
环指	掌指、指间关节均受累	10	5	5
	掌指或近侧指间关节受累	5	5	0
	远侧指间关节均受累	5	0	0
小指	掌指、指间关节均受累	5	5	0
	掌指或近侧指间关节受累	5	5	0
	远侧指间关节均受累	0	0	0
腕关节	手功能大部分丧失时的腕关节受累	10	5	0
	单纯腕关节受累	40	30	20

注1:单手、单足部分缺失及关节功能障碍评定说明:只有在现有条文未能列举的致残程度情形的情况下,可以参照本图表量化评估确定。(1)A.6.1图1中将每一手指划分为远、中、近三个区域,依据各部位功能重要性赋予不同分值。手部分缺失离断的各种情形可按不同区域分值累计相加。图2使用同图1。(2)A.6.2表中将手指各关节及腕关节功能障碍的不同程度分别给予不同占比分值,各种手功能障碍的情形或合并手部分缺失的致残程度情形均可按对应分值累计相加。

注2:双手部分缺失及功能障碍评定说明:双手功能损伤,按双手分值加权累计确定。设一手功能为100分,双手总分为200分。设分值较高一手分值为A,分值较低一手的分值为B,最终双手计分为:A+B×(200-A)/200。

注3:双足部分缺失及功能障碍评定说明:双足功能损伤,按双足分值加权累计确定。设一足功能为75分,双足总分为150分。设分值较高一足分值为A,分值较低一足的分值为B,最终双足计分为:A+B×(150-A)/150。

A.7 前庭功能检查

内耳前庭器损害导致人体平衡功能障碍。根据眩晕、平衡功能障碍症状,结合神经系统检查及影像学检查予以确定。常见的前庭功能检查有平衡检查、旋转试验、冷热水试验。

A.8 张口度的判定和测量方法

张口度判定及测量方法以被检测者自身的食指、中指、无名指并列垂直置入上、下中切牙切缘间测量。

a)正常张口度:张口时上述三指可垂直置入上、下切牙切缘间(相当于4.5 cm左右)。

b)张口困难Ⅰ度:大张口时,只能垂直置入食指和中指(相当于3 cm左右)。

c)张口困难Ⅱ度:大张口时,只能垂直置入食指(相当于1.7 cm左右)。

d)张口困难Ⅲ度:大张口时,上、下切牙间距小于食指之横径。

e)完全不能张口。

A.9 呼吸困难及呼吸功能损害

A.9.1 呼吸困难分级

Ⅰ级:与同龄健康者在平地一同步行无气短,但登山或上楼时呈现气短。

Ⅱ级:平路步行1000 m无气短,但不能与同龄健康者保持同样速度,平路快步行走呈现气短,登山或上楼时气短明显。

Ⅲ级:平路步行100 m即有气短。

Ⅳ级:稍活动(如穿衣、谈话)即气短。

A.9.2 肺功能损伤分级

损伤级别	FVC	FEV_1	MVV	FEV_1/FVC	RV/TLC	DLco
正常	>80	>80	>80	>70	<35	>80
轻度损伤	60-79	60-79	60-79	55-69	36-45	60-79
中度损伤	40-59	40-59	40-59	35-54	46-55	45-59
重度损伤	<40	<40	<40	<35	>55	<45

注:FVC、FEV_1、MVV、Dlco为占预计值百分数,单位为%

FVC:用力肺活量;FEV1:1秒钟用力呼气容积;MVV:分钟最大通气量;RV/TLC:残气量/肺总量;DLco:一氧化碳弥散量。

A.9.3 低氧血症分级

a)正常:PO2为13.3 kPa~10.6 kPa(100 mmHg~80 mmHg);

b)轻度:PO2为10.5 kPa~8.0 kPa(79 mmHg~60 mmHg);

c)中度:PO2为7.9 kPa~5.3 kPa(59 mmHg~40 mmHg);

d)重度:PO2<5.3 kPa(~40 mmHg)。

A.10 心功能分级

Ⅰ级:体力活动不受限,日常活动不引起过度的乏力、呼吸困难或者心悸。即心功能代偿期。超声心动图检查示左心室EF值大于50%以上。

Ⅱ级:体力活动轻度受限,休息时无症状,日常活动即可引起乏力、心悸、呼吸困难或者心绞痛。亦称Ⅰ度或者轻度心衰。超声心动图检查示左心室EF值41%~50%。

Ⅲ级:体力活动明显受限,休息时无症状,轻于日常的活动即可引起上述症状。亦称Ⅱ度或者中度心衰。超声心动图检查示左心室EF值31%~40%。

Ⅳ级:不能从事任何体力活动,休息时亦有充血性心衰或心绞痛症状,任何体力活动后加重。亦称Ⅲ度或者重度心衰。超声心动图检查示左心室 EF 值小于 30% 以上。

A. 11 **肛门失禁(大便失禁)**

A. 11. 1　重度

a)大便不能控制;

b)肛门括约肌收缩力很弱或丧失;

c)肛门括约肌收缩反射很弱或消失;

d)直肠内压测定:采用肛门注水法测定时直肠内压应小于 1961Pa(20 cm H_2O)。

A. 11. 2　轻度

a)稀便不能控制;

b)肛门括约肌收缩力较弱;

c)肛门括约肌收缩反射较弱;

d)直肠内压测定:采用肛门注水法测定时直肠内压应为 1961Pa ~ 2942 Pa(20 ~ 30 cm H_2O)。

A. 12 **小便失禁**

无法用意志去控制排尿(小便),尿液不由自主的从尿道流出。

A. 13 **年老体弱生活不能自理**

年龄六十五周岁以上的罪犯,在进食、大小便、穿衣洗漱、行动(翻身、自主行动)四项中,有一项大部分不能自主完成。

生活不能自理程度对照表

序号	条款	进食			大、小便			穿衣、洗漱			行动		
		部分影响	大部分影响	完全影响	部分影响	大部分影响	完全影响	部分影响	大部分影响	完全影响	部分影响	大部分影响	完全影响
01	智力残疾二级以上		√			√			√			√	
02	精神残疾二级以上		√			√			√			√	
03	完全感觉性或混合性失语，完全性失用或失认。		√			√			√			√	
04	不完全失用、失写、失读、失认等具有三项以上者。		√			√			√			√	
05	截瘫肌力≤3 级					√			√				√
06	偏瘫肌力≤3 级					√			√			√	
07	双手全肌瘫肌力≤3 级		√			√			√				
08	双手大部分肌瘫肌力≤2 级（拇指均受累）		√			√			√				
09	双足全肌瘫肌力≤2 级					√		√					√
10	中度运动障碍（非肢体瘫）		√			√			√			√	

续 表

序号	条款	进食			大、小便			穿衣、洗漱			行动		
		部分影响	大部分影响	完全影响	部分影响	大部分影响	完全影响	部分影响	大部分影响	完全影响	部分影响	大部分影响	完全影响
11	脊柱并两个以上主要关节(肩、肘、髋、膝)强直畸形,功能丧失		√			√			√			√	
12	手或足部分缺失及关节功能障碍累积分值>150		√	或√		√	或√		√	或√		√	或√
13	双手部分缺失以及关节功能障碍累积分值均>40并伴双前足以上缺失		√			√			√			√	
14	一手或一足缺失,另一肢体两个以上大关节功能完全丧失或达不到功能位		√	或√		√	或√		√	或√		√	或√
15	双手功能完全丧失		√			√			√				
16	肩、肘、髋、膝关节之一对称性非功能位僵直		√	或√		√	或√		√	或√		√	或√

续　表

序号	条款	进食			大、小便			穿衣、洗漱			行动		
		部分影响	大部分影响	完全影响	部分影响	大部分影响	完全影响	部分影响	大部分影响	完全影响	部分影响	大部分影响	完全影响
17	肩、肘、髋、膝中有三个关节功能丧失或达不到功能位		√	或√		√	或√		√	或√		√	或√
18	双侧前庭功能丧失，不能并足站立，睁眼行走困难；					√			√			√	
19	张口困难 II 度以上			√									
20	无吞咽功能			√									
21	双侧上或下颌骨完全缺失			√									
22	一侧上颌骨及对侧下颌骨完全缺失			√									
23	一侧上或下颌骨缺失，伴对侧颌面部软组织缺损≥30 平方厘米			√									

续 表

序号	条款	进食			大、小便			穿衣、洗漱			行动		
		部分影响	大部分影响	完全影响	部分影响	大部分影响	完全影响	部分影响	大部分影响	完全影响	部分影响	大部分影响	完全影响
24	咽喉损伤、食管闭锁或者切除术后，摄食依赖胃造口或者空肠造口			√									
25	食管重建术吻合口狭窄，仅能进流食者			√									
26	消化吸收功能丧失，完全依赖肠外营养			√									
27	肺功能中度损伤或中度低氧血症	√			√				√			√	
28	心功能三级以上	√			√				√			√	
29	大、小便失禁						√						
30	年老体弱生活不能自理		或√			或√			或√			或√	

最高人民法院、国家发展和改革委员会、工业和信息化部、住房和城乡建设部、交通运输部、水利部、商务部、国家铁路局、中国民用航空局关于在招标投标活动中对失信被执行人实施联合惩戒的通知

（2016 年 8 月 30 日　法〔2016〕285 号）

为贯彻党的十八届三中、四中、五中全会精神，落实《中央政法委关于切实解决人民法院执行难问题的通知》（政法〔2005〕52 号）、《国务院关于促进市场公平竞争维护市场正常秩序的若干意见》（国发〔2014〕20 号）、《国务院关于印发社会信用体系建设规划纲要（2014－2020 年）的通知》（国发〔2014〕21 号）、《关于对失信被执行人实施联合惩戒的合作备忘录》（发改财金〔2016〕141 号）要求，加快推进社会信用体系建设，健全跨部门失信联合惩戒机制，促进招标投标市场健康有序发展，现就在招标投标活动中对失信被执行人实施联合惩戒的有关事项通知如下。

一、充分认识在招标投标活动中实施联合惩戒的重要性

诚实信用是招标投标活动的基本原则之一。在招标投标活动中对失信被执行人开展联合惩戒，有利于规范招标投标活动中当事人的行为，促进招标投标市场健康有序发展；有利于建立健全"一处失信，处处受限"的信用联合惩戒机制，推进社会信用体系建设；有利于维护司法权威，提升司法公信力，在全社会形成尊重司法，诚实守信的良好氛围。各有关单位要进一步提高认识，在招标投标活动中对失信被执行人实施联合惩戒，有效应用失信被执行人信息，推动招标投标活动规范、高效、透明。

二、联合惩戒对象

联合惩戒对象为被人民法院列为失信被执行人的下列人员：投标人、招标代理机构、评标专家以及其他招标从业人员。

三、失信被执行人信息查询内容及方式

（一）查询内容

失信被执行人（法人或者其他组织）的名称、统一社会信用代码（或组织机

构代码)、法定代表人或者负责人姓名;失信被执行人(自然人)的姓名、性别、年龄、身份证号码;生效法律文书确定的义务和被执行人的履行情况;失信被执行人失信行为的具体情形;执行依据的制作单位和文号、执行案号、立案时间、执行法院;人民法院认为应当记载和公布的不涉及国家秘密、商业秘密、个人隐私的其他事项。

(二)推送及查询方式

最高人民法院将失信被执行人信息推送到全国信用信息共享平台和“信用中国”网站,并负责及时更新。

招标人、招标代理机构、有关单位应当通过“信用中国”网站(www.creditchina.gov.cn)或各级信用信息共享平台查询相关主体是否为失信被执行人,并采取必要方式做好失信被执行人信息查询记录和证据留存。投标人可通过“信用中国”网站查询相关主体是否为失信被执行人。

国家公共资源交易平台、中国招标投标公共服务平台、各省级信用信息共享平台通过全国信用信息共享平台共享失信被执行人信息,各省级公共资源交易平台通过国家公共资源交易平台共享失信被执行人信息,逐步实现失信被执行人信息推送、接收、查询、应用的自动化。

四、联合惩戒措施

各相关部门应依据《中华人民共和国民事诉讼法》《中华人民共和国招标投标法》《中华人民共和国招标投标法实施条例》《最高人民法院关于公布失信被执行人名单信息的若干规定》等相关法律法规,依法对失信被执行人在招标投标活动中采取限制措施。

(一)限制失信被执行人的投标活动

依法必须进行招标的工程建设项目,招标人应当在资格预审公告、招标公告、投标邀请书及资格预审文件、招标文件中明确规定对失信被执行人的处理方法和评标标准,在评标阶段,招标人或者招标代理机构、评标专家委员会应当查询投标人是否为失信被执行人,对属于失信被执行人的投标活动依法予以限制。

两个以上的自然人、法人或者其他组织组成一个联合体,以一个投标人的身份共同参加投标活动的,应当对所有联合体成员进行失信被执行人信息查询。联合体中有一个或一个以上成员属于失信被执行人的,联合体视为失信被执行人。

(二)限制失信被执行人的招标代理活动

招标人委托招标代理机构开展招标事宜的,应当查询其失信被执行人信息,鼓励优先选择无失信记录的招标代理机构。

(三)限制失信被执行人的评标活动

依法建立的评标专家库管理单位在对评标专家聘用审核及日常管理时,应当查询有关失信被执行人信息,不得聘用失信被执行人为评标专家。对评标专家在聘用期间成为失信被执行人的,应及时清退。

(四)限制失信被执行人招标从业活动

招标人、招标代理机构在聘用招标从业人员前,应当明确规定对失信被执行人的处理办法,查询相关人员的失信被执行人信息,对属于失信被执行人的招标从业人员应按照规定进行处理。

以上限制自失信被执行人从最高人民法院失信被执行人信息库中删除之时起终止。

五、工作要求

(一)有关单位要根据本《通知》,共同推动在招标投标活动中对失信被执行人开展联合惩戒工作,指导、督促各地、各部门落实联合惩戒工作要求,确保联合惩戒工作规范有序进行。

(二)有关单位应在规范招标投标活动中,建立相关单位和个人违法失信行为信用记录,通过全国信用信息共享平台、国家公共资源交易平台和中国招标投标公共服务平台实现信用信息交换共享和动态更新,并按照有关规定及时在“信用中国”网站予以公开。

(三)有关单位应当妥善保管失信被执行人信息,不得用于招标投标以外的事项,不得泄露企业经营秘密和相关个人隐私。

最高人民法院关于审理民事、行政诉讼中司法赔偿案件适用法律若干问题的解释

(2016年2月15日最高人民法院审判委员会第1678次会议通过 2016年9月7日最高人民法院公告公布 自2016年10月1日起施行 法释〔2016〕20号)

根据《中华人民共和国国家赔偿法》及有关法律规定,结合人民法院国家赔偿工作实际,现就人民法院赔偿委员会审理民事、行政诉讼中司法赔偿案件的若干法律适用问题解释如下:

第一条 人民法院在民事、行政诉讼过程中,违法采取对妨害诉讼的强制措施、保全措施、先予执行措施,或者对判决、裁定及其他生效法律文书执行错误,侵犯公民、法人和其他组织合法权益并造成损害的,赔偿请求人可以依法向

人民法院申请赔偿。

第二条 违法采取对妨害诉讼的强制措施,包括以下情形:

(一)对没有实施妨害诉讼行为的人采取罚款或者拘留措施的;

(二)超过法律规定金额采取罚款措施的;

(三)超过法律规定期限采取拘留措施的;

(四)对同一妨害诉讼的行为重复采取罚款、拘留措施的;

(五)其他违法情形。

第三条 违法采取保全措施,包括以下情形:

(一)依法不应当采取保全措施而采取的;

(二)依法不应当解除保全措施而解除,或者依法应当解除保全措施而不解除的;

(三)明显超出诉讼请求的范围采取保全措施的,但保全财产为不可分割物且被保全人无其他财产或者其他财产不足以担保债权实现的除外;

(四)在给付特定物之诉中,对与案件无关的财物采取保全措施的;

(五)违法保全案外人财产的;

(六)对查封、扣押、冻结的财产不履行监管职责,造成被保全财产毁损、灭失的;

(七)对季节性商品或者鲜活、易腐烂变质以及其他不宜长期保存的物品采取保全措施,未及时处理或者违法处理,造成物品毁损或者严重贬值的;

(八)对不动产或者船舶、航空器和机动车等特定动产采取保全措施,未依法通知有关登记机构不予办理该保全财产的变更登记,造成该保全财产所有权被转移的;

(九)违法采取行为保全措施的;

(十)其他违法情形。

第四条 违法采取先予执行措施,包括以下情形:

(一)违反法律规定的条件和范围先予执行的;

(二)超出诉讼请求的范围先予执行的;

(三)其他违法情形。

第五条 对判决、裁定及其他生效法律文书执行错误,包括以下情形:

(一)执行未生效法律文书的;

(二)超出生效法律文书确定的数额和范围执行的;

(三)对已经发现的被执行人的财产,故意拖延执行或者不执行,导致被执行财产流失的;

(四)应当恢复执行而不恢复,导致被执行财产流失的;

(五)违法执行案外人财产的;

（六）违法将案件执行款物执行给其他当事人或者案外人的；

（七）违法对抵押物、质物或者留置物采取执行措施，致使抵押权人、质权人或者留置权人的优先受偿权无法实现的；

（八）对执行中查封、扣押、冻结的财产不履行监管职责，造成财产毁损、灭失的；

（九）对季节性商品或者鲜活、易腐烂变质以及其他不宜长期保存的物品采取执行措施，未及时处理或者违法处理，造成物品毁损或者严重贬值的；

（十）对执行财产应当拍卖而未依法拍卖的，或者应当由资产评估机构评估而未依法评估，违法变卖或者以物抵债的；

（十一）其他错误情形。

第六条 人民法院工作人员在民事、行政诉讼过程中，有殴打、虐待或者唆使、放纵他人殴打、虐待等行为，以及违法使用武器、警械，造成公民身体伤害或者死亡的，适用国家赔偿法第十七条第四项、第五项的规定予以赔偿。

第七条 具有下列情形之一的，国家不承担赔偿责任：

（一）属于民事诉讼法第一百零五条、第一百零七条第二款和第二百三十三条规定情形的；

（二）申请执行人提供执行标的物错误的，但人民法院明知该标的物错误仍予以执行的除外；

（三）人民法院依法指定的保管人对查封、扣押、冻结的财产违法动用、隐匿、毁损、转移或者变卖的；

（四）人民法院工作人员与行使职权无关的个人行为；

（五）因不可抗力、正当防卫和紧急避险造成损害后果的；

（六）依法不应由国家承担赔偿责任的其他情形。

第八条 因多种原因造成公民、法人和其他组织合法权益损害的，应当根据人民法院及其工作人员行使职权的行为对损害结果的发生或者扩大所起的作用等因素，合理确定赔偿金额。

第九条 受害人对损害结果的发生或者扩大也有过错的，应当根据其过错对损害结果的发生或者扩大所起的作用等因素，依法减轻国家赔偿责任。

第十条 公民、法人和其他组织的损失，已经在民事、行政诉讼过程中获得赔偿、补偿的，对该部分损失，国家不承担赔偿责任。

第十一条 人民法院及其工作人员在民事、行政诉讼过程中，具有本解释第二条、第六条规定情形，侵犯公民人身权的，应当依照国家赔偿法第三十三条、第三十四条的规定计算赔偿金。致人精神损害的，应当依照国家赔偿法第三十五条的规定，在侵权行为影响的范围内，为受害人消除影响、恢复名誉、赔礼道歉；造成严重后果的，还应当支付相应的精神损害抚慰金。

第十二条 人民法院及其工作人员在民事、行政诉讼过程中，具有本解释第二条至第五条规定情形，侵犯公民、法人和其他组织的财产权并造成损害的，应当依照国家赔偿法第三十六条的规定承担赔偿责任。

财产不能恢复原状或者灭失的，应当按照侵权行为发生时的市场价格计算损失；市场价格无法确定或者该价格不足以弥补受害人所受损失的，可以采用其他合理方式计算损失。

第十三条 人民法院及其工作人员对判决、裁定及其他生效法律文书执行错误，且对公民、法人或者其他组织的财产已经依照法定程序拍卖或者变卖的，应当给付拍卖或者变卖所得的价款。

人民法院违法拍卖，或者变卖价款明显低于财产价值的，应当依照本解释第十二条的规定支付相应的赔偿金。

第十四条 国家赔偿法第三十六条第六项规定的停产停业期间必要的经常性费用开支，是指法人、其他组织和个体工商户为维系停产停业期间运营所需的基本开支，包括留守职工工资、必须缴纳的税费、水电费、房屋场地租金、设备租金、设备折旧费等必要的经常性费用。

第十五条 国家赔偿法第三十六条第七项规定的银行同期存款利息，以作出生效赔偿决定时中国人民银行公布的一年期人民币整存整取定期存款基准利率计算，不计算复利。

应当返还的财产属于金融机构合法存款的，对存款合同存续期间的利息按照合同约定利率计算。

应当返还的财产系现金的，比照本条第一款规定支付利息。

第十六条 依照国家赔偿法第三十六条规定返还的财产系国家批准的金融机构贷款的，除贷款本金外，还应当支付该贷款借贷状态下的贷款利息。

第十七条 用益物权人、担保物权人、承租人或者其他合法占有使用财产的人，依据国家赔偿法第三十八条规定申请赔偿的，人民法院应当依照《最高人民法院关于国家赔偿案件立案工作的规定》予以审查立案。

第十八条 人民法院在民事、行政诉讼过程中，违法采取对妨害诉讼的强制措施、保全措施、先予执行措施，或者对判决、裁定及其他生效法律文书执行错误，系因上一级人民法院复议改变原裁决所致的，由该上一级人民法院作为赔偿义务机关。

第十九条 公民、法人或者其他组织依据国家赔偿法第三十八条规定申请赔偿的，应当在民事、行政诉讼程序或者执行程序终结后提出，但下列情形除外：

（一）人民法院已依法撤销对妨害诉讼的强制措施的；

（二）人民法院采取对妨害诉讼的强制措施，造成公民身体伤害或者死亡的；

（三）经诉讼程序依法确认不属于被保全人或者被执行人的财产，且无法在相关诉讼程序或者执行程序中予以补救的；

（四）人民法院生效法律文书已确认相关行为违法，且无法在相关诉讼程序或者执行程序中予以补救的；

（五）赔偿请求人有证据证明其请求与民事、行政诉讼程序或者执行程序无关的；

（六）其他情形。

赔偿请求人依据前款规定，在民事、行政诉讼程序或者执行程序终结后申请赔偿的，该诉讼程序或者执行程序期间不计入赔偿请求时效。

第二十条 人民法院赔偿委员会审理民事、行政诉讼中的司法赔偿案件，有下列情形之一的，相应期间不计入审理期限：

（一）需要向赔偿义务机关、有关人民法院或者其他国家机关调取案卷或者其他材料的；

（二）人民法院赔偿委员会委托鉴定、评估的。

第二十一条 人民法院赔偿委员会审理民事、行政诉讼中的司法赔偿案件，应当对人民法院及其工作人员行使职权的行为是否符合法律规定，赔偿请求人主张的损害事实是否存在，以及该职权行为与损害事实之间是否存在因果关系等事项一并予以审查。

第二十二条 本解释自2016年10月1日起施行。本解释施行前最高人民法院发布的司法解释与本解释不一致的，以本解释为准。

最高人民法院、最高人民检察院、公安部印发《关于办理刑事案件收集提取和审查判断电子数据若干问题的规定》的通知

（2016年9月9日　法发〔2016〕22号）

各省、自治区、直辖市高级人民法院、人民检察院、公安厅（局），解放军军事法院、军事检察院，新疆维吾尔自治区高级人民法院生产建设兵团分院、新疆生产建设兵团人民检察院、公安局：

为规范电子数据的收集提取和审查判断，提高刑事案件办理质量，最高人民法院、最高人民检察院、公安部制定了《关于办理刑事案件收集提取和审查判

断电子数据若干问题的规定》。现印发给你们,请认真贯彻执行。执行中遇到的问题,请及时分别层报最高人民法院、最高人民检察院、公安部。

最高人民法院、最高人民检察院、公安部关于办理刑事案件收集提取和审查判断电子数据若干问题的规定

为规范电子数据的收集提取和审查判断,提高刑事案件办理质量,根据《中华人民共和国刑事诉讼法》等有关法律规定,结合司法实际,制定本规定。

一、一般规定

第一条 电子数据是案件发生过程中形成的,以数字化形式存储、处理、传输的,能够证明案件事实的数据。

电子数据包括但不限于下列信息、电子文件:

(一)网页、博客、微博客、朋友圈、贴吧、网盘等网络平台发布的信息;

(二)手机短信、电子邮件、即时通信、通讯群组等网络应用服务的通信信息;

(三)用户注册信息、身份认证信息、电子交易记录、通信记录、登录日志等信息;

(四)文档、图片、音视频、数字证书、计算机程序等电子文件。

以数字化形式记载的证人证言、被害人陈述以及犯罪嫌疑人、被告人供述和辩解等证据,不属于电子数据。确有必要的,对相关证据的收集、提取、移送、审查,可以参照适用本规定。

第二条 侦查机关应当遵守法定程序,遵循有关技术标准,全面、客观、及时地收集、提取电子数据;人民检察院、人民法院应当围绕真实性、合法性、关联性审查判断电子数据。

第三条 人民法院、人民检察院和公安机关有权依法向有关单位和个人收集、调取电子数据。有关单位和个人应当如实提供。

第四条 电子数据涉及国家秘密、商业秘密、个人隐私的,应当保密。

第五条 对作为证据使用的电子数据,应当采取以下一种或者几种方法保护电子数据的完整性:

(一)扣押、封存电子数据原始存储介质;

(二)计算电子数据完整性校验值;

(三)制作、封存电子数据备份;

（四）冻结电子数据；

（五）对收集、提取电子数据的相关活动进行录像；

（六）其他保护电子数据完整性的方法。

第六条 初查过程中收集、提取的电子数据，以及通过网络在线提取的电子数据，可以作为证据使用。

二、电子数据的收集与提取

第七条 收集、提取电子数据，应当由二名以上侦查人员进行。取证方法应当符合相关技术标准。

第八条 收集、提取电子数据，能够扣押电子数据原始存储介质的，应当扣押、封存原始存储介质，并制作笔录，记录原始存储介质的封存状态。

封存电子数据原始存储介质，应当保证在不解除封存状态的情况下，无法增加、删除、修改电子数据。封存前后应当拍摄被封存原始存储介质的照片，清晰反映封口或者张贴封条处的状况。

封存手机等具有无线通信功能的存储介质，应当采取信号屏蔽、信号阻断或者切断电源等措施。

第九条 具有下列情形之一，无法扣押原始存储介质的，可以提取电子数据，但应当在笔录中注明不能扣押原始存储介质的原因、原始存储介质的存放地点或者电子数据的来源等情况，并计算电子数据的完整性校验值：

（一）原始存储介质不便封存的；

（二）提取计算机内存数据、网络传输数据等不是存储在存储介质上的电子数据的；

（三）原始存储介质位于境外的；

（四）其他无法扣押原始存储介质的情形。

对于原始存储介质位于境外或者远程计算机信息系统上的电子数据，可以通过网络在线提取。

为进一步查明有关情况，必要时，可以对远程计算机信息系统进行网络远程勘验。进行网络远程勘验，需要采取技术侦查措施的，应当依法经过严格的批准手续。

第十条 由于客观原因无法或者不宜依据第八条、第九条的规定收集、提取电子数据的，可以采取打印、拍照或者录像等方式固定相关证据，并在笔录中说明原因。

第十一条 具有下列情形之一的，经县级以上公安机关负责人或者检察长批准，可以对电子数据进行冻结：

（一）数据量大，无法或者不便提取的；

（二）提取时间长，可能造成电子数据被篡改或者灭失的；

（三）通过网络应用可以更为直观地展示电子数据的；

（四）其他需要冻结的情形。

第十二条 冻结电子数据，应当制作协助冻结通知书，注明冻结电子数据的网络应用账号等信息，送交电子数据持有人、网络服务提供者或者有关部门协助办理。解除冻结的，应当在三日内制作协助解除冻结通知书，送交电子数据持有人、网络服务提供者或者有关部门协助办理。

冻结电子数据，应当采取以下一种或者几种方法：

（一）计算电子数据的完整性校验值；

（二）锁定网络应用账号；

（三）其他防止增加、删除、修改电子数据的措施。

第十三条 调取电子数据，应当制作调取证据通知书，注明需要调取电子数据的相关信息，通知电子数据持有人、网络服务提供者或者有关部门执行。

第十四条 收集、提取电子数据，应当制作笔录，记录案由、对象、内容、收集、提取电子数据的时间、地点、方法、过程，并附电子数据清单，注明类别、文件格式、完整性校验值等，由侦查人员、电子数据持有人（提供人）签名或者盖章；电子数据持有人（提供人）无法签名或者拒绝签名的，应当在笔录中注明，由见证人签名或者盖章。有条件的，应当对相关活动进行录像。

第十五条 收集、提取电子数据，应当根据刑事诉讼法的规定，由符合条件的人员担任见证人。由于客观原因无法由符合条件的人员担任见证人的，应当在笔录中注明情况，并对相关活动进行录像。

针对同一现场多个计算机信息系统收集、提取电子数据的，可以由一名见证人见证。

第十六条 对扣押的原始存储介质或者提取的电子数据，可以通过恢复、破解、统计、关联、比对等方式进行检查。必要时，可以进行侦查实验。

电子数据检查，应当对电子数据存储介质拆封过程进行录像，并将电子数据存储介质通过写保护设备接入到检查设备进行检查；有条件的，应当制作电子数据备份，对备份进行检查；无法使用写保护设备且无法制作备份的，应当注明原因，并对相关活动进行录像。

电子数据检查应当制作笔录，注明检查方法、过程和结果，由有关人员签名或者盖章。进行侦查实验的，应当制作侦查实验笔录，注明侦查实验的条件、经过和结果，由参加实验的人员签名或者盖章。

第十七条 对电子数据涉及的专门性问题难以确定的，由司法鉴定机构出具鉴定意见，或者由公安部指定的机构出具报告。对于人民检察院直接受理的案件，也可以由最高人民检察院指定的机构出具报告。

具体办法由公安部、最高人民检察院分别制定。

三、电子数据的移送与展示

第十八条 收集、提取的原始存储介质或者电子数据,应当以封存状态随案移送,并制作电子数据的备份一并移送。

对网页、文档、图片等可以直接展示的电子数据,可以不随案移送打印件;人民法院、人民检察院因设备等条件限制无法直接展示电子数据的,侦查机关应当随案移送打印件,或者附展示工具和展示方法说明。

对冻结的电子数据,应当移送被冻结电子数据的清单,注明类别、文件格式、冻结主体、证据要点、相关网络应用账号,并附查看工具和方法的说明。

第十九条 对侵入、非法控制计算机信息系统的程序、工具以及计算机病毒等无法直接展示的电子数据,应当附电子数据属性、功能等情况的说明。

对数据统计量、数据同一性等问题,侦查机关应当出具说明。

第二十条 公安机关报请人民检察院审查批准逮捕犯罪嫌疑人,或者对侦查终结的案件移送人民检察院审查起诉的,应当将电子数据等证据一并移送人民检察院。人民检察院在审查批准逮捕和审查起诉过程中发现应当移送的电子数据没有移送或者移送的电子数据不符合相关要求的,应当通知公安机关补充移送或者进行补正。

对于提起公诉的案件,人民法院发现应当移送的电子数据没有移送或者移送的电子数据不符合相关要求的,应当通知人民检察院。

公安机关、人民检察院应当自收到通知后三日内移送电子数据或者补充有关材料。

第二十一条 控辩双方向法庭提交的电子数据需要展示的,可以根据电子数据的具体类型,借助多媒体设备出示、播放或者演示。必要时,可以聘请具有专门知识的人进行操作,并就相关技术问题作出说明。

四、电子数据的审查与判断

第二十二条 对电子数据是否真实,应当着重审查以下内容:

(一)是否移送原始存储介质;在原始存储介质无法封存、不便移动时,有无说明原因,并注明收集、提取过程及原始存储介质的存放地点或者电子数据的来源等情况;

(二)电子数据是否具有数字签名、数字证书等特殊标识;

(三)电子数据的收集、提取过程是否可以重现;

(四)电子数据如有增加、删除、修改等情形的,是否附有说明;

(五)电子数据的完整性是否可以保证。

第二十三条 对电子数据是否完整,应当根据保护电子数据完整性的相应方法进行验证:

（一）审查原始存储介质的扣押、封存状态；

（二）审查电子数据的收集、提取过程，查看录像；

（三）比对电子数据完整性校验值；

（四）与备份的电子数据进行比较；

（五）审查冻结后的访问操作日志；

（六）其他方法。

第二十四条 对收集、提取电子数据是否合法，应当着重审查以下内容：

（一）收集、提取电子数据是否由二名以上侦查人员进行，取证方法是否符合相关技术标准；

（二）收集、提取电子数据，是否附有笔录、清单，并经侦查人员、电子数据持有人（提供人）、见证人签名或者盖章；没有持有人（提供人）签名或者盖章的，是否注明原因；对电子数据的类别、文件格式等是否注明清楚；

（三）是否依照有关规定由符合条件的人员担任见证人，是否对相关活动进行录像；

（四）电子数据检查是否将电子数据存储介质通过写保护设备接入到检查设备；有条件的，是否制作电子数据备份，并对备份进行检查；无法制作备份且无法使用写保护设备的，是否附有录像。

第二十五条 认定犯罪嫌疑人、被告人的网络身份与现实身份的同一性，可以通过核查相关 IP 地址、网络活动记录、上网终端归属、相关证人证言以及犯罪嫌疑人、被告人供述和辩解等进行综合判断。

认定犯罪嫌疑人、被告人与存储介质的关联性，可以通过核查相关证人证言以及犯罪嫌疑人、被告人供述和辩解等进行综合判断。

第二十六条 公诉人、当事人或者辩护人、诉讼代理人对电子数据鉴定意见有异议，可以申请人民法院通知鉴定人出庭作证。人民法院认为鉴定人有必要出庭的，鉴定人应当出庭作证。

经人民法院通知，鉴定人拒不出庭作证的，鉴定意见不得作为定案的根据。对没有正当理由拒不出庭作证的鉴定人，人民法院应当通报司法行政机关或者有关部门。

公诉人、当事人或者辩护人、诉讼代理人可以申请法庭通知有专门知识的人出庭，就鉴定意见提出意见。

对电子数据涉及的专门性问题的报告，参照适用前三款规定。

第二十七条 电子数据的收集、提取程序有下列瑕疵，经补正或者作出合理解释的，可以采用；不能补正或者作出合理解释的，不得作为定案的根据：

（一）未以封存状态移送的；

（二）笔录或者清单上没有侦查人员、电子数据持有人（提供人）、见证人签名或者盖章的；

（三）对电子数据的名称、类别、格式等注明不清的；

（四）有其他瑕疵的。

第二十八条 电子数据具有下列情形之一的，不得作为定案的根据：

（一）电子数据系篡改、伪造或者无法确定真伪的；

（二）电子数据有增加、删除、修改等情形，影响电子数据真实性的；

（三）其他无法保证电子数据真实性的情形。

五、附 则

第二十九条 本规定中下列用语的含义：

（一）存储介质，是指具备数据信息存储功能的电子设备、硬盘、光盘、优盘、记忆棒、存储卡、存储芯片等载体。

（二）完整性校验值，是指为防止电子数据被篡改或者破坏，使用散列算法等特定算法对电子数据进行计算，得出的用于校验数据完整性的数据值。

（三）网络远程勘验，是指通过网络对远程计算机信息系统实施勘验，发现、提取与犯罪有关的电子数据，记录计算机信息系统状态，判断案件性质，分析犯罪过程，确定侦查方向和范围，为侦查破案、刑事诉讼提供线索和证据的侦查活动。

（四）数字签名，是指利用特定算法对电子数据进行计算，得出的用于验证电子数据来源和完整性的数据值。

（五）数字证书，是指包含数字签名并对电子数据来源、完整性进行认证的电子文件。

（六）访问操作日志，是指为审查电子数据是否被增加、删除或者修改，由计算机信息系统自动生成的对电子数据访问、操作情况的详细记录。

第三十条 本规定自2016年10月1日起施行。之前发布的规范性文件与本规定不一致的，以本规定为准。

最高人民法院关于进一步推进案件繁简分流优化司法资源配置的若干意见

（2016年9月12日 法发〔2016〕21号）

为进一步优化司法资源，提高司法效率，促进司法公正，减少当事人诉讼成本，维护人民群众合法权益，根据《中华人民共和国民事诉讼法》《中华人民共和国刑事诉讼法》《中华人民共和国行政诉讼法》等法律规定，结合人民法院工作实际，现就进一步推进案件繁简分流、优化司法资源配置提出如下意见。

1. 遵循司法规律推进繁简分流。科学调配和高效运用审判资源，依法快速审理简单案件，严格规范审理复杂案件，实现简案快审、繁案精审。根据案件事实、法律适用、社会影响等因素，选择适用适当的审理程序，规范完善不同程序之间的转换衔接，做到该繁则繁，当简则简，繁简得当，努力以较小的司法成本取得较好的法律效果。

2. 推进立案环节案件的甄别分流。地方各级人民法院根据法律规定，科学制定简单案件与复杂案件的区分标准和分流规则，采取随机分案为主、指定分案为辅的方式，确保简单案件由人民法庭、速裁团队及时审理，系列性、群体性或关联性案件原则上由同一审判组织审理。对于繁简程度难以及时准确判断的案件，立案、审判及审判管理部门应当及时会商沟通，实现分案工作的有序高效。

3. 完善送达程序与送达方式。当事人在纠纷发生之前约定送达地址的，人民法院可以将该地址作为送达诉讼文书的确认地址。当事人起诉或者答辩时应当依照规定填写送达地址确认书。积极运用电子方式送达；当事人同意电子送达的，应当提供并确认传真号、电子信箱、微信号等电子送达地址。充分利用中国审判流程信息公开网，建立全国法院统一的电子送达平台。完善国家邮政机构以法院专递方式进行送达。

4. 发挥民事案件快速审判程序的优势。根据民事诉讼法及其司法解释规定，积极引导当事人双方约定适用简易程序审理民事案件。对于标的额超过规定标准的简单民事案件，或者不属于民事诉讼法第一百五十七条第一款规定情形但标的额在规定标准以下的民事案件，当事人双方约定适用小额诉讼程序的，可以适用小额诉讼程序审理。依法适用实现担保物权案件特别程序。积极引导当事人将债权人请求债务人给付金钱、有价证券的案件转入督促程序，推广使用电子支付令。

5. 创新刑事速裁工作机制。总结刑事速裁程序试点经验，加强侦查、起诉、审判程序的衔接配合。推广在看守所、执法办案单位等场所内建立速裁办公区，推动案件信息共享及案卷无纸化流转，促进案件办理的简化提速。

6. 简化行政案件审理程序。对于已经立案但不符合起诉条件的行政案件，经过阅卷、调查和询问当事人，认为不需要开庭审理的，可以径行裁定驳回起诉。对于事实清楚、权利义务关系明确、争议不大的案件，探索建立行政速裁工作机制。

7. 探索实行示范诉讼方式。对于系列性或者群体性民事案件和行政案件，选取个别或少数案件先行示范诉讼，参照其裁判结果来处理其他同类案件，通过个案示范处理带动批量案件的高效解决。

8. 推行集中时间审理案件的做法。对于适用简易程序审理的民事案件、适用速裁程序或者简易程序审理的轻微刑事案件，实行集中立案、移送、排期、开庭、宣判，由同一审判组织在同一时段内对多个案件连续审理。

9. 发挥庭前会议功能。法官或者受法官指导的法官助理主持召开庭前会议，解决核对当事人身份、组织交换证据目录、启动非法证据排除等相关程序性事项。对于适宜调解的案件，积极通过庭前会议促成当事人和解或者达成调解协议。对于庭前会议已确认的无争议事实和证据，在庭审中作出说明后，可以简化庭审举证和质证；对于有争议的事实和证据，征求当事人意见后归纳争议焦点。

10. 创新开庭方式。对于适用简易程序审理的民事、刑事案件，经当事人同意，可以采用远程视频方式开庭。证人、鉴定人、被害人可以使用视听传输技术或者同步视频作证室等作证。

11. 推行庭审记录方式改革。积极开发利用智能语音识别技术，实现庭审语音同步转化为文字并生成法庭笔录。落实庭审活动全程录音录像的要求，探索使用庭审录音录像简化或者替代书记员法庭记录。

12. 推进民事庭审方式改革。对于适用小额诉讼程序审理的民事案件，可以直接围绕诉讼请求进行庭审，不受法庭调查、法庭辩论等庭审程序限制。对于案件要素与审理要点相对集中的民事案件，可以根据相关要素并结合诉讼请求确定庭审顺序，围绕有争议的要素同步进行法庭调查和法庭辩论。

13. 探索认罪认罚案件庭审方式改革。对于被告人认罪认罚的案件，探索简化庭审程序，但是应当听取被告人的最后陈述。适用刑事速裁程序审理的，可不再进行法庭调查、法庭辩论；适用刑事简易程序审理的，不受法庭调查、法庭辩论等庭审程序限制。

14. 促进当庭宣判。对于适用小额诉讼程序审理的民事案件、适用速裁程序审理的刑事案件，原则上应当当庭宣判。对于适用民事、刑事、行政简易程序审理的案件，一般应当当庭宣判。对于适用普通程序审理的民事、刑事、行政案件，逐步提高当庭宣判率。

15. 推行裁判文书繁简分流。根据法院审级、案件类型、庭审情况等对裁判文书的体例结构及说理进行繁简分流。复杂案件的裁判文书应当围绕争议焦点进行有针对性地说理。新类型、具有指导意义的简单案件，加强说理；其他简单案件可以使用令状式、要素式、表格式等简式裁判文书，简化说理。当庭宣判的案件，裁判文书可以适当简化。当庭即时履行的民事案件，经征得各方当事人同意，可以在法庭笔录中记录相关情况后不再出具裁判文书。

16. 完善二审案件衔接机制。积极引导当事人、律师等提交电子诉讼材料，推进智慧法院建设和诉讼档案电子化，运用电子卷宗移送方式，加快案卷在上下级法院之间的移送。优化二审审理方式,围绕诉讼各方争议问题进行审理,避免二审与一审在庭审和裁判文书方面的不必要重复。强化二审统一裁判尺度、明确裁判规则等功能。

17. 提升人案配比科学性。在精确测算人员、案件数量和工作量的基础上,动态调整不同法院、不同审判部门的审判力量。根据法院审级、案件繁简等相关因素,合理确定法官、法官助理、书记员的配置比例,科学界定各自职能定位及其相互关系,最大程度地发挥审判团队优势。

18. 推广专业化审判。在充分考虑法官办案能力、经验及特长等因素的基础上,根据案件的不同类型确定审理类型化案件的专业审判组织,根据案件的繁简程度确定专门审理简单案件与复杂案件的审判人员。推进办案标准化建设,健全案例工作制度。构建法官轮岗机制,完善业绩评价体系,激发和保持审判队伍的活力。

19. 推进审判辅助事务集中管理。根据审判实际需要,在诉讼服务中心或者审判业务等部门安排专门的审判辅助人员,集中负责送达、排期开庭、保全、鉴定评估、文书上网等审判辅助事务。

20. 完善多元化纠纷解决机制。推动综治组织、行政机关、人民调解组织、商事调解组织、行业调解组织、仲裁机构、公证机构等各类治理主体发挥预防与化解矛盾纠纷的作用,完善诉调对接工作平台建设,加强诉讼与非诉纠纷解决方式的有机衔接,促进纠纷的诉前分流。完善刑事诉讼中的和解、调解。促进行政调解、行政和解,积极支持行政机关依法裁决同行政管理活动密切相关的民事纠纷。

21. 发挥律师在诉讼中的作用。积极支持律师依法执业,保障律师执业权利,重视律师对案件繁简分流和诉讼程序选择的意见,积极推动律师参与调解、代理申诉等工作。

22. 引导当事人诚信理性诉讼。加大对虚假诉讼、恶意诉讼等非诚信诉讼行为的打击力度,充分发挥诉讼费用、律师费用调节当事人诉讼行为的杠杆作用,促使当事人选择适当方式解决纠纷。当事人存在滥用诉讼权利、拖延承担诉讼义务等明显不当行为,造成诉讼对方或第三人直接损失的,人民法院可以根据具体情况对无过错方依法提出的赔偿合理的律师费用等正当要求予以支持。

最高人民法院印发《关于建立和管理网络服务提供者名单库的办法》的通知

（2016 年 9 月 19 日　法发〔2016〕23 号）

各省、自治区、直辖市高级人民法院，解放军军事法院，新疆维吾尔自治区高级人民法院生产建设兵团分院：

现将《关于建立和管理网络服务提供者名单库的办法》予以印发，请各地结合实际，认真贯彻执行。

最高人民法院关于建立和管理网络服务提供者名单库的办法

为落实《最高人民法院关于人民法院网络司法拍卖若干问题的规定》（以下简称《网拍规定》），科学建立和管理全国性网络服务提供者名单库，确保网络司法拍卖工作依法有序进行，制定本办法。

第一条　最高人民法院设立网络服务提供者名单库评审委员会，负责网络服务提供者的选定、评审和除名工作。评审委员会由互联网专家、全国人大代表、全国政协委员、特约监督员和最高人民法院审判、执行、行装、技术等部门人员组成。

第二条　能够提供符合《网拍规定》和本办法要求的网络司法拍卖平台并有意开展网络司法拍卖业务的网络服务提供者，可以向评审委员会提出申请。申请入库的，应当提交入库申请书及符合要求的相关证明材料。

第三条　申请入库的网络服务提供者应当具备保障全国法院网络司法拍卖安全、便捷、有序进行的信息系统、硬件设备、资金及人员等，且服务质优价廉。

第四条　申请入库的网络服务提供者应当同时符合以下基本要求：

（一）网络服务提供者提供的网络司法拍卖平台应当在全国范围内具有较高知名度和较大影响力；

（二）在同类平台中取得行业公认的领先地位；

（三）已开展涉公共事务领域网络拍卖业务一年以上；

（四）无违法违规记录。

第五条 申请入库的网络服务提供者应当对其提供的网络司法拍卖平台的安全性负责，具备法律法规规定的资质和安全管理体系等。

第六条 网络司法拍卖平台应当具备系统开放性、技术先进性和持续发展性，能与人民法院执行案件管理系统实现信息联通共享，能顺应网络司法拍卖发展需求及时提升扩展服务。

第七条 为保障网络司法拍卖有序进行，网络司法拍卖平台应当符合下列要求：

（一）为司法拍卖设置首页入口和专用频道以提高用户辨识度和使用便捷性，并通过该频道向社会公众真实、准确、完整展示网络司法拍卖的各类信息；

（二）具备实时在线核验报名竞买人身份信息功能，确保竞买人可自主完成报名和随机生成竞买代码、密码；

（三）使用具备合法经营牌照和符合安全标准的网络支付系统，可自动处理保证金的交纳、冻结和结算；

（四）具备通过互联网进行电子竞价的功能；

（五）为不同层级人民法院设置系统操作功能及管理权限，并具备自动化统计功能，确保人民法院随时发布、管理、统计和监督司法拍卖活动；

（六）对拍卖形成的全部数据进行加密保护，确保安全，并具备自动归档留存功能，可下载制作副本；

（七）具备大数据实时计算分析、精准投放与推介能力，确保拍卖信息及时推送潜在竞买人，扩大参与竞买人数量；

（八）具备包括PC端和移动端的多终端登陆系统与操作功能，方便竞买人多渠道参与竞买；

（九）为网络司法拍卖交易各方提供及时全面的咨询、答疑和提醒等服务；

（十）后台未设置监控竞买人信息和操控、干预竞价程序的功能等；

（十一）其他人民法院认为应当符合的要求。

第八条 评审委员会有权审查网络司法拍卖平台的相关程序，确保后台未设置监控竞买人信息、操控和干预竞价程序的功能。

第九条 评审委员会采用委托第三方评估机构评估方式定期对新申请入库的网络服务提供者进行评审，择优入库并公示，免收服务费用的可优先入库；每年对已入库的网络服务提供者开展的网络司法拍卖情况进行评估并公布结果。

第十条 网络服务提供者发生影响网络司法拍卖业务正常运行的重大经营变化的，应当及时向评审委员会报告。

网络服务提供者不再为网络司法拍卖提供网络平台的，应当提前三个月书面向评审委员会申请从名单库中退出，不得自行中断服务。

第十一条 网络服务提供者存在违反《网拍规定》第三十五条规定情形的，评审委员会经评审后将其从名单库中除名并公示。

第十二条 网络服务提供者被除名或被准许退出名单库的，应当做好交接和善后工作，包括保障尚未完成的拍卖顺利进行完毕、将存储的全部拍卖信息数据移交评审委员会保存、妥善处理好保证金的划转和解冻事宜等。

第十三条 本办法自2016年9月20日起施行。

最高人民法院、最高人民检察院、公安部、司法部关于进一步加强社区矫正工作衔接配合管理的意见

（2016年9月22日）

为进一步加强社区矫正工作衔接配合，确保社区矫正依法适用、规范运行，根据刑法、刑事诉讼法以及最高人民法院、最高人民检察院、公安部、司法部《社区矫正实施办法》等有关规定，结合工作实际，制定本意见。

一、加强社区矫正适用前的衔接配合管理

1. 人民法院、人民检察院、公安机关、监狱对拟适用或者提请适用社区矫正的被告人、犯罪嫌疑人或者罪犯，需要调查其对所居住社区影响的，可以委托其居住地县级司法行政机关调查评估。对罪犯提请假释的，应当委托其居住地县级司法行政机关调查评估。对拟适用社区矫正的被告人或者罪犯，裁定或者决定机关应当核实其居住地。

委托调查评估时，委托机关应当发出调查评估委托函，并附下列材料：

（1）人民法院委托时，应当附带起诉书或者自诉状；

（2）人民检察院委托时，应当附带起诉意见书；

（3）看守所、监狱委托时，应当附带判决书、裁定书、执行通知书、减刑裁定书复印件以及罪犯在服刑期间表现情况材料。

2. 调查评估委托函应当包括犯罪嫌疑人、被告人、罪犯及其家属等有关人员的姓名、住址、联系方式、案由以及委托机关的联系人、联系方式等内容。

调查评估委托函不得通过案件当事人、法定代理人、诉讼代理人或者其他利害关系人转交居住地县级司法行政机关。

3. 居住地县级司法行政机关应当自收到调查评估委托函及所附材料之日

起10个工作日内完成调查评估,提交评估意见。对于适用刑事案件速裁程序的,居住地县级司法行政机关应当在5个工作日内完成调查评估,提交评估意见。评估意见同时抄送居住地县级人民检察院。

需要延长调查评估时限的,居住地县级司法行政机关应当与委托机关协商,并在协商确定的期限内完成调查评估。

调查评估意见应当客观公正反映被告人、犯罪嫌疑人、罪犯适用社区矫正对其所居住社区的影响。委托机关应当认真审查调查评估意见,作为依法适用或者提请适用社区矫正的参考。

4. 人民法院在作出暂予监外执行决定前征求人民检察院意见时,应当附罪犯的病情诊断、妊娠检查或者生活不能自理的鉴别意见等有关材料。

二、加强对社区服刑人员交付接收的衔接配合管理

5. 对于被判处管制、宣告缓刑、假释的罪犯,人民法院、看守所、监狱应当书面告知其到居住地县级司法行政机关报到的时间期限以及逾期报到的后果,并在规定期限内将有关法律文书送达居住地县级司法行政机关,同时抄送居住地县级人民检察院和公安机关。

社区服刑人员前来报到时,居住地县级司法行政机关未收到法律文书或者法律文书不齐全,可以先记录在案,并通知人民法院、监狱或者看守所在5日内送达或者补齐法律文书。

6. 人民法院决定暂予监外执行或者公安机关、监狱管理机关批准暂予监外执行的,交付时应当将罪犯的病情诊断、妊娠检查或者生活不能自理的鉴别意见等有关材料复印件一并送达居住地县级司法行政机关。

7. 人民法院、公安机关、司法行政机关在社区服刑人员交付接收工作中衔接脱节,或者社区服刑人员逃避监管、未按规定时间期限报到,造成没有及时执行社区矫正的,属于漏管。

8. 居住地社区矫正机构发现社区服刑人员漏管,应当及时组织查找,并由居住地县级司法行政机关通知有关人民法院、公安机关、监狱、居住地县级人民检察院。

社区服刑人员逃避监管、不按规定时间期限报到导致漏管的,居住地县级司法行政机关应当给予警告;符合收监执行条件的,依法提出撤销缓刑、撤销假释或者对暂予监外执行收监执行的建议。

9. 人民检察院应当加强对社区矫正交付接收中有关机关履职情况的监督,发现有下列情形之一的,依法提出纠正意见:

(1)人民法院、公安机关、监狱未依法送达交付执行法律文书,或者未向社区服刑人员履行法定告知义务;

(2)居住地县级司法行政机关依法应当接收社区服刑人员而未接收;

(3)社区服刑人员未在规定时间期限报到,居住地社区矫正机构未及时组织查找;

(4)人民法院决定暂予监外执行,未通知居住地社区矫正机构与有关公安机关,致使未办理交接手续;

(5)公安机关、监狱管理机关批准罪犯暂予监外执行,罪犯服刑的看守所、监狱未按规定与居住地社区矫正机构办理交接手续;

(6)其他未履行法定交付接收职责的情形。

三、加强对社区服刑人员监督管理的衔接配合

10. 社区服刑人员在社区矫正期间脱离居住地社区矫正机构的监督管理下落不明,或者虽能查找到其下落但拒绝接受监督管理的,属于脱管。

11. 居住地社区矫正机构发现社区服刑人员脱管,应当及时采取联系本人、其家属亲友,走访有关单位和人员等方式组织追查,做好记录,并由县级司法行政机关视情形依法给予警告、提请治安管理处罚、提请撤销缓刑、撤销假释或者对暂予监外执行的提请收监执行。

12. 人民检察院应当加强对社区矫正监督管理活动的监督,发现有下列情形之一的,依法提出纠正意见:

(1)社区服刑人员报到后,居住地县级司法行政机关未向社区服刑人员履行法定告知义务,致使其未按照有关规定接受监督管理;

(2)居住地社区矫正机构违反规定批准社区服刑人员离开所居住的市、县,或者违反人民法院禁止令的内容批准社区服刑人员进入特定区域或者场所;

(3)居住地县级司法行政机关对违反社区矫正规定的社区服刑人员,未依法给予警告、提请治安管理处罚;

(4)其他未履行法定监督管理职责的情形。

13. 司法行政机关应当会同人民法院、人民检察院、公安机关健全完善联席会议制度、情况通报制度,每月通报核对社区服刑人员人数变动、漏管脱管等数据信息,及时协调解决工作中出现的问题。

14. 司法行政机关应当建立完善社区服刑人员的信息交换平台,推动与人民法院、人民检察院、公安机关互联互通,利用网络及时准确传输交换有关法律文书,根据需要查询社区服刑人员脱管漏管、被治安管理处罚、犯罪等情况,共享社区矫正工作动态信息,实现网上办案、网上监管、网上监督。对社区服刑人员采用电子定位方式实施监督,应当采用相应技术,防止发生人机分离,提高监督管理的有效性和安全性。

15. 社区服刑人员被依法决定行政拘留、司法拘留、收容教育、强制隔离戒毒等或者因涉嫌犯新罪、发现判决宣告前还有其他罪没有判决被采取强制措施的，决定机关应当自作出决定之日起3日内将有关情况通知居住地县级司法行政机关和居住地县级人民检察院。

四、加强对社区服刑人员收监执行的衔接配合管理

16. 社区服刑人员符合收监执行条件的，居住地社区矫正机构应当及时按照规定，向原裁判人民法院或者公安机关、监狱管理机关送达撤销缓刑、撤销假释建议书或者对暂予监外执行的收监执行建议书并附相关证明材料。人民法院、公安机关、监狱管理机关应当在规定期限内依法作出裁定或者决定，并将法律文书送达居住地县级司法行政机关，同时抄送居住地县级人民检察院、公安机关。

17. 社区服刑人员因违反监督管理规定被依法撤销缓刑、撤销假释或者暂予监外执行被决定收监执行的，应当本着就近、便利、安全的原则，送交其居住地所属的省（区、市）的看守所、监狱执行刑罚。

18. 社区服刑人员被裁定撤销缓刑的，居住地社区矫正机构应当向看守所、监狱移交撤销缓刑裁定书和执行通知书、撤销缓刑建议书以及原判决书、裁定书和执行通知书、起诉书副本、结案登记表以及社区矫正期间表现情况等文书材料。

社区服刑人员被裁定撤销假释的，居住地社区矫正机构应当向看守所、监狱移交撤销假释裁定书和执行通知书，撤销假释建议书、社区矫正期间表现情况材料，原判决书、裁定书和执行通知书、起诉书副本、结案登记表复印件等文书材料。罪犯收监后，居住地社区矫正机构通知罪犯原服刑看守所、监狱将罪犯假释前的档案材料移交撤销假释后的服刑看守所、监狱。

暂予监外执行社区服刑人员被人民法院决定收监执行的，居住地社区矫正机构应当向看守所、监狱移交收监执行决定书和执行通知书以及原判决书、裁定书和执行通知书、起诉书副本、结案登记表、社区矫正期间表现等文书材料。

暂予监外执行社区服刑人员被公安机关、监狱管理机关决定收监执行的，居住地社区矫正机构应当向看守所、监狱移交社区服刑人员在接受矫正期间的表现情况等文书材料。

19. 撤销缓刑、撤销假释裁定书或者对暂予监外执行罪犯收监执行决定书应当在居住地社区矫正机构教育场所公示。属于未成年或者犯罪的时候不满十八周岁被判处五年有期徒刑以下刑罚的社区服刑人员除外。

20. 被裁定、决定收监执行的社区服刑人员在逃的，居住地社区矫正机构应当在收到人民法院、公安机关、监狱管理机关的裁定、决定后，立即通知居住地县级公安机关，由其负责实施追捕。

撤销缓刑、撤销假释裁定书和对暂予监外执行罪犯收监执行决定书，可以作为公安机关网上追逃依据。公安机关根据案情决定是否实施网上追逃。

21. 社区服刑人员被行政拘留、司法拘留、收容教育、强制隔离戒毒等行政处罚或者强制措施期间，人民法院、公安机关、监狱管理机关依法作出对其撤销缓刑、撤销假释的裁定或者收监执行决定的，居住地社区矫正机构应当将人民法院、公安机关、监狱管理机关的裁定书、决定书送交作出上述决定的机关，由有关部门依法收监执行刑罚。

22. 人民检察院应当加强对社区矫正收监执行活动的监督，发现有下列情形之一的，依法提出纠正意见：

(1)居住地县级司法行政机关未依法向人民法院、公安机关、监狱管理机关提出撤销缓刑、撤销假释建议或者对暂予监外执行的收监执行建议；

(2)人民法院、公安机关、监狱管理机关未依法作出裁定、决定，或者未依法送达；

(3)居住地县级司法行政机关、公安机关未依法将罪犯送交看守所、监狱，或者未依法移交被收监执行罪犯的文书材料；

(4)看守所、监狱未依法收监执行；

(5)公安机关未依法协助送交收监执行罪犯，或者未依法对在逃的收监执行罪犯实施追捕；

(6)其他违反收监执行规定的情形。

23. 对社区服刑人员实行社区矫正，本意见未明确的程序和事项，按照有关法律法规以及最高人民法院、最高人民检察院、公安部、司法部《社区矫正实施办法》，最高人民法院、最高人民检察院、公安部、司法部、国家卫生计生委《暂予监外执行规定》等执行。

24. 本意见自发布之日起施行。

附：

2016年9月份报国务院备案的地方性法规和地方政府规章目录

地方性法规

山西省

吕梁市人民代表大会及其常务委员会立法程序规定
（2016年8月1日）

黑龙江省

黑龙江省非物质文化遗产条例
（2016年8月19日）
黑龙江省森林防火条例
（2016年8月19日）
黑龙江省乡镇人民代表大会工作条例
（2016年8月19日）
哈尔滨市人大常委会关于修改《哈尔滨市新型墙体材料发展应用和建筑节能管理条例》等五部地方性法规的决定
（2016年8月19日）

江苏省

江苏省安全生产条例
（2016年7月29日）
江苏省社会科学普及促进条例
（2016年7月29日）
江苏省乡镇人民代表大会工作条例
（2016年7月29日）
南京市邮政条例
（2016年8月10日）
南通市濠河风景名胜区条例
（2016年8月9日）
盐城市农作物秸秆综合利用条例
（2016年8月16日）
镇江香醋保护条例
（2016年8月9日）
泰州市水环境保护条例
（2016年8月11日）
泰州市公共信用信息条例
（2016年8月11日）

浙江省

浙江省乡镇人民代表大会工作条例
（2016年7月29日）
浙江省人大常委会关于修改《浙江省特种设备安全管理条例》的决定
（2016年7月29日）
浙江省信访条例（修订）
（2016年7月29日）
浙江省安全生产条例（修订）
（2016年7月29日）

河南省

郑州市建筑市场管理条例
（2016年8月22日）
开封市城市市容和环境卫生管理条例
（2016年8月11日）

鹤壁市循环经济生态城市建设条例
（2016 年 8 月 15 日）
商丘古城保护条例
（2016 年 8 月 23 日）

湖 北 省

武汉市基本生态控制线管理条例
（2016 年 8 月 25 日）
武汉市非物质文化遗产保护条例
（2016 年 8 月 26 日）

湖 南 省

长沙市湘江流域水污染防治条例
（2016 年 8 月 5 日）

广 东 省

汕头经济特区农村集体资金资产资源管理条例
（2016 年 8 月 30 日）

贵 州 省

三都水族自治县城镇管理条例
（2016 年 8 月 26 日）
贵阳市殡葬管理办法
（2016 年 8 月 12 日）
黔西南布依族苗族自治州 500 米口径球面射电望远镜电磁波宁静区环境保护条例
（2016 年 8 月 25 日）

贵 州 省

沿河土家族自治县非物质文化遗产保护条例
（2016 年 8 月 10 日）

陕 西 省

西安市制定地方性法规条例(修订)
（2016 年 6 月 17 日）
渭南市地方立法条例
（2016 年 6 月 22 日）
延安市制定地方性法规条例
（2016 年 7 月 15 日）
榆林市地方立法条例
（2016 年 6 月 25 日）
商洛市制定地方性法规条例
（2016 年 6 月 20 日）

甘 肃 省

武威市人民代表大会及其常务委员会立法程序规则
（2016 年 8 月 2 日）

青 海 省

互助土族自治县城乡规划建设管理条例
（2016 年 8 月 12 日）
海南藏族自治州民族团结进步条例
（2016 年 8 月 19 日）

新疆维吾尔自治区

新疆维吾尔自治区实施《中华人民共和国反恐怖主义法》办法
（2016 年 7 月 29 日）
乌鲁木齐市湿地保护条例
（2016 年 6 月 6 日）

地方政府规章

北京市

北京市人民政府关于废止《北京市生育服务证管理办法》的决定
（2016年8月24日）

山西省

山西省重大活动档案管理办法
（2016年9月11日）

辽宁省

大连市危险废物污染环境防治办法
（2016年9月9日）

鞍山市人民政府规章修正案
（2016年9月14日）

吉林省

吉林省地震与火山监测管理办法
（2016年8月29日）

吉林市人民政府关于废止和修改部分政府规章的决定
（2016年9月6日）

上海市

上海市市场监督管理行政处罚程序规定
（2016年9月5日）

上海市危险化学品安全管理办法
（2016年9月5日）

江苏省

南京市商业网点规划建设管理办法
（2016年9月2日）

浙江省

杭州市公共信用信息管理办法
（2016年8月28日）

安徽省

宿州市住宅小区管理办法
（2016年8月12日）

福建省

厦门市环境教育规定
（2016年8月29日）

厦门市人民政府关于废止《厦门市人口与计划生育若干规定》的决定
（2016年8月30日）

江西省

南昌市公共安全视频图像信息系统管理办法
（2016年8月19日）

赣州市人民政府制定规章和拟订地方性法规草案程序规定
（2016年8月19日）

抚州市人民政府拟订地方性法规草案和制定规章程序规定
（2016年8月24日）

湖北省

武汉市公交专用车道管理办法
（2016年8月26日）

荆门市秸秆露天禁烧和综合利用管理办法
（2016年8月18日）

广 东 省

广东省渡口渡船安全管理办法

（2016 年 8 月 15 日）

广州市临近保质期和超过保质期食品管理办法

（2016 年 7 月 23 日）

广西壮族自治区

贵港市规章制定程序规定

（2016 年 8 月 25 日）

四 川 省

四川省社会稳定风险评估办法

（2016 年 8 月 25 日）

四川省重大行政决策责任追究暂行办法

（2016 年 9 月 1 日）

自贡市人民政府拟定地方性法规草案和制定规章程序规定

（2016 年 8 月 31 日）

贵 州 省

贵阳市控制性详细规划管理办法

（2016 年 7 月 21 日）

黔东南苗族侗族自治州人民政府规章制定办法

（2016 年 8 月 28 日）

云 南 省

云南省公共安全视频图像信息系统管理规定

（2016 年 8 月 25 日）

甘 肃 省

兰州市南北两山绿化上水工程管理办法

（2016 年 8 月 11 日）

青 海 省

青海省人民政府取消下放和暂缓实施的行政审批等事项目录

（2016 年 2 月 20 日）

青海省人民政府关于修改《青海省实施〈中华人民共和国水文条例〉办法》的决定

（2016 年 8 月 10 日）

宁夏回族自治区

宁夏回族自治区校车安全管理办法

（2016 年 9 月 2 日）

图书在版编目(CIP)数据

中华人民共和国新法规汇编. 2016年. 第10辑:总第236辑/国务院法制办公室编. —北京:中国法制出版社,2016.10

ISBN 978-7-5093-7913-4

Ⅰ.①中… Ⅱ.①国… Ⅲ.①法规-汇编-中国-2016 Ⅳ.①D920.9

中国版本图书馆CIP数据核字(2016)第241429号

中华人民共和国新法规汇编
ZHONGHUA RENMIN GONGHEGUO XIN FAGUI HUIBIAN
(2016年第10辑)

编者/国务院法制办公室

经销/新华书店

印刷/三河市紫恒印装有限公司

开本/850毫米×1168毫米 32开　　印张/12.5　字数/320千

版次/2016年10月第1版　　2016年10月第1次印刷

中国法制出版社出版

书号 ISBN 978-7-5093-7913-4　　定价:18.00元

北京西单横二条2号　　值班电话:66026508

邮政编码 100031　　传真:66031119

网址:http://www.zgfzs.com　　**编辑部电话:66066621**

市场营销部电话:66033393　　**邮购部电话:66033288**

(如有印装质量问题,请与本社编务印务管理部联系调换。电话:010-66032926)